СТУПЕНИ В РАЗУМНЫЙ МИР

АЛЕКСАНДР СВИЯШ

УРОКИ СУДЬБЫ
В ВОПРОСАХ И ОТВЕТАХ

Москва
ЦЕНТРПОЛИГРАФ
2002

УДК 159.96
ББК 86.42
С24

Оформление художника И.А. Озерова

Свияш А.Г.

С24   Уроки судьбы в вопросах и ответах. — М.: ЗАО
Изд-во Центрполиграф, 2002. — 348 с. — (Серия
«Ступени в разумный мир»).

ISBN 5-227-01638-0

Необычная по широте охваченных житейских проблем, доступная
и полезная книга, в которой вы найдете ответы на многочисленные
важные вопросы. Простые и чрезвычайно эффективные авторские
методики помогут в решении повседневных проблем, научат уверен-
ности, подскажут выход из трудных ситуаций. Применяя советы и рекомендации, изложенные в книге, вы посмотрите на жизнь другими
глазами, обретете счастье и благополучие, как многие тысячи людей, уже воспользовавшиеся этими советами. Книга построена в форме ответов на животрепещущие вопросы, адресованные Александру
Свияшу.

УДК 159.96
ББК 86.42

ISBN 5-227-01638-0

Введение

Здравствуйте, уважаемые читатели. Я рад нашей новой встрече. Это несколько необычная книга, поскольку она являет собой один большой ответ на некоторые ваши вопросы, возникшие при прочтении предыдущих работ.

О чем эта книга

Настоящая книга — это ответы на те вопросы, которые либо выпали из поля зрения в предыдущих работах [1—9], либо были недостаточно подробно разъяснены, и поэтому их часто задают на встречах с читателями во многих городах России и в других странах. Кроме того, здесь приведены некоторые материалы из рубрики «Диспут-клуб» нашего журнала «Разумный мир». Читатели журнала постоянно присылают нам свои вопросы, и мы отвечаем на них в этой рубрике.

В этой книге мы впервые высказываем наше отношение к другим школам и направлениям духовного развития. Впервые рассматриваем, как соотносятся выявленные нами закономерности и глобальные политические события, происходящие в мире. Оказывается, в какой-то мере «воспитательные» процессы имеют место и на уровне народов или государств.

Здесь же помещены материалы двух конкурсов, проводившихся нашим журналом. Первый конкурс, ежегодный, называется «Получилось!». В нем наши читатели рассказывают, как изменилась их жизнь после практического использования идей Разумного пути. Возможно, их рассказы об эффективности нашей методики окажутся убедительнее, чем рассуждения ее автора.

Во втором конкурсе мы предлагали нашим читателям написать себе хвалебную оду, восславить себя как божественное творение. Мы призываем посмотреть, что из этого получилось. Возможно, чужой пример вдохновит вас. Это непросто, но ведь и авторам этих произведений было нелегко. Но они справились. А вы что, хуже их? Конечно же нет, поскольку при создании всех нас Творец приложил немало усилий.

Для кого эта книга

Эта книга предназначена в первую очередь тем нашим читателям, кто знаком с предыдущими работами по технологии Разумной жизни [1—9]. Здесь они найдут дополнительную информацию по нашей методике, некоторые новые идеи и ответы на многие вопросы.

Но если вы и не читали предыдущих книг, то, как нам представляется, **имеете возможность получить полное представление об основных идеях Разумного пути** из этой книги. И научиться строить свою жизнь так, чтобы она только радовала вас, чтобы вы стали преуспевающим и довольным жизнью человеком. Никаких проблем на этом пути нет, нужно только немного желания и усилий.

Сумбур в голове

У тех наших читателей, кто хорошо знаком с идеями Разумного пути и пробует использовать их в своей жизни, могли возникнуть следующие сложности. В промежутке между выходом наших новых книг вы могли ознакомиться со многими другими работами, и в результате в голове образовался сумбур из-за того, что мнения или версии разных авторов не совпадают между собой. Более того, они часто даже противоречат друг другу, так что не знаешь, кому верить.

Ситуация обычная и часто встречающаяся. Что в ней делать? Ответ прост: **не верьте никому.** Поскольку вера предполагает, что вы без обоснований и хоть каких-то доказательств должны приня ь для себя определенную систему взглядов на мир и руководствоваться ею в своей жизни. Но ведь вы в некотором смысле разумный человек, почему же должны принимать что-то на веру? Поскольку вы читаете различные книги, то, видимо, вас не устраивают те системы верований, которые предлагаются в разных источниках, включая религиозные. Истинно верующие обычно не читают эзотерической литературы, им достаточно Библии, Корана или другого религиозного источника. Вам — нет. Поэтому вы ищете.

На наш взгляд, результатом таких поисков должна стать **ваша собственная система взглядов на мир**. В которую составными элементами, в той или иной мере войдут методики Свияша, Лазарева, Жикаренцева, Хей или любых других авторов, религиозные системы верований и т. д. И желательно, чтобы эта ваша система создавалась не под влиянием очередных проповедников, а в результате **вашего личного опыта**. Что, собственно, мы и предлагаем делать при использовании нашей технологии Разумной жизни. Попробовали, испытали, взяли себе то, что вам резонирует. И спокойно пошли дальше, если чего-то вам не хватает или что-то вас не устраивает.

Важно при этом не поддаваться азарту и не решать, что вам нужны не просто возможности формировать нужные вам события в повседневной жизни, а некие сверхспособности, которые позволят (как вам может представляться) достичь еще большего. Чего — непонятно, но очень хочется. Такие желания возникают нередко, и люди начинают искать сверхспособности в школах йоги, магии, экстрасенсорики, энергетики и пр. Результаты обычно бывают огорчительные. Вы имеете все, что хотите, но желаете большего, а за это нужно платить, и немало. А вы не готовы платить (многолетней учебой, усилиями, отказом от обычной земной жизни и полной погруженностью в эту систему), поэтому результаты будут отрицательными. Либо вы приобретете способности, но оторветесь от обычной земной жизни. И то и другое не сделает вашу жизнь более комфортной, и в результате вы сойдете с Разумного пути. Вы имеете полное право сделать такой выбор, но попробуйте заранее понять, чем это может закончиться.

А чем отличается наш Путь от множества других — вы найдете на страницах книги.

Наши идеализации

Поскольку наша методика называется «Разумный путь», скорее всего, мы идеализируем разумность людей. То есть мы придумали какого-то идеального «разумного» человека — умного, рассудительного, не принимающего необдуманных решений. И большинство наших рассуждений строим исходя из идеи, что люди именно таковы.

Как вы понимаете, это не более чем наши фантазии. Большинство людей в своих решениях и поступках руководствуются самыми разными основаниями: «а как же иначе», «так все поступают», «так мне сердце подсказало», «я об этом не думала» и так далее. В общем, относить большинство людей к существам разумным (по нашей трактовке) — это попытка выдать желаемое за действительное.

Большинство людей хотят получить рекомендации, что им **нужно сделать** в трудной ситуации. Что-то вроде: «Возьмите полкило яблок сорта антоновка, смешайте с килограммом свежего конского навоза, варите это в трех литрах воды пять часов. Потом поите полученным отваром вашего мужа с утра, и он перестанет пить» (это шутка, не вздумайте поить кого-то этой бурдой). Или: «Сядьте, расставьте ноги на ширину ушей. Представьте, что у вас в пупке загорается красный фонарик. Направьте лучик от фонарика на вашего мужа, и он перестанет вам изменять» (лучик можете направлять, хуже от этого не станет. Лучше, впрочем, тоже). Подобных рекомендаций полны книги других авторов.

А мы предлагаем вам не действие, а **самоосмысление, самоанализ, самоосознание. Не бежать куда-то, а остановиться и начать думать.** Понятно, что с этим могут быть изрядные сложности.

И все же, понимая это, мы не можем свернуть с избранного пути и все наши рассуждения и рекомендации строим обращаясь к человеку более или менее разумному. Мы призываем его **осознать причины и последствия его поступков**. Понятно, что далеко не у всех это получится. Тем более, что многие другие школы призывают людей «жить сердцем», интуицией, «как Бог подскажет» и так далее. Вот и получается, что сначала люблю до беспамятства, непонятно за что. Потом ненавижу до беспамятства, уже понимая за что, и так далее. В общем, большинство людей живут нескучно, развлекаются, как могут. Это их выбор, и они имеют на него право.

Если вам не наскучила эта бурная жизнь, то наша методика Разумной жизни вам поможет, но ненадолго. Но вот если вы устали от бесконечных стрессов и переживаний и хотели бы пожить спокойной и успешной жизнью, то наша технология подойдет вам на сто процентов. Если, конечно, вы сумеете ею воспользоваться.

Что нового

Кому-то может показаться, что в этой книге мало новой информации, мало совсем новых идей. Возможно, они и правы. Но зачем выдавать новые идеи, если и старые почти никто не усвоил? Поэтому настоящая книга направлена на **более полное понимание идей Разумного пути и на умение применять их в конкретных жизненных ситуациях**. Наши тренинги и консультации показывают, что одного прочтения книг иногда оказывается недостаточно, чтобы человек этим пользовался.

Возможно, кому-то покажется, что некоторые вопросы и ответы на них очень близки и можно было бы их не рассматривать. На самом деле подбор вопросов отражает нашу реальность — многие люди спотыкаются об одни и те же проблемы: муж пьет или изменяет, сын не работает или не учится, жена ругается, денег нет и так далее. Эти проблемы постоянно всплывают на встречах с читателями, поэтому им уделено соответствующее место в этой книге. В общем, мы старались сделать так, чтобы количество внимания, уделенного в книге тем или иным вопросам, соответствовало количеству подобных проблем в реальной жизни. Что у нас получилось, судить вам. Надеемся, вы не осудите нас строго.

Если какие-то вопросы оказались не затронутыми в этой книге, так еще не вечер. Наша технология Разумной жизни только становится на ноги, так что мы рассчитываем встретиться с вами еще не раз. А если вам хочется получить ответ на свой вопрос уже сегодня-завтра, то присылайте его в наш журнал «Разумный мир», и вы скоро прочитаете ответ на его страницах.

Итак, до встречи в Разумном мире.

Глава 1
УЖЕ ПОЛУЧИЛОСЬ!!!

Методика Разумной жизни существует уже не один год и оказала положительное влияние на жизнь множества людей. Поэтому нашу книгу мы начинаем с писем читателей, которые использовали нашу методику для решения своих повседневных проблем. И у них получилось! Наш журнал «Разумный мир» ежегодно проводит конкурс под этим же названием. Приведенные ниже письма были получены от участников этого конкурса из самых разных уголков нашей страны и из других стран. Если вы еще не прислали свое письмо — не переживайте, а просто присылайте нам рассказ о своих изменениях в жизни. А пока посмотрим, о чем рассказывают нам наши читатели, у которых уже получилось! При отборе писем мы убрали некоторые отступления, не имеющие отношения к теме, и слегка отредактировали некоторые письма.

Письмо 1. «...В моей жизни стали происходить чудеса».

Это письмо от Надежды Р. из Поволжья, которая после применения нашей методики просто стала волшебником, поскольку в ее жизни начались реальные чудеса, о которых она с удовольствием рассказывает.

«Добрый день!

Огромное спасибо Александру Свияшу! Его метод работает! Получилось!

В этом я убедилась на примере своей жизни, которая благодаря разработанному им методу коренным образом изменилась, причем по всем направлениям.

В течение шести месяцев я изучала книги А. Свияша. В душе поселилась гармония, радость.

Затем постепенно с помощью этого метода я стала решать существующие проблемы своей жизни, стараясь выполнять при этом основные условия:

• научиться принимать мир и людей такими, какие они есть;

• не накапливать недовольство жизнью (старалась жить без претензий к чему-то или к кому-то);

• взаимодействовать с силами Непроявленного мира, а также использовать основные принципы Методики формирования событий («Беги в одну сторону!», «Я сама формирую события своей жизни!» и т. д.), аффирмации, медитацию прощения и др.

После этого в моей жизни стали происходить чудеса.

Чудо 1. С мужем мы нормально прожили около 20 лет. Я работала врачом, все свои силы отдавая профессии. **У нас не было детей.** Муж не хотел брать чужого ребенка, раз своих нет.

По вашему методу я стала решать эту проблему, **чтобы у нас в семье появился ребенок.** Поехала в детский дом одна, объяснила ситуацию директору. Там мне очень понравился один мальчик 7 лет, и я попросила взять его в гости на лето, думая при этом, что муж его увидит, будет с ним общаться, и все решится. Ребенка мне дали (я оставила заявление и свои паспортные данные). Так Андрейка переступил порог нашего дома и сразу назвал **меня мамой.** Муж очень его любит.

На решение этой проблемы ушло два месяца.

Чудо 2. Андрей стал вспоминать, что где-то в другом детском доме у него есть сестра, и хотел, чтобы мы ее тоже забрали. Как оказалось, они были разведены по разным детским домам в раннем детстве. Муж был категорически против второго ребенка (в основном по материальным соображениям). Сначала я колебалась, но потом стала работать по методу, поставив перед собою цель. Узнала, в каком из детских домов находится девочка.

Однажды я была в служебной командировке в Самаре и ждала машину. Вдруг ко мне подходит незнакомая женщина и спрашивает: «Вы что здесь стоите?» Так мы разговорились. Я спросила, где она работает. Оказывается, **в детском доме, где была сестра Андрея.** Я была поражена и с замиранием сердца спросила, не знает ли она девочку Настю? Женщина ответила, что она ее воспитатель и это чудесная девочка.

Представьте мое состояние. **В миллионном городе именно ко мне подходит воспитатель Насти.** Я расценила это как знак Высших сил. События складывались чудесно, всем моим делам давался «зеленый свет». Так в нашей семье появилась родная сестра Андрея — Настя.

На формирование этого события у меня ушло около одного года.

Чудо 3. Стали мы жить вчетвером в любви, но в очень тесной квартире. Применяя почти все рекомендации из ваших книг, стала решать и этот вопрос. Я представляла, что мы будем жить в собственном доме, окруженном садом. Как-то соседка сказала, что одна семья разводится и меняет свой дом на квартиру с доплатой. Дом мне очень понравился, **но у нас совсем не было необходимой доплаты.** Однако я уже твердо верила в метод Разумного пути и продолжала работать по нему. И вот где-то через шесть месяцев эта семья предлагает нам обмен, а доплату они могут подождать в течение года. И вот чудо! Мы поменялись и переехали в дом, окруженный садом. Я верила, что в отношении доплаты все образуется. Так и случилось, в течение года мы расплатились. Сейчас мы живем в своем просторном доме. Вокруг цветущий сад. **Интересно, что было много желающих произвести этот обмен, и доплату предлагали сразу, но повезло именно нам.**

Реализация этого события заняла один год.

Чудо 4. С появлением детей меня не совсем стала устраивать моя работа. На решение этой проблемы тоже ушел один год. Сейчас **у меня другая работа,** которая меня устраивает.

Чудо 5. После применения вашей методики у меня значительно **улучшилось здоровье**, ушли болезни, которые, видимо, были вызваны неправильным отношением к себе и к жизни, переживаниями и обидами, в моей жизни стало меньше переживаний и больше хорошего настроения.

Итак, с помощью вашей системы знаний:
* я стала матерью для двух детей;
* переехала в свой дом;
* поменяла работу;
* улучшила свое здоровье.

Что сейчас? Пытаюсь привлечь деньги в свою жизнь.

Уважаемый Александр!
Я думала, почему работает ваш метод? И поняла, что он основан на Божественных заповедях, изложенных в Библии. Но эти заповеди изложены вами научным методом для людей XXI века, для эпохи Водолея! Удачи вам!»

Письмо 2. «Я — счастливый человек!»
Это письмо нашей читательницы из Красноярска Татьяны Е. На первый взгляд ничего сверхъестественного не произошло в ее жизни, и все-таки для нее началась, в буквальном смысле, новая жизнь.

«Здравствуйте, друзья! Давайте знакомиться! Я — Татьяна. Живу в Красноярске. С превеликим удовольствием принимаю участие в объявленном вами конкурсе!

Прежде всего хочу сказать огромное Человеческое Спасибо всем вам и лично — главному редактору журнала и автору тех книг, которые поистине производят переворот в умах и душах людей, — Александру Свияшу.

Теперь о себе. Я в детстве — сплошное недоразумение. Настоящий Гадкий Утенок! Трусливая, затюканная, необщительная, непривлекательная девочка. У меня почти не было друзей и подруг, а до 8-го класса я играла в куклы, практически не выходя из дома. Полный отрыв от реальной жизни!

Как только я обрела способность к самоанализу (лет в 13), мною был вынесен неутешительный вердикт: я — несовершенство, совсем неприспособленное к жизни, не понимающее себя и людей, короче — урод! И сочла свое рождение чьей-то нелепой ошибкой, а весь окружающий мир — несправедливым и жестоким. Эта идиотская уверенность угнетала душу мою в течение долгих лет и не давала жить полноценной жизнью! Я совершенно искренне считала себя глубоко несчастным человеком, особенно в личной жизни...

Из этой пропасти пессимизма я всеми силами пыталась вытащить себя очень долго. Иногда что-то получалось (случались робкие прозрения!), но я упорно не могла понять чего-то главного, каких-то простейших истин этой жизни! В этих поисках я прочитала книги В. Леви, Д. Карнеги, Э. Шострома, С. Лазарева, В. Мегрэ...

И вот — свершилось! УРА!!! Бог послал мне мне книги А. Свияша. Перечитав их два-три раза, я наконец прозрела! Причем конечно же не сразу. Месяцев 7—8 мой мозговой компьютер переваривал загруженную в него информацию, а потом выдал очевидный результат. Господи, до какой же степени могут быть затуманены мозги у людей, как это было в моем случае! И вот шоры упали с глаз моих.

Я теперь могу дать точный ответ на вопрос: что такое счастье? Счастье — принимать ВСЕ вокруг таким, как оно есть, и радоваться всему, ни о чем не переживая. А если неприятности — это лишь временный проигрыш в игре под названием «Жизнь», или же все это — к лучшему! То есть, оказывается, что Счастье — это состояние Души при ТАКОМ отношении к жизни, какому учат книги А.Г. Свияша!

Теперь я люблю, просто обожаю себя. Оказывается, я умна и красива, прямо-таки Татьяна Прекрасная! Люблю окружающих людей, люблю нашу грешную Землю и все, что есть на ней. Теперь я ни на кого не обижаюсь (не то, что раньше!) и ни на кого не держу зла в душе, а как раз наоборот — всем, даже явным недругам, от души желаю добра! И еще одно наблюдение: мне кажется, что я воспринимаю весь огромный мир теми же ощущениями, как и в далеком беззаботном детстве. Вы не представляете, как это здорово! Я ловлю себя на том, что постоянно хожу с улыбкой Будды на лице. Возможно, некоторые окружающим я иногда кажусь ненормальной! Но в основном ловлю восхищенные взгляды мужчин, а все мои друзья и знакомые говорят мне комплименты и чаще стремятся к общению. И что удивительно — я воспринимаю это как должное! А раньше-то меня смущало любое внимание к своей особе... И всегда я даже думать боялась о хорошем (чтоб не сглазить!) и постоянно настраивала себя на что-то плохое (чтобы избежать разочарований). А теперь вот я смело пишу вам о своем Счастье, нисколько не боясь сглазить! Ну разве это не чудесная Метаморфоза?!

Мне безумно хочется жить! Хочется кричать: «Я — счастливый человек!» Вы сомневаетесь в этом? Тогда слушайте: здоровье — можно сказать в норме (раньше я постоянно находила у себя кучу болячек!). Работа хорошая, интересная, с людьми, коллектив приятный. Живы и здоровы мои родители, есть любимая младшая сестра. Сын любимый есть у меня! Он умница. У нас с ним почти нет конфликтов, хотя возраст как раз самый вредный! Квартира у нас с сыном хоть и тесновата, но очень уютная. А еще ласковая и мудрая кошка. Которая в ноябре минувшего года родила шестерых котят! Они подарили нам кучу положительной энергии! (А еще год-два назад и один котенок меня очень утомлял.) В общем, кругом полная Гармония! А то, что в данный момент я одна (то бишь без мужика), — не повод для печали. Значит, так угодно моей Судьбе. Я нисколько не сомневаюсь, что все у меня еще впереди. Когда — не важно. Главное — теперь я внутренне готова к этому. А что касается Любви — она была в моей жизни, та самая — сумасшедшая, настоящая, все вокруг затмившая собой, пусть недолгая, но такая незабываемая! Благодарю Бога за то, что мне выпало испытать ее!

А еще у меня есть Настоящие Друзья! И каждый божий день я благодарю Творца за все то, что есть у меня! Я верю, что будет еще лучше!

Подобно главной героине фильма «Служебный роман» я категорически заявляю: «ТАКОЙ Я ТЕПЕРЬ БУДУ ВСЕГДА!» И самое главное: я чувствую, что ЭТО — еще только начало на пути моего духовного обновления и моего жизненного процветания! Все мое огромное Счастье — еще впереди!

От всей души хочу пожелать: дай Бог всем вам Здоровья и Мудрости и верных Друзей! И конечно же Денег, чтобы вы могли купить себе все остальное! Будьте в Гармонии с Миром и с собой!

Искренне ваша, *Татьяна Е., г. Красноярск*».

Письмо 3. «Жить — замечательно!»

Его автор — Валентина С. из Нижнего Новгорода. Применение нашей методики помогло ей выйти из кризисной ситуации, посмотреть на свой прошлый опыт и настоящую жизнь другими глазами.

«Здравствуйте! Книги и статьи Александра Свияша вошли в мою жизнь удивительно вовремя. Судите сами.

До 45 лет я жила совершенно благополучно, без серьезных бед и невзгод. Напротив, я была счастливее многих. Хорошие, добрые родители, спокойное, светлое детство, юность. В 20 лет — любовь и замужество. Умный, интересный муж. Удивительное совпадение с ним по тысячам аспектов мировосприятия. Мы вместе поступили в вечерний институт и отучились 6 лет за одной партой. К моменту защиты дипломов у нас уже была четырехлетняя доченька, своя квартира, инженерная работа на ГАЗе. Потом родилась вторая малышка, двухкомнатная квартира стала трехкомнатной, начался стремительный карьерный рост мужа. Я же никогда не была амбициозна. Главным для меня была семья, особенно дети. Мы были с ними очень близки. Муж, набирая вес в служебных кругах, оставался для меня все же на втором плане. Казалось, так было всегда.

Но это стройное здание рухнуло. Муж нас оставил. Будучи человеком крайне ревнивым, он всю жизнь подозревал меня в неверности и, конечно, дождался измены. Глупой, нелепой, не нужной мне самой. Может быть, жизнь через меня разрушала его идеализации?

Он ушел. Вдобавок вскоре из-за политических передряг резко вздорожала жизнь. Мне стало очень трудно жить с подросшими дочками. Старшая из них, которая всегда была мне самым близким человеком, с которым мы даже интуитивно чувствовали друг друга так, что порой дух замирал от нереальности такого единства, вышла замуж и переехала в другой район города.

Сказать, что мне было худо, — значит ничего не сказать. Я серьезно полагала, что мало на земле людей несчастнее меня. Мучила совесть за измену мужу. Изводил стыд. Сердце заполняла безмерная любовь к нему, единственному, на котором сошелся клином свет. Терзало отчаяние из-за невозможности уже никогда быть с ним. Переполняла ревность к его новой избраннице, похожей на меня внешне, только более молодой, чем я, и ни в чем перед ним не виноватой. Грызла тоска по уехавшей дочке. Было жаль, что муж ее даже не понимает, каким сокровищем владеет, ведь по развитию он так отстает от нее, хотя, в общем, он совсем неплохой человек.

Младшая дочка успела вступить в подростковый возраст и тоже отдалилась. Ей было гораздо интереснее со сверстниками, чем со мной.

На многое стало не хватать денег. Цены стремительно росли. Товары, к которым я привыкла, стали для меня малодоступны. Меня пугали картины ужасов грядущей одинокой нищей старости. Прошедшие 25 лет семейной жизни виделись безвозвратно потерянным безоблачным счастьем.

И тут мне попались сначала газетные публикации, а затем первые книги Александра Свияша. Будто ангел-хранитель протянул мне руку. И я забарахталась. Читала новые и новые книги, медитировала, вытравляла из сердца обиду на мужа, бросившего меня, такую хорошую, хоть и оступившуюся. Радовалась дочкиному счастью, что зять, как умеет, любит ее, что родился улыбчивый, хорошенький, как ангел, внучек Андрюшка. Благодарила Бога, что младшая успешно окончила школу и поступила в хороший вуз, что ее не сильно донимает астма. Что нам с ней худо-бедно хватает денег на житье. Что у меня удивительные подруги, интересная работа, по-настоящему хорошее здоровье, и старость-то еще очень далека. Что я вполне симпатичная, веселая, обаятельная, умненькая дамочка.

Не хочу одиночества? Значит, надо заказывать себе замужество. Вот методика. У Свияша все доступно расписано.

Я грезила, как роскошный молодой блондин выходит из красивой машины и преподносит мне дивной красоты розу. И буквально ниоткуда возник в моей жизни новый мужчина. Он — блондин, у него спортивная фигура, он на 8 лет моложе меня и ездит пусть на неказистых, но «Жигулях». И что меня сразило, что на бракосочетании он подарил мне не букет, а единственную чудную пурпурную розу. Даже холодок пробежал по позвоночнику: работает! Получается!

Мы женаты уже полтора года. И пускай новый мой супруг смотрит на мир не так, как я, и совпадений у нас меньше, чем с моим первым мужем (я ведь не «заказывала» этого его аспекта, наивно полагая, что и мозги, и душа моего нового друга автоматически будут аналогичны предыдущему). Главное, что мы с ним — друзья.

Да, мне тревожно, что я могу в ближайшее время лишиться работы. Но все равно, мне больше не страшно жить! В душе покой и уверенность, что все устроится.

К нам на дачу недавно забрались взломщики. Мы узнали об этом через 2—3 дня. Приехав с опасениями, что уже все разграблено, мы были поражены: ничего не украли!

Младшая дочь — студентка с гуманитарным складом ума. Идет сдавать математику со словами: «Мамочка, ничегошеньки не знаю!» — и получает «четверку»!

И таких необъяснимых счастливых событий вокруг меня просто пруд пруди. В общем, жить — замечательно!

Спасибо за все».

Письмо 4. «Все у меня в жизни изменилось в лучшую сторону...»

Вроде бы ничего особенного, но жизнь человека резко изменилась к лучшему.

«Здравствуйте, меня зовут Юлия, мне 30 лет. Хочу поделиться своим результатом от знакомства с методикой А. Свияша. Тот период моей жизни, когда я впервые познакомилась с его первой книгой, можно было назвать земным адом. Попробую вкратце пояснить, что имею в виду. На тот момент я была вне семьи. Добровольно уйдя от мужа, с которым мы прожили 10 лет, я стала жить отдельно. Квартира, правда, у меня была. Мой сын в силу обстоятельств жил у моих родителей. Работала я с утра до вечера на свою подругу. Деньги мне выплачивались просто смешные. Иногда их хватало только на то, чтобы съездить повидать сына и купить ему маленький подарочек. Правда, подруга-начальница кормила меня два раза в день и покупала мне сама, по необходимости, вещи. Она контролировала все мои шаги, разговоры и внушала определенный образ мыслей. Дошло до того, что мои родители стали для меня врагами. Так, постепенно, моя подруга силой внушения и разговоров на тему «бизнесу нужно отдаться полностью», шаг за шагом, сначала отстранила моего мужа, потом родителей и взялась за сына, которого надо было чуть ли не подарить мужу и остаться «без проблем». Один на один с собой и с работой. Но на сыне сила внушений закончилась, и начались проблемы.

Подруга жалостливо вникала в мои семейные неурядицы и советовала. А потом требовала отчета о проделанной работе и, как мать, ругала, если я не выполняла ее советов. Таким образом, я стала не только зомби, но и рабой в ее собственном доме, впрочем, как и ее муж. Мы были практически семьей, только что не спали все вместе. В общем, падчерица, в худшем понимании этого слова. На работе я тоже боялась шагнуть вправо или влево, не говоря уже о том, чтобы высказать свое собственное мнение. Делая акцент на том, что я без нее пропаду, она подавила во мне не только мое человеческое и профессиональное начало, но думаю, что и женское тоже. И на все это я шла добровольно. Практически не сопротивляясь, думая, что так и надо, что это моя школа. А цель моя была — стать собой, сделать свой бизнес, доказать всем, что я что-то могу. Ни много ни мало, а я была на тот момент врач-косметолог, заместитель директора салона красоты. А директором была моя подруга.

Когда мне становилось невмоготу, я шла к ней и просила отпустить меня, поясняя, что больше так не могу, что мы не должны вместе работать. Лились взаимные слезы, просились взаимные прощения, говорились высокопарные слова о любви и дружбе, и... все начиналось заново.

Я понимала, что это ненормально, что творится что-то не то. В душе у меня была огромная дисгармония. Но резко уйти от нее у меня не было сил. И я снова ее оправдывала и считала, что мне надо за нее держаться. Она пробивная, деловая, сильная женщина. Окружающие люди: пациенты, сотрудники, родители — все говорили мне, что надо уходить отсюда. Но я отметала все доводы и горячо защищала наше с ней содружество. Так вот, года три-четыре у меня на глазах были розовые очки. Меня мучила такая жизнь. Мало того, что денег у меня не было, но сын... У меня сердце разрывалось от этой безысходности, поскольку надежды на лучшее я тогда не видела. Я все работала, работала, а дело наше стояло на месте. Одна мысль не давала мне покоя: правильно ли я живу? И вот этот вопрос я задавала небесам, каждый вечер по дороге домой, на протяжении последнего полугода.

Когда я познакомилась с книгами А. Свияша, я убрала с глаз шоры, а потом, как извержение вулкана, пришел ответ на мой вопрос. Произошел некий эпизод в моей жизни, который раздавил все мои сомнения. И, осознав, что прямо сейчас я живу в раю, и если буду переживать, то ад еще наступит, по принципу «Жизнь есть цирк», я, как акробат, стала прыгать через все препятствия к своей свободе, не боясь того, что упаду в пропасть. Поскольку я знала о своей начальнице больше положенного, она предприняла все, чтобы я не вышла из-под ее неусыпного ока. В ход шел и шантаж, и воздействие через уважаемых людей. И все это, чтобы я не смогла ничего сделать против нее. А я, собственно, ничего делать и не собиралась. Мне только нужно было выйти из сложившейся ситуации с наименьшими потерями.

Так вот, на всю эту травлю я старалась не реагировать. Я начала работать с аффирмациями, добросовестно проделала «ежик событий», просила прощения. Кстати, я наблюдала такую интересную закономерность: как только я просила у своей начальницы прощения (мысленно) и прощала ее, на следующий день обязательно была очередная вспышка агрессии с ее стороны. Потом я поняла, что у меня столько на нее обид, что за два месяца и даже больше я не сотру их. А вспышки агрессии, я думаю, это не что иное, как защита от моей новой энергетической волны прощения. И еще я поняла тогда, что она — мой самый настоящий «воспитатель». Как мощно она разрушила все мои идеализации! Спасибо ей за это! Я поняла, что такое отношение к себе я позволила сама. И если бы не она, то так или иначе все равно попался бы человек, который разрушал бы мои ценности. Выходит, ей тоже пришлось попотеть со мной. И на самом деле сейчас я ей благодарна за то, что она разрушила мои идеализации дружбы, отношений между людьми, профессионального совершенства, независимости.

Так вот, соскочила я с этой арены здоровой и невредимой. И сразу после этих событий, как по мановению волшебной палочки, все у меня в жизни изменилось в лучшую сторону. Я даже была не готова к таким переменам. Наша семья воссоединилась. Сын был на вершине счастья, а я вместе с ним. Полгода мы с мужем жили как в медовом месяце. Потом, правда, стала подступать бытовуха, но теперь я смотрю на это другими глазами и предпринимаю другие действия, зная, какие мои идеализации разрушаются и какие воспитательные процессы я прохожу. Сейчас у меня есть моя любимая работа, мои пациенты, моя семья. Кошмар кончился. Спасибо за методику Разумного пути, которая дала мне силы и знания справиться с ситуацией.

P. S. На своей новой работе я познакомилась с девушкой, у которой мысли и взгляды на мир оказались похожими на мои. Я дала ей книги А. Свияша. Она всерьез взялась за себя. И чудо произошло с ней буквально через месяц после работы над собой. Она делала все: «ежик событий», медитацию прощения, аффирмации. Моя новая подруга вышла из полугодовой депрессии и устроилась работать в престижный салон, она летает на крыльях удачи!

Я желаю всем добра, любви, исполнения земных желаний, совершенствования и ГАРМОНИИ!

С любовью и уважением ко всем, *Юлия. Москва, 2.03.2001 г.».*

Письмо 5. «Хочу поделиться своим «бабьим счастьем». О своей романтичной истории нам написала Тамара Р. из г. Киселевска Кемеровской области.

«...Здравствуйте, уважаемый Александр Григорьевич и все сотрудники журнала! Меня зовут Тамара, мне 40 лет. Я стала подписчиком вашего журнала совсем недавно. Но вот уже осмелилась, набралась наглости-самоуверенности написать вам, да еще в рубрику «Получилось!».

Хочу поделиться своим «бабьим счастьем», которое без участия Высших сил было бы просто невозможным. По характеру я человек довольно замкнутый, необщительный. Но это не от боязни людей, просто я не хочу пустого общения. (Допускаю, что это, наверное, гордыня... Ну да бог с ней.)

Началось это год назад. К тому времени я была знакома со статьей Александра Свияша в журнале «Альянс», где говорилось о Методике формирования событий. Тогда, два года назад, эта статья произвела на меня большое впечатление. В ней говорилось о том, что я уже и сама знала, чувствовала, замечала. Например, некоторые закономерности в цепочке: **желание — горячее желание — результат**. Поэтому понимание автора было полным и абсолютным. Принципы методики я запомнила почти наизусть.

И вот случайно, просматривая в очередной раз полки в книжном магазине, я вдруг «запнулась» о знакомые слова: «Методика формирования событий», «Беги в одну сторону», «Плыви по течению», «У Бога нет других рук, кроме твоих». **ОНО!** Тот же автор, но теперь это не статья, а целая книга! Читаю внимательнее, оказывается, это только третья книга в трилогии. Значит, мне нужны и первые две!

Я читала их «запоем» и была безмерно счастлива от самого процесса. Потом прочла еще раз, потом еще, уже спокойнее, с карандашом в руках...

А теперь что касается рубрики «Получилось!». Справедливости ради надо сказать, что началась эта история еще до прочтения трилогии, но после статьи в «Альянсе». Так что я была знакома с Методикой формирования событий пока довольно поверхностно, **но я очень верила ей!**

Год назад у меня случайно (т. е. потому, что я очень хотела) возник довольно красивый телефонный роман. Отношения наши не были идеальными. Теперь я понимаю, что мой мужчина — инструмент моего кармического «воспитания». И вот между нами вспыхнула ссора, именно вспыхнула, из ничего и очень быстро. Телефонные рычаги разъединили нас... и все, тишина на несколько месяцев.

Сначала я решила: «Ну и пусть! Велика потеря! Найду другого!» Нашла одного, потом познакомилась с другим. Но каким же холодом повеяло от этих знакомств! И я поняла, что совершенно зря сопротивлялась судьбе: она сама на блюдечке, с доставкой на дом (по телефонным проводам) привела мне именно того, кто мне и был нужен, а я вдруг решила, что я самая умная и могу целиком контролировать ситуацию. И что же теперь делать? Как Его вернуть?

Ах да, я не сказала о том, что **я не знала его номера телефона.** Он звонил мне когда хотел. Зная меня достаточно долго и хорошо, он не хотел усложнять себе жизнь моими телефонными звонками (я думаю, что это было одним из элементов кармического «воспитания»).

Когда я осознала содеянное, я по ночам просила у него прощения и молила, чтоб позвонил. Потом я решила действовать. Я не знаю, какой эффект был бы от моих действий. Ведь фактически нужно было искать иголку в стоге сена. Но мой внутренний заряд был велик, я страстно захотела вернуть Его. Именно **только захотела, больше ничего предпринять я даже не успела.**

И вот настал тот чудесный день. Суббота, выходной. Накануне я решила утром съездить на рынок. Мой сынок (10 лет) спросил меня: «Мама, а во сколько ты завтра поедешь?» Тогда я сразу не подумала, ну зачем ребенку точно знать, когда я утром поеду? И я ответила: «День — выходной! Отпущу свой сон на свободу, когда проснусь — высплюсь, тогда и поеду».

Утром рано звонит телефон... Пока я просыпалась: «Алло...» Гудок. Ну, думаю, сейчас перезвонят. Жду — тишина, еще жду — тишина! Я смотрю на телефон, честно говоря, не по-доброму, спрашиваю: «Ты чё звонил?» В голову приходит ответ: «Тебя разбудить!»

Ну что же, раз проснулась — не укладываться же снова, тем более дело есть — на рынок. Быстро собралась, выскочила на улицу. Еще издалека заметила автобус, пробежалась до остановки. ...Вот еще бы на несколько секунд позже — и этот автобус уехал бы без меня! А вокруг такая прелесть! Небо ярко-синее, солнце еще на востоке, но уже ослепительное! Свежо! Свободно (людей почти нет, спят еще). Минут через пятнадцать останавливаемся на одной остановке, я у противоположного окна, но что-то же заставило меня повернуть голову. **Вижу ЕГО!** ОН! Стоит на автобусной остановке... Я рванулась к выходу!

Автобус для него — это редкость, у него свой автомобиль. Да и в этом районе он оказался случайно, как потом выяснилось.

У нас с Ним все пока замечательно. Продолжаем кармическое «воспитание» друг друга дальше...

Искренне желаю Вам успехов! Я люблю читать и перечитывать Ваши книги».

Письмо 6. «Внутри себя я неожиданно открыл ребенка...»

Его автор, Виктор Александрович, применил нашу методику в несколько неожиданном направлении — для улучшения своего здоровья. И получил замечательные результаты, о которых теперь с удовольствием рассказывает.

«..,Выйдя из больницы, я увидел бегущую вдоль забора собаку. Грязную и тощую, с поджатым хвостом и опущенной мордой. Я невольно сравнил с ней себя. У меня хронический плеврит. За три года я шесть раз с обострением лежал в больнице. Неприятно пронзила мысль: снова все закончится воспалением легких. Как все это надоело!

По пути домой зашел в магазин. На прилавке лежали журналы и книги. Заинтересовался одной — «Карма. Исправляем ошибки». Первая часть названия показалась пугающей. Карма... Это то, во что я не верил. Вторая часть — более спокойная. Интересно, какие у меня могут быть ошибки? Государство вроде не в обиде за мой сорокалетний труд. Создал нормальную семью, сорок один год пребывающую в целостности и любви. Давно выросли трудолюбивые дети. Обзавелся внуками. Да и с людьми вроде бы всегда ладил.

Однако купленная книга открывала мой внутренний мир с другой стороны. Например, осуждая жизнь, я неотвратимо навлекал на себя всякие напасти. Углубляясь в чтение, я обнаружил у себя множество негативных мыслей и идеализаций. Вскоре прочитал несколько книг А. Свияша. Теперь получаю и журнал «Разумный мир».

По мере ознакомления с методикой Разумного пути мои голова и «хвост» поднимались все выше и выше, выпрямлялась спина. Дышать стало легче и приятнее. Голова болела все реже. И та подзаборная собачка в моем воображении похорошела, залоснилась.

На втором круге прочтения я приступил к более глубокому освоению материала и постепенному испытанию его положений на себе.

У меня масса серьезных и несерьезных заболеваний. По некоторым из них давно уже скальпель плачет. Врачи постоянно предлагали оперативное вмешательство. Автор Разумного пути убедил меня в мысли, что многие болезни возникают от неправильного отношения к физическому телу. Кстати, я с детства не ощущал его. Будто бы и не было тела вовсе. Вспоминал о нем лишь тогда, когда что-то не ладилось: радикулит, колики, аденомы. Я терпел до последнего. Даже во время «отдыха» на больничной койке я не задумывался о причинах сбоя в организме.

Потребовался толчок, скорее удар по мозгам, чтобы я начал осознавать себя. Кто же я есть на самом деле? Таким образом, работая с книгами А. Свияша, я словно волшебным ключиком приоткрыл дверь в необыкновенно интересный (и для меня совершенно новый) мир на первый взгляд невидимой стороны человеческого существования.

Во время чтения книг я постоянно вспоминал многочисленные эпизоды моей жизни и сделал некоторые выводы. Например, я уяснил, что начало любого заболевания связано с предыдущим эмоциональным срывом. Случится это на работе, или в семье, или еще где-то. Как-то после выговора, полученного на работе, я слег с острым бронхитом, перешедшим в воспаление легких. Другими словами, произошел пробой тонкого (эмоционального) тела, открывший доступ болезни к физическому. Каким же я был нежным и обидчивым!

Конечно, и нынче я не верю в придуманные слова «Бог» и «Господь». Наверное, человеку необходимо было как-то обозначить непонятное. Диву даюсь, насколько беден язык при описании непознанного.

И все же... Что-то со мной явно произошло. Например, при медитациях я стал явно ощущать, как каждый мой орган, каждую мою клеточку пронизывают вибрирующие нити. Не эти ли нити являются полем моих тонких тел? Как вода омывает и пропитывает насквозь брошенный в нее кусок губки, так тонкие поля окружают и пропитывают наше тело, заставляя его быть здоровым или болеть.

Постепенно я научился мыслить аффирмациями, избавляясь от негативных мыслеобразов. Более трех месяцев ушло на то, чтобы очиститься от негативных переживаний, которые возникли во мне во время взаимоотношений с огромным числом людей в течение жизни. Начал с двухлетнего возраста, когда, хорошо помню, своими капризами вызывал недовольство родителей.

До сего времени считал, что никогда никого не обижал. Анализируя свою жизнь, все больше поражался, какое множество людей я умудрился обидеть. Чтобы медитировать на них, я перестал ездить на транспорте. Стал пешком ходить на дачу и по городу с целью глубоко сосредоточиться на вспоминаемой картинке из прошлого. И эти люди из моего прошлого прощали меня. Я это чувствовал по какому-то необъяснимому облегчению в груди и пощипыванию глаз. Безусловно, я их тоже простил, с любовью и благодарностью.

Медитируя таким образом изо дня в день, я сквозь себя пропустил целую эпопею столкновений со всеми известными мне людьми.

Оказывается, что я всю свою жизнь невольно издевался над своим телом, вместо того, чтобы любить и беречь его. Благо, что оно, тело, не потеряло способность к самовосстановлению.

За время работы над собой я ни разу не принял никакого лекарства. Просто потому, что... избавился от всех недугов. Так, очистив себя от шлаков, приступил к укреплению легких по методу В. Фролова. Удалось.

Докладываю о результатах всей этой работы над собой. У меня исчезли тахикардия и аритмия сердца, пульс снизился со 100—110 до постоянных 72 ударов в минуту. Восстановилось кровяное давление. Исчезли боли в спине, печени, почках, суставах, голове. Заметно улучшилась память. Вернулась физическая активность и энергия. Появился хороший аппетит, который я научился сначала держать в узде, а потом это стало необременительной привычкой. Просто какие-то чудеса произошли со мной. Хотя совсем недавно я любил говорить: «Чудес не бывает!»

Свое духовное совершенствование я считаю беспредельным. Как мне кажется, оно должно вести к долголетию и разумному существованию и должно опережать заботу о нашем любимом теле.

Весьма доволен, что внутри себя я неожиданно открыл ребенка, которого я под ударами судьбы, когда уж не знаю, похоронил в себе. А ведь известно, ребенок не отрицает мир, а принимает его таким, каков он есть на самом деле.

Думаю, нет необходимости приводить сотни интересных примеров улучшения моей судьбы. Ведь главным доказательством моего чудесного перерождения явилось мое спокойное, снисходительное, уважительное, принимаемое умом отношение ко всему окружающему, не забывая и себя лично.

Признаюсь, я докатился до того, что создаю систему собственного всеобъемлющего оздоровления. Все перерабатываю на себе, отбирая крупицы знаний и формируя их в «продукт», пригодный для меня самого. Хочу добиться того, чтобы жить без особого напряжения, игриво и в удовольствие. Пока получается.

Но как говорится, шила в мешке не утаишь. Системой заинтересовались и стали применять мои родные. Приобщившись ко мне, они значительно поменялись в своем поведении.

Так вот и получилось, что благодаря вашим идеям и практическим рекомендациям я наконец нашел себя.

Во-первых, открыл в себе способности уважать мое тело, постепенно приобрел здоровье.

Во-вторых, твердо усвоил: нельзя полностью излечить тело, покуда не вылечишь душу и ментальность.

В-третьих, приведение себя в соответствие с Вселенскими законами остается моей главной целью.

В-четвертых, творить только Добро, излучать только Любовь, то есть всегда жить в гармонии с Разумным мирозданием.

Желаю вашему журналу «Разумный мир» плодотворной деятельности во благо человечества и много подписчиков.

Призываю приобщаться к творческому сотрудничеству с вами людей, избравших Разумный путь путем своей жизни».

Письмо 7. «Раньше я рыдала от обиды...»

В нем наша постоянная читательница Екатерина П. из Санкт-Петербурга рассказывает о том, как с помощью медитации прощения ей удалось избежать ожидаемого затяжного конфликта. Вроде бы пустячок, а как приятно!

«Здравствуйте, уважаемый Александр Григорьевич!

Пишет Вам Ваша постоянная читательница Екатерина П. ...А случилось у меня вот что.

Ну, бывает, поругалась с мужем. Кстати, это у нас сейчас стало редкостью, слава богу. Причина следующая: в его семье идея фикс — все родственники обязаны во что бы то ни стало друг другу помогать, вытаскивать «за уши» из грязи, вместе проводить выходные дни, ОБЯЗАТЕЛЬНО приглашать всех на семейные праздники, и если тебя пригласят, идти тоже ОБЯЗАТЕЛЬНО. Предыдущие 6 лет эту семейную идеализацию активно разрушал брат мужа, ну а так как недавно «блудный сын» вернулся в семью, видимо, эта его миссия перешла ко мне. Поскольку брат своим возвращением доставил всем очень много неприятностей и переживаний (в том числе и мне, но это уже моя проблема!), то, вполне естественно, я не горю желанием его видеть. А значит, я «единоличница», «эгоистка» и т. д.

Но это сама причина, а теперь принципиальная разница между тем, как протекали наши с мужем ссоры раньше, и вот сейчас.

Раньше я рыдала от обиды, в итоге слезами добивалась того, что меня действительно любят, и немного успокаивалась. А так как обычно все это происходило ночью, то продолжение следовало утром: очередные упреки на ровном месте, очередной скандал, ну и т. д. Веселая была жизнь.

Тут было по-другому. Конечно, было обидно, и конечно, я немного поскандалила и «для порядку» поплакала. Но, дождавшись, когда муж выйдет из комнаты, успокоилась и легла спать. Не дожидаясь его. И целенаправленно занялась «медитацией прощения». Происходило что-то интересное. Алеша не приходил часа два, читал на кухне газету. Наверное, ждал, что я, как всегда, прибегу со слезами, просить прощения. Но, увы, этого не последовало. Самое интересное, что шестилетний сын Костик начал там на кухне ему выговаривать, что он так ругается с мамой.

Наконец, видимо, Алеше надоело ждать, когда я приду и буду умолять о помиловании, он пришел и лег спать. И опять я не сказала ни слова.

Занималась я медитацией часа два. Вообще медитация прощения — хорошее снотворное, когда я на ночь ею занимаюсь, через 15—20 минут я отключаюсь. Если не быстрее, конечно.

Утром муж перед уходом на работу, как будто ничего не случилось, без обид разговаривал со мной, даже поцеловал в щечку и даже вынес мусор (вот на это я совсем не надеялась и результата такого не ждала). Обычно после таких «вечерних эпизодов» нас ожидало мрачное утро.

Вот такие у нас дела.

Всего Вам доброго, с уважением, *Екатерина*».

Письмо 8. «Мужики как сдурели!»

В нем Светлана М. рассказывает, как после прохождения тренинга первого уровня она стала осознанно менять свою жизнь. И у нее произошли самые интересные изменения, вплоть до увеличения размеров груди! Это еще раз подтверждает ту мысль, что Творец заложил в человека все, что ему может понадобиться. Но в ходе развития нашей цивилизации мы потеряли инструкцию о том, как можно управлять таким сложным объектом, как человеческий организм. Но, похоже, потихоньку начали находить некоторые ключики.

«...Прошел только месяц после тренинга, а мне кажется, что это было так давно. За это небольшое время в моей жизни произошло много интересных событий. Я, конечно, ошибалась, считая, что некоторые трубы-идеализации у меня перекрыты, а как оказалось, по ним я заливаюсь прилично. Такие идеализации, как совершенство, способности, ревность идиотская какая-то (вот и мудрость вылезла), подтекают у меня постоянно.

Сейчас я работаю с аффирмациями, записала целую кассету под легкую музыку и слушаю. Очень хорошо! Итог налицо. И вообще происходит что-то интересное. После прослушивания аффирмации «Я вижу в себе женщину и даю ей развиваться» у меня восстановился менструальный цикл (не было ничего, считали, что это лекарственный климакс). А дальше идет уж совсем невероятное (хотите верьте, хотите нет!) — моя грудь начала увеличиваться в размерах! Далее: мужики как сдурели — за месяц пять знакомств и всех возрастов — от 27 до 50 лет... Смех!

Поверить, что хороша и что красавица, очень трудно. Но я сделала такой ход. На данном этапе чувствовать я стала себя хорошо, можно даже сказать — прекрасно. Не применяя, как раньше, никаких препаратов, сон нормализовался, я бросила курить, сняла блок алкогольной зависимости, желание пить или даже хоть выпить (слава богу) так и не появилось. Записала такую мыслеформу: «Я выгляжу так, как я себя чувствую, а чувствую я себя прекрасно!» Стою, мою посуду и слушаю. И что вы думаете? Люди на каждом шагу говорят: «Света, как ты прекрасно выглядишь!» Если это раз, если это два, если это три, я и сама вижу и чувствую, что хорошею. Изумительно!

На меня вечно кидались собаки, а после работы с аффирмацией «Когда я вижу собаку, у меня растет желание ее погладить» они поворачиваются ко мне задом. Вот так!

Получается, что, прочитав только книги, я кое-что упустила, не предала особого внимания и занялась просто медитацией прощения, а тренинг поставил все на свои места. Скажу честно, жить хорошо, а жить ХОРОШЕЯ еще лучше!

С уважением к вам,

Светлана М., Кемеровская обл.».

На этом мы заканчиваем обзор писем людей, жизнь которых так или иначе изменилась после того, как они попробовали стать на Разумный путь. Надеемся, их пример вас в чем-то убедил. Мы могли бы привести еще множество подобных писем, но задача этой книги состоит несколько в ином.

А если вам все это понравилось и вы хотите достичь таких же, а то и лучших результатов, то — вперед! Для этого в следующей главе мы кратко расскажем о том, что же означают слова «технология Разумной жизни».

Глава 2

НЕСКОЛЬКО СЛОВ
О РАЗУМНОМ ПУТИ

В этой главе мы коротко напомним нашим читателям об основных идеях, лежащих в основе методики Разумной жизни. Эти идеи постепенно трансформируются, поскольку увеличивается круг наших читателей, и мы пробуем донести наши идеи до людей, живущих обычной жизнью и далеких от длительных духовных поисков.

На сегодня можно сказать, что наша технология Разумной жизни основывается на нескольких базовых утверждениях.

Первое базовое утверждение

Первое базовое утверждение нашей методики состоит в том, что **каждый человек живет в том мире, который он создает своими мыслями, эмоциями и убеждениями** (в том числе скрытыми, подсознательными). И его жизнь, какой бы ужасной она ни была, является **самым лучшим вариантом** того, что он сумел создать своими мыслями, поступками и внутренними убеждениями. Это утверждение вытекает из простых рассуждений.

Тот, кто задумал и создал наш прекрасный мир (назовем его Творец), наверняка желал, чтобы люди жили и радовались его творению. То есть по замыслу Творца люди приходят в этот мир радоваться жизни, но, не зная или не понимая некоторых простых условий земного существования, превращают свою жизнь в мучения. В принципе это их добровольный выбор, и они имеют на него право. К сожалению, в подавляющем большинстве случаев люди делают такой выбор неосознанно, поддаваясь чьему-то влиянию или под действием чужих идей.

Если же человек не нарушает этих условий, то Жизнь благосклонна к нему и помогает ему в достижении его целей. Поэтому, прежде чем браться судить о «неправильности» поведения того или иного человека, ситуации, обстоятельств, нужно осознать, как **вы сами создали ту жизнь, которой сегодня живете.** И все окружающие вас обстоятельства есть плод ваших личных усилий, хотите вы этого или нет. А если вы сами все это создали, так порадуйтесь плодам своего труда. И попробуйте сделать так, чтобы эти плоды стали более приятными.

Второе базовое утверждение

Следующее базовое утверждение нашей методики состоит в том, что человек **имеет право просить у Жизни** (Высших сил, Творца) и получать от нее **все, что он искренне пожелает.** Жизнь дает ему практически все, если он не нарушает некоторых условий проживания в нашем мире.

Первое и главное условие комфортной жизни

Первое и **главное условие** (основное кармическое требование) **состоит в том, что человек должен уметь принимать окружающий мир таким, каков он есть.** Не смиряться, не скрывать свое отношение к происходящему, а просто относиться ко всему спокойно и дружелюбно. Если он **сумеет не судить людей,** их поступки или обстоятельства жизни, **научится не испытывать негативных эмоций** в случае, если что-то будет не совпадать с его ожиданиями, то Жизнь будет только радовать его. То есть его сознание (отношение к жизни) будет определять его реальное бытие.

Но добиться такого спокойного отношения к жизни не очень просто, особенно если текущие условия совсем не располагают к этому. Подавляющее большинство людей склонно испытывать негативные эмоции по тому или иному поводу. О чем это говорит? О том, что они берутся судить окружающих людей или себя.

Несложно понять, что негативные эмоции возникают тогда, когда реальность не совпадает с очень значимыми для человека идеями о том, что и как должно происходить вокруг него или каким должен быть он сам. Эти очень значимые идеи, при нарушении которых человек испытывает длительные переживания, называются **идеализациями**.

Понятие идеализации

Таким образом, идеализацией мы называем **очень значимую для человека идею, при нарушении которой он начинает испытывать длительные негативные переживания**.

Человек может идеализировать деньги, красоту, образ жизни, секс, работу, отношения между людьми и многое другое. Наличие идеализации свидетельствует о том, что человек претендует на роль Творца, поскольку он берется судить о том, что окружающий мир устроен неправильно (муж слишком мало зарабатывает или слишком много пьет, ребенок слишком плохо учится, начальник не заботится о подчиненных, у меня нет семьи или я слишком много вешу и т. д. и т. п.). Понятно, что с точки зрения самого Творца такие суждения являются неправомерными и он применяет специальные меры по исправлению ошибочных взглядов человека на жизнь. В нашей методике такие процессы называются кармическим «воспитанием».

Механизм кармического «воспитания»

Существует незримый механизм разрушения избыточно значимых для нас идей, действующий независимо от нашей воли и сознания на всех людей, невзирая на их возраст, уровень образования, занимаемое положение в обществе и т. д.

Жизнь **использует шесть способов**, с помощью которых она доказывает, что идеализация — всего лишь набор идей (практически — фантазий) человека о том, как должен быть устроен мир (муж должен зарабатывать много денег, ребенок должен хорошо учиться, начальник должен думать о подчиненных, я должен весить не более ... кг. и т. д.).

Перечислим эти способы:

1. Человек не получает того, без чего он не представляет себе жизнь.

2. Он вплотную сталкивается с другим человеком, имеющим противоположную точку зрения на очень значимые для него вопросы.

3. Жизнь создает такие ситуации, в которых так или иначе разрушаются очень значимые для него идеи.

4. Человек сам делает то, за что ранее осуждал других людей (или самого себя).

5. Жизнь реализует те негативные программы, которые имеются в подсознании человека и руководят его поступками помимо его сознания.

6. Жизнь создает такую ситуацию, что человек поневоле вырывается из потока жизни на длительное время.

Возможно, существуют и другие способы разрушения идеализаций, но мы на сегодня остановились на этих шести. В результате этих «воспитательных» воздействий человек должен осознать, что мир многообразен и право на существование имеет любой вариант жизни, а не только тот, который соответствует его ожиданиям.

Третье базовое утверждение

Как мы уже указывали, признаком наличия идеализаций являются длительные негативные переживания по тому или иному повторяющемуся поводу. Но, оказывается, что наши негативные переживания не проходят бесследно.

Все наши **негативные эмоции имеют свойство накапливаться** (в эмоциональном Тонком теле человека). Поэтому следующее базовое утверждение говорит о том, что **успешность человека в жизни зависит от количества накопленных им негативных эмоций.**

Для образной оценки степени успешности человека было предложено считать, что все наши негативные эмоции собираются в специальном сосуде, который получил название «накопитель переживаний» или «сосуд кармы».

Если принять за 100% предельное количество допустимого для человека недовольства жизнью, то при уровне заполнения сосуда на 50—60% человек успешен и все его цели легко достигаются — это уровень удачи.

Уровень от 60 до 80% характеризуется нарастанием сложностей при достижении нужных целей.

Уровень от 80 до 90% — ситуация полного развала значимых дел, независимо от прилагаемых усилий.

Уровень 90—95% — человек изымается из потока жизни (тяжелая болезнь, тюрьма), и ему предоставляется последняя возможность пересмотреть свое отношение к ней. Если он продолжает переживать, его жизнь досрочно прекращается.

Значит, чтобы жизнь человека была комфортной, уровень заполнения его «накопителя переживаний» не должен превышать 60%. Этого можно добиться, используя несложные приемы.

Для перехода в состояние комфортной жизни человеку нужно осознать свои идеализации и отказаться от переживаний, если они как-то разрушаются. Для этого существует несколько несложных рекомендаций.

Кроме того, он должен почистить накопленные ранее негативные переживания. Мы предлагаем для этого несложную технику — медитацию прощения, максимально адаптированную к нашей повседневной жизни.

Если человек почистил накопленный негатив и отказался от новых переживаний при нарушении своих ожиданий, то Жизнь становится к нему благосклонной и удача становится его постоянным спутником.

Второе условие комфортной жизни

Чтобы не вернуться в мир переживаний, мы рекомендуем придерживаться нескольких жизненных позиций: в повседневной жизни — «Жизнь есть цирк», при достижении целей — «Жизнь есть игра», на пути духовного развития — «Жизнь есть урок» и некоторых других. Любая из этих позиций позволяет человеку не накапливать новых переживаний в ходе его жизни и работы. **Занятие определенной жизненной позиции является вторым условием комфортного проживания в нашем мире.**

Третье условие комфортной жизни

Третьим условием комфортного проживания является **использование помощи Высших сил при достижении своих целей.**

Мы придерживаемся теории энергетического обмена между человеком и обитателями Тонкого мира. Человек излучает энергии своих мыслей и желаний, обитатели Тонкого мира их получают в качестве оплаты за свою помощь. И когда количество и качество выделенных человеком энергий достигает требуемого уровня, необходимое событие реализуется. Естественно, человек должен прилагать какие-то усилия для достижения цели. (У Бога нет других рук, кроме твоих!)

Обитатели Тонкого мира совсем не стремятся выполнить наши заказы лучшим для нас образом, чаще бывает наоборот: при формальном соблюдении признаков заказа его исполнение совсем не устраивает человека (пример: на призыв «Господи, помоги мне бросить курить любой ценой» через неделю открывается язва желудка и курение приходится бросить). Поэтому **существуют определенные правила, по которым должны формулироваться желания человека,** чтобы результат его устраивал. Все вместе это называется **Методика формирования событий.** Тысячи людей с помощью МФС получили работу или деньги, квартиры или машины, устроили свою личную жизнь и т. д.

Особенностью МФС является то, что она работает с **неопределенным исполнителем заказа в Тонком мире.** Человек декларирует, что он хочет получить, а Высшие силы сами подыскивают в окружающем мире, как дать это человеку с минимальными энергетическими затратами и усилиями. Мы не используем магические и подобные механизмы принудительного влияния на какого-то конкретного человека, который должен исполнить наш заказ.

Конечная цель

Конечная цель нашей методики — дать людям инструмент для комфортной и разумной жизни, когда человек понимает причины происходящих с ним событий и сам формирует необходимые ему ситуации.

Методика Разумного пути нерелигиозна и может использоваться представителями любых религиозных конфессий.

Таковы вкратце основные положения нашей технологии Разумной жизни, которые более подробно описаны в других книгах [1—9] и в журнале «Разумный мир».

А теперь мы можем перейти к ответам на конкретные вопросы читателей.

Глава 3
ПОЯСНИМ САМОЕ НЕПОНЯТНОЕ

В этой главе мы приведем ответы на вопросы, уточняющие некоторые положения нашей методики. Эта и последующие главы будут построены в виде ответов на конкретные вопросы. Вопросы были заданы читателями во время публичных выступлений и тренингов в разных городах России и ближнего зарубежья.

3.1. Чем отличается идеализация от желания? Не становится ли желание иметь что-то идеализацией?

Этот часто встречающийся вопрос можно сформулировать по-иному: «Как сделать так, чтобы значимая для вас цель не стала идеализацией?»

Сделать это очень просто. На самом деле, когда человек ставит перед собой какую-то конкретную цель, то обычно он полон азарта, полон желания ее достичь. Он планирует, что будет делать для достижения своей цели, какие препятствия ему придется преодолевать, какие шаги он предпримет и так далее. В общем, он переполнен надеждой и ожиданием, то есть положительными эмоциями. Его положительные эмоции воспринимаются в Тонком мире, и там начинают создавать условия для содействия в достижении его цели.

Но как только он начинает тревожиться, как только его начинают одолевать страхи, сомнения либо возникают какие-то другие негативные переживания, то его цель переходит в разряд идеализаций.

То есть поставленная цель становится идеализацией (или избыточно-значимой идеей), если вы не допускаете, что ваши планы могут не реализоваться, и **постоянно тревожитесь** по этому поводу. Либо вас надолго погружают в мир переживаний любые сбои или задержки на пути к намеченной цели. А, если помните, одним из характерных признаков идеализации является наличие негативных переживаний. Как только вы заметили, что на пути к достижению целей у вас возникли любые негативные переживания: страхи, тревоги, сомнения, раздражение, что все не так быстро получается, как хочется, или получается не так, как планировалось, как хотелось бы, то ваша цель стала идеализацией. И вы вряд ли сумеете ее достичь, поскольку попадете под процессы кармического «воспитания».

Значит, на пути к достижению цели или на пути формирования нужных вам событий ни в коем случае нельзя скатываться на негативные переживания, тогда ваша цель не станет идеализацией и нужное вам событие рано или поздно реализуется. Чтобы выполнить это условие, мы рекомендуем занять жизненную позицию «Жизнь есть игра», которая поощряет все способы достижения цели, но исключает длительные переживания в случае промежуточного проигрыша.

3.2. Откуда у человека берутся идеализации и каковы их корни?

Нужно сказать, что источников возникновения идеализаций и негативных программ в нашей жизни существует множество.

Одна из них — это **личный опыт, обычно это свой негативный опыт.** Например, это могут быть последствия сильного испуга, стресса или очень большого негативного потрясения. Это переживание оставило след в подсознании и теперь оказывает влияние на текущие мысли и решения. У человека появляется **неосознаваемая негативная программа,** которая влияет на его жизнь.

В результате его могут постоянно преследовать страхи, что эта дискомфортная ситуация может повториться (изнасилование, автомобильная авария, ограбление и т. п.). Либо он неосознанно может избегать определенной деятельности, например бизнеса (Деньги — это опасность) или встреч с женщинами (Все предательницы!) и т. д. Если это бизнес, то человек внешне будет стремиться к деньгам и одновременно будет их избегать. Отсюда совсем недалеко до **идеализации денег** или до **идеализации собственного (не)совершенства**.

Кроме того, негативная программа может возникнуть не только на основе случаев, имевших место в своей жизни, но и на основе **наблюдений за событиями, происходящими с другими людьми**. По телевизору показывают очень много случаев, когда с людьми происходят разного рода несчастья. В итоге может возникнуть сильное опасение, что со мной, с моими родными или с моими детьми может случиться что-то подобное. И я всеми силами стараюсь их защитить от этого ненадежного мира.

В результате вы окружаете своего ребенка, своего мужа или жену тотальным вниманием, пытаясь оградить от, казалось бы, опасного мира, от той опасной среды, в которой мы живем. В итоге возникает идея о необходимости постоянного контроля за близкими людьми, поскольку вы не позволяете миру заботиться о вас или о ваших ближних. Вы пытаетесь возложить функцию тотального контроля на себя, а когда это не получается, вы тревожитесь. В результате возникает **идеализация контроля окружающего мира**.

Идеализация часто возникает из наблюдений за другими людьми.

Вы видите, как они живут, как у них строятся взаимоотношения. Если у них все благополучно, то вы хотите иметь это в своей жизни. Например, ребенок, видя, как построены отношения в семье у родителей, перенимает на себя эту же модель взаимоотношений. Например, если в семье отец — добытчик, кормилец и реальный глава, то мальчик с очень большой долей вероятности попробует в своей семье реализовать эту же модель взаимоотношений (отсюда очень близко до **идеализации семьи**). Если в семье родителей хорошие, ровные и деликатные отношения, то, скорее всего, дети тоже постараются реализовать эту модель в своей семье, поскольку они не представляют себе, что отношения между людьми могут быть и иными. Значит, у них может возникнуть **идеализация отношений**. «Воспитательный» процесс будет состоять в том, что этот юноша (или эта девушка) из семьи с хорошими отношениями встретит вторую половину, но в семье партнера между родителями наверняка были совсем другие отношения: шумные, с громким выяснением отношений, взаимными оскорблениями и т. д. В их семье такое поведение считалось нормой, их ребенок привык к таким отношениям и будет повторять их в своей семейной жизни.

Соответственно, чем больше вы придаете значения ровным и деликатным отношениям, тем с большей вероятностью вы столкнетесь с человеком, совсем по-иному относящемся к этому вопросу.

Здесь проявятся так называемые кармические «воспитательные» процессы, направленные на разрушение вашей модели устройства мира. Таким образом, **второй источник возникновения идеализаций — это наблюдение за окружающей жизнью** и создание себе идеальной модели того, как должна складываться ваша жизнь.

Еще один очень мощный **источник существования идеализаций — это врожденные инстинкты.**

К сожалению, мы почти не придаем значения врожденным инстинктам, считая, что человек уже очень далеко отошел от своего волосатого и хвостатого предка. Но на самом деле не осознаваемые нами инстинкты очень сильно влияют на нашу жизнь.

Человек, видимо, не без участия Творца, но все же произошел от животного, от обезьяны или от какого-то другого живого существа. В результате оказывается, что врожденные инстинкты очень сильно влияют на жизнь некоторых людей. Например, сюда относится очень сильная забота матери о ребенке, бессознательная, ничем не объяснимая. Это следствие инстинкта, инстинкта продолжения рода, инстинкта сохранения рода. Это хорошее качество, но иногда оно перерастает в **идеализацию контроля окружающего мира** в форме тотальной заботы, тотальной опеки над ребенком. В результате подобное проявление инстинкта перерастает в длительные конфликты с ребенком, который будет бороться за свою независимость всеми доступными ему способами.

Какие идеализации могут появиться в результате проявления в человеке каких-то врожденных инстинктов? Например, это может быть врожденное лидерство, которое часто приводит к идеализации контроля окружающего мира. Это может быть врожденная деликатность или чувствительность, когда ребенок с детства требует чутких и деликатных отношений. Он чувствителен ко всему.

Иногда инстинкт проявляется в неосознаваемом стремлении любой ценой поддержать свою семью, отдать все силы семье, даже вопреки здравому рассудку и собственным интересам.

Приведем пример. За консультацией обратилась женщина, ныне живущая в США. Она жила в России в семье с очень властными родителями. Мама с детства подавляла свою дочку, держала ее под полным контролем, вплоть до того, что дочь вообще не принимала никаких самостоятельных решений до двадцати пяти лет. Она согласовывала все свои поступки с мамой, поскольку опасалась, что это может привести к очень большому негативу со стороны матери.

Тем не менее эта женщина имела достаточно большой врожденный лидерский потенциал, который не мог проявиться в подобной семье. Она все время стремилась уйти из-под опеки матери и вышла замуж при первой возможности, но по согласованию с матерью. Семейная жизнь не сложилась, она разошлась с мужем, через некоторое время ей пришлось вернуться к матери и жить опять под ее опекой, но уже с ребенком. Конечно же было жить дискомфортно, женщина все время стремилась вырваться из-под этой опеки и жить своей жизнью. В конце концов она принимает решение уехать за границу. Занимает денег, садится на самолет, улетает в США, там сходит с самолета и просит политического убежища.

Обстоятельства складываются так, что она получает гражданство (через новое замужество). Встречает там мужчину, у нее складывается новая семья. Она живет вполне хорошей, благополучной, комфортной жизнью. Казалось бы, живи и радуйся, о чем можно еще мечтать.

Но у нее никак не выходит из головы ее мама, она постоянно тревожится по поводу того, что она находится в одной стране, а мама в другой. Эти мысли являются источником постоянного дискомфорта (**идеализация семейной жизни** — все родственники обязательно должны быть вместе). Такая вот инстинктивная привязанность к семье. В итоге она предлагает своей матери переехать жить в США. Мама тоже садится на самолет, прилетает туда, и дочка помогает ей получить гражданство и найти работу (у них все получается). Мама селится в соседнюю квартиру и начинает ее тотально опекать, попутно постоянно конфликтуя с ее мужем. В результате у дочери опять возникает множество проблем, поскольку она оказалась опять под тотальным контролем матери. Она не понимает, зачем она притащила свою мать в США, разумный человек так бы не поступил. Вроде бы только что получила долгожданную свободу, вырвалась из-под тотального контроля, уехала в другую страну. Все благополучно, живи и радуйся жизни, разговаривай с мамой по телефону, пиши ей письма, высылай деньги. Нет, у нее так не получается. Ей дискомфортно, она не может получить удовольствие от жизни, пока мамы нет рядом. А рядом с такой мамой — какое удовольствие? Так проявляется врожденный инстинкт жить в одном роду, находиться под одной крышей, рядом. Инстинкт сохранения рода неосознаваемо навязывает ей идею о том, что родственникам нельзя находиться далеко друг от друга. В итоге в жизни возникают устойчивые источники переживаний.

Подобные врожденные инстинкты у некоторых людей проявлены очень сильно, и они совершают поступки под действием этих неосознаваемых программ, часто вопреки здравому смыслу, вопреки рассудку и собственной выгоде. Это один из мощных источников появления идеализаций, и он заставляет людей совершать поступки, которым они не могут найти объяснение на рациональном уровне.

Поэтому, выявляя свои идеализации, поищите источники их возникновения, откуда они могли появиться. Либо это личный опыт, либо это наблюдения за окружающими, либо это программа, привнесенная от других людей, либо это врожденные инстинкты. И в зависимости от того, каков был источник возникновения идеализаций, можно искать пути для того, чтобы выйти из мира переживаний.

При этом мы совсем не говорим о том, что нужно отказаться от инстинктивной любви к матери, вовсе нет. Это нормальное и естественное человеческое чувство, объединяющее людей. Но важно сделать так, чтобы это естественное чувство не стало источником хронических переживаний. Вы можете сделать любой выбор, но, делая его, вы должны осознавать все его последствия и не впадать в переживания при наступлении последствий своего выбора.

В рассмотренном примере женщина имела право сделать любой выбор — либо оставить мать в России и помогать ей издалека, либо помочь ей переехать к себе. Она сделала второй выбор. Но, как человек, претендующий на звание разумного, она должна была предусмотреть последствия такого переезда, поскольку мама за время ее отсутствия не могла измениться. И принять хоть какие-то меры к исключению предстоящих конфликтов. Но она, поддавшись зову инстинкта и полностью выключив свой разум, получила всего лишь очередную порцию неприятностей и переживаний.

Это был ее добровольный выбор. Неосознаваемый добровольный выбор, порожденный влиянием врожденных инстинктов. Человек, у которого инстинкты не довлеют над сознанием, наверняка принял бы какое-то другое решение, вариантов которых существует множество.

3.3. Вы предлагаете быть равнодушными ко всему, не помогать людям.

На самом деле это совершенно не так. Мы считаем, что каждый человек должен руководствоваться в своих поступках теми ценностями, теми принципами и нормами поведения, которые у него имеются и которые приняты в той среде, в которой он живет.

Например, в нашем обществе общепринятыми ценностями является уважение к старшим, помощь слабым и больным, милосердие, честность и другие нормы поведения, которые делают нашу жизнь более комфортной, более спокойной и более прогнозируемой.

И конечно, желательно этих правил придерживаться. Иначе, если вы станете полным эгоистом, **будете** игнорировать правила проживания, принятые в обществе, то общество вас просто отвергнет. Вы превратитесь в изгоя.

Другое дело, что иногда мы хотели бы быть милосердными, мы хотели бы оказать помощь человеку, например больному. Но мы не можем этого сделать в силу того, что у нас нет денег, чтобы оплатить своему родственнику дорогое лечение или купить очень дорогое лекарство. Или вы не успели вовремя приехать к своему родственнику или знакомому, а с ним случилось что-то тяжелое. Или, например, вы хотели бы реализовать свои принципы, свои идеи о взаимоотношениях между людьми, но не смогли это сделать в силу независящих от вас обстоятельств. Вследствие этого вы погрузились в длительное переживание, в самоосуждение: «Ну почему я не приехал вовремя, почему я не оказался в нужном месте, почему я не смог помочь этому человеку?» Либо вы погружаетесь в претензии к окружающим людям и обстоятельствам: «Почему лечение такое дорогое, почему врачи берут так много денег, почему у меня нет денег?» и т. д. При желании причин для переживаний можно найти множество.

Существует объективная реальность, в которой вы не успели приехать вовремя по каким-то причинам, либо у вас нет денег для соответствующего лечения, либо еще чего-то. Есть объективная реальность, но она вас не устраивает, потому что она не совпадает с вашими ожиданиями, с вашим видением своего места в этом мире, и вы по этому поводу погружаетесь в длительные переживания. Вот здесь вам может помочь наша теория.

Она не говорит о том, что людям не нужно помогать, вовсе нет. Делайте все, что можете, и даже больше. Но вот если, несмотря на все ваши усилия, что-то не получилось — вы не сумели вовремя приехать, не сумели найти нужное лекарство, не смогли сделать что-то своевременно и объективная реальность состоит в этом, то примите этот результат как данность. Если вы, в соответствии со своими принципами и нормами поведения, сделали все, что могли, но результат оказался не таким, как вы ожидали, то успокойтесь, не впадайте в переживания. На все, в конце концов, воля Божья. Именно об этом говорит наша теория, и не более.

Если что-то не совпало с вашими ожиданиями, с вашими идеями о том, как должны происходить события, какими вы должны быть в этой ситуации, то это не повод для длительных переживаний. Это всего лишь повод для размышлений: почему так произошло в вашей жизни, почему все так сложилось? Подумайте, какой урок вам дает Жизнь этим событием, чему она вас учит или о чем предупреждает. Но это совершенно не повод для для того, чтобы погрузиться в длительные переживания, осуждая самого себя, окружающую жизнь или еще кого-то, погрузиться в горе. Собственно, вот о чем говорит наша теория Разумной жизни. Она не говорит о том, что не нужно помогать слабым, больным, родственникам или еще кому-то.

Она всего лишь говорит: помогайте, но если что-то происходит такое, чего вы не можете изменить, поскольку это не в ваших силах, то это не повод для переживаний. Значит, этот человек заслужил эту ситуацию по каким-то своим собственным причинам, от вас независящим. И вам не была дана возможность сделать так, как вы хотели. Успокойтесь, примите жизнь такой, какая она есть.

Другими словами, мы не призываем быть равнодушными, скорее наоборот. Человек, у которого нет длительных переживаний, обычно спокоен, доброжелателен, всегда готов прийти на помощь людям. У него нет оснований ненавидеть или презирать людей, у него нет оснований быть чем-то недовольным. Соответственно, он хочет, чтобы окружающие люди жили так же хорошо, как он. Всегда приятнее находиться в обществе довольных жизнью людей, чем людей озлобленных и недовольных чем-то. Поэтому, в силу своих возможностей, он оказывает помощь людям. Обычно это внимательный, культурный и коммуникабельный человек. Но если что-то происходит помимо его возможностей или усилий, то он не погружается в переживания. Вот всего лишь то, что мы пытаемся донести нашей теорией Разумной жизни.

3.4. Можно ли заказывать негативные желания, недобрые, злые события?

Конечно нельзя. Нельзя по двум причинам:

Во-первых, если вы кому-то заказываете недоброе, злое событие, значит, вы испытываете к этому человеку негативные эмоции. То есть вы хотите ему отомстить, досадить, сделать что-то неприятное, потому что он поступил как-то не так, как вы ожидали — он вас обманул, не выполнил свои обещания, предал, вы ему завидуете или еще что-то.

Но любое событие, происходящее в жизни человека, чему-то учит его. Если вы испытываете негатив, это значит, что **вы не усвоили урок**, вы не поняли, чему Жизнь учила вас через этого человека. Вы не усвоили

урока, а хотите доказать ему что-то или отомстить. Скорее всего, эти события в вашей жизни должны повториться, поскольку вы не усвоили предыдущий **урок**. Значит, вы должны получать его еще и еще раз, до тех пор, пока вы, наконец, не сделаете правильные выводы из происходящего. Кто-то вас снова предаст, кто-то обманет, кто-то сделает вам гадость, даже если вы сумеете отомстить этому человеку. Ваш «сосуд кармы» будет наполняться при этом не поступками, а теми эмоциями, которые вызвали ваше желание сделать недоброе дело по отношению к другому человеку.

Это первая причина, по которой нельзя заказывать негативные события.

Вторая причина — это **ваша личная безопасность**. Мы уже рассказывали, что каждого человека ведут по жизни те или иные силы. Это могут быть светлые силы, то есть ангелы, а могут быть и темные силы. В общем, какие энергии в окружающий мир излучает человек, такие существа Тонкого мира ему и покровительствуют.

Вы не знаете уровень защиты того человека, по отношению к которому вы хотите заказать негативные желания, какие эгрегоры ему покровительствуют. Может быть, он очень злой человек, жестокий человек, может быть, он полноценный негодяй. И вы хотите отомстить ему за те поступки, которые он совершил по отношению к вам или вашим знакомым. Но негодяй — это адепт эгрегора темных сил. И чем больше мерзких поступков он совершает, тем более сильна его защита со стороны низких эгрегоров, поскольку он является материализованным воплощением этих самых темных сил и они обеспечивают его соответствующую защиту. Заказывая ему негативное событие, вы попадаете в зону внимания этих самых темных сил, поскольку только темные силы берутся за выполнение недобрых дел. Но вы для них — случайный заказчик, а ваш недруг — постоянный партнер. Поэтому они не позволят, чтобы с этим человеком что-то случилось. В силу того, что ваша энергетика зла может оказаться значительно слабее, чем энергетика зла того человека, которому вы хотите отомстить, то, скорее всего, с ним ничего не произойдет. А те темные силы, которые вы сами призвали своими мыслями и негативными эмоциями, возьмут вас под свою опеку.

Логика их рассуждений будет проста: «Вот есть хороший человек, желает зла окружающим, он наш кормилец, поскольку излучает негативные энергии. Давайте сделаем так, чтобы он излучал их побольше». А что для этого нужно сделать? Что угодно, лишь бы вы переживали еще больше. Поэтому тот самый заказ, который вы направили другому человеку, с большой вероятностью вернется и приложится к вам, в результате чего у вас появится множество оснований для дальнейших нерадостных переживаний. Вы думаете, что отомстите и получите от этого удовольствие. Так бывает, но очень редко, поскольку вы не адепт темных сил. Скорее всего, с вами начнут происходить какие-то события, которые будут без конца делать вашу жизнь все более и более проблемной. В итоге вы будете находиться под покровительством темных сил, поскольку без конца будете переживать: «Почему же так происходит, почему он украл деньги, он предал, он обманул, а с ним ничего не происходит. А я вроде бы хороший человек, но у меня постоянные неприятности, меня преследуют несчастья, болезни, со мной все время что-то происходит. За что такая несправедливость?» Вы не будете понимать, почему все так складывается. А на самом деле вы сами сознательно встали под покровительство темных сил и добровольно стали кормильцем низких эгрегоров, и теперь они пожинают с вас свою плату. Это был ваш добровольный выбор, и никакие светлые силы не придут вам на помощь, пока вы их не попросите. А просить нужно будет очень убедительно, значительно эмоциональнее, чем вы желали зла своему недругу. Как понимаете, это очень непросто.

Поэтому ни в коем случае нельзя использовать магические техники, в том числе нашу методику, для заказа негативных событий. Иначе результат будет совсем не таков, как вы ожидаете.

3.5. Можно ли рассказывать своим врагам о своих удачах, заранее зная, что они будут завидовать?

Тут возникает вопрос: а зачем вам нужно рассказывать об удачах своим врагам?

Значит, вы хотите их как-то унизить, показать им, что, невзирая на их нападки, недоброжелательство и плохое мнение о вас (они наверняка думают о вас плохо, раз они ваши враги), вы все равно успешны, у вас все равно что-то получается. Это злорадство, свидетельствующее о наличии у вас **идеализация своих способностей.** А если вы продемонстрировали идеализацию своих способностей, то должен наступить «воспитательный» процесс. Скорее всего, «воспитательный» процесс будет состоять в процессе разрушения вашей идеи о том, что у вас все получается вопреки усилиям ваших врагов. Скорее всего, у вас возникнут какие-то проблемы, и нужно понимать, что эти проблемы создадут не ваши враги, а вы сами привлечете в свою жизнь «воспитательные» процессы. Вы сами притянули к себе процесс разрушения дорогой вашему сердцу идеи о том, что вы способны достичь всего, невзирая на сопротивление окружающей среды.

Возможно даже, что ваши враги выступят «инструментами» разрушения вашей идеализации своих способностей — Жизни легче всего использовать именно их для своих целей. Хотя, может быть, Жизнь применит еще какой-то способ, вариантов может быть множество. Как вы помните, она использует, как минимум, шесть способов разрушения наших идеализаций. И один из них может быть использован, чтобы доказать вам, что вы простой смертный. И если у вас что-то получается и вы вполне благополучны, то это не основание для гордыни и идей о том, что вы самый крутой в этом мире. А иначе вы получите небольшой щелчок-напоминание по лбу. Жизнь — явление сложное, и не нужно думать, что вы самый крутой в этом мире.

Возможно, у вас все успешно, все хорошо. Но так будет только до тех пор, пока вы не начнете этим кичиться, начнете демонстрировать окружающим свою исключительность. Скорее всего, рассказ врагам о своих удачах и есть одна из форм демонстрации своей исключительности, поэтому с этим нужно быть осторожнее.

3.6. Чем отличаются выполняемые заказы от невыполняемых?

Напомним, что «заказом» мы называем такое желание человека, для исполнения которого он хотел бы получить помощь Высших сил. Как это можно сделать, подробно рассказывается в Методике формирования событий.

К легко и быстро выполняемым относятся небольшие заказы, требующие привлечения только на одного-двух человек. Например, это может быть знакомство с каким-то человеком вашего уровня общения (но не президентом страны или суперзвездой эстрады), нахождение работы, получение разумной суммы денег (в пределах вашего месячного заработка), избавление от какого-то небольшого заболевания или налаживание взаимоотношений в семье. То есть это события, связанные с вашим ближайшим окружением, в которых будут задействованы вы и еще один-два человека.

Вот такие заказы выполняются легко и быстро. Если, конечно, ваш заказ не направлен против «воспитательного» процесса, применяемого для разрушения вашей идеализации (у вас типичная идеализация денег, и вы заказываете себе деньги — ничего не получится). «Воспитательные» процессы имеют приоритет перед заказами.

Другое дело, если в реализации вашего заказа должно быть задействовано множество людей, и эти люди вовсе не хотят, чтобы это событие произошло. Такой заказ можно отнести к разряду **очень сложных** и даже невыполняемых в силу того, что для его достижения вы должны приложить массу усилий, энергетических и вполне земных. У вас может не хватить для этого энергии, особенно если вы занимаетесь этим в одиночку.

То есть одним из признаков **невыполняемого заказа** является то, что это какое-то глобальное событие, связанное с привлечением множества людей, но вы при этом не собираетесь прилагать массу усилий, а просто хотите получить желаемое, лежа на диване и повторяя свой заказ. Возможно, он когда-то и реализуется, через пару тысяч лет.

Что относится к явно невыполняемым заказам? Например, вы являетесь жителем какого-нибудь маленького городка в России, а хотите стать президентом Соединенных Штатов Америки. Это невозможно в силу ряда объективных обстоятельств: по законодательству США, кандидат в президенты должен хорошо знать язык, у вас должно быть достаточное количество денег, вы должны прожить в США не менее десяти лет или даже вы должны там родиться. Иначе вас просто не изберут, какие бы магические техники вы ни применяли.

Этот заказ нереальный, невыполнимый. Просто стать обладателем большой суммы денег — это возможно, нужно лишь приложить достаточное количество усилий.

Ко мне за консультацией обращались две девушки. Одна из них вышла замуж за сына арабского шейха и стала миллионершей. Вторая вышла замуж за американского банкира и тоже стала миллионершей. При этом они родились в России, в небольших городках. Получили высшее образование, поехали за границу, работали там, строили планы на свое будущее и предпринимали усилия для их реализации. В конце концов они добились своего.

В принципе это несложное событие в силу того, для его реализации нужны были только два человека, и им нужно было только встретиться. Конечно, если бы эти девушки сидели в своих городках и мечтали о миллионерах, у них вряд ли что-нибудь получилось бы. Трудно затащить арабского шейха в российскую провинцию, даже с помощью Высших сил. Они сами сделали шаги и поехали туда, где эти самые миллионеры встречаются, хоть изредка. Тем самым они очень облегчили Высшим силам процесс реализации своих желаний.

Если же вы заказываете событие, в котором заинтересовано множество других людей, которые **тоже хотят получить этот же результат** (например, победить на выборах в Думу, или быть избранным в совет директоров какой-то компании, или занять какую-то престижную должность), то возникает сложность уже другого свойства. Если каждый из этих конкурентов человек вполне успешный и у него все в порядке с «сосудом кармы», никаких «воспитательных» процессов к нему не применяется, то возникает просто **здоровая конкуренция**. Высшим силам все равно, кто из вполне благополучных людей займет это место. В результате его займет тот, кто **приложит больше усилий**, больше умений и эффективных ходов, у кого лучше объективные показатели. То есть методика формирования событий здесь уже не срабатывает в силу того, что каждый из стремящихся получить это место обладает примерно равным энергетическим и деловым потенциалом. Поэтому, чтобы победить в такой ситуации здоровой конкуренции, вы должны искать какие-то обходные и более эффективные пути, либо эта цель относится к категории неисполняемых.

К неисполняемой также можно отнести ситуацию, когда вы стремитесь к какой-то цели, а ваше **ближайшее окружение к этой цели не стремится** или желает чего-то противоположного, то есть они блокируют ваши усилия.

Например, семья живет в однокомнатной квартире. Мать стремится улучшить жилищные условия, а все остальные родственники против этого. Ребенок не хочет переезжать в другое место, поскольку тогда придется расстаться с друзьями. Муж давно отчаялся что-то изменить и постоянно повторяет, что все усилия бесполезны, мы ничего не получим. Бабушка говорит что-то типа: «Успокойся, все так живут, ты живешь еще лучше других. Мы жили в бараке, вы живете в отдельной комнате, пусть пять человек в одной комнате, но все равно это лучше барака. Ничего не нужно делать, благодари Бога за то, что имеешь». В итоге получается, что все родственники настроены против ее решения. Поэтому продвинуть такой заказ достаточно сложно, он является в какой-то мере невыполняемым в силу того, что наряду с вашим действием существует большое противодействие со стороны окружающих людей. Они ведь тоже являются заказчиками своих событий (нам ничего не нужно!), и результирующий итог, который будет влиять на ситуацию, будет определяться разностью приложенных усилий — ваших и ваших родственников. Их усилия могут оказаться более мощными, или они могут намного уменьшить ваш созидательный потенциал. Так что формирование общей цели часто нужно начинать с создания команды единомышленников.

И еще одним критерием неисполняемой задачи может быть **непосильная задача**, когда вы заказываете ношу, которую невозможно поднять одному человеку. Подобная ситуация возникает, когда вы, не имея команды, не имея единомышленников, хотите продвинуть какой-то **глобальный проект**. Построить завод, гостиницу, послать какую-то экспедицию и так далее. Люди часто затевают самые разные **глобальные проекты**, но при этом исходят из своего собственного потенциала. Вы можете быть очень энергичным, настойчивым и активным человеком, не имеющим идеализаций, но для реализации **большого проекта** нужно соответствующая энергетическая оплата, очень немалая. И если небольшие заказы типа знакомства с кем-то у вас получаются очень легко, то реализация большого **глобального проекта** может оказаться вам просто энергетически не по силам. И тогда ваш **проект** зависнет в начальной или в средней стадии — что-то началось, а дальше не движется. В общем, вам не удастся его реализовать в силу того, что вы работаете один, у вас нет энергетической поддержки единомышленников.

Из всего сказанного вытекает простая рекомендация — если есть глобальный проект, то его **лучше реализовывать командой**. Командой людей, устремленных к одной цели, зараженных одной идеей и не имеющих большого количества идеализаций. Команда энтузиастов может воплотить в жизнь совершенно любую идею. Мы все периодически с удивлением видим, как реализуются самые странные проекты. Почему? Потому что есть группа энтузиастов, которая посчитала, что это очень хорошее дело, оно должно быть реализовано, и они этого добиваются. Жизни все равно, чем занимаются люди и какие идеи они продвигают — лишь бы все это было оплачено достаточным количеством энергий. Жизнь дает нам все, что мы пожелаем, но большое событие должно быть проплачено достаточным количеством энергии. У вас может просто не хватить энергетического потенциала, поэтому ваш заказ окажется невыполняемым.

3.7. Связаны ли как-нибудь слезы с «сосудом кармы»? При переживании часто хочется плакать.

Конечно, связаны. Склонность плакать по любому поводу есть характеристика человека эмоционального, который остро принимает к сердцу любые события, который остро переживает по любым, значимым и не очень значимым с точки зрения окружающих, событиям.

Высокая эмоциональность — это характеристика врожденных качеств человека. Обычно это женщина, натура тонко чувствующая, остро переживающая и склонная проливать слезы по каждому поводу. Соответственно, пока ее «сосуд кармы» не переполнен, то есть количество накопленных переживаний еще не очень большое, слезы встречаются не очень часто, поскольку они периодически перемежаются радостью, смехом или еще какими-то положительными переживаниями.

Но когда сосуд наполнен процентов около восьмидесяти, то она начинает почти на любую ситуацию реагировать слезами в силу того, что эмоциональный план переполнен негативом и любой внешний раздражитель провоцирует на воспоминания и повторное переживание травмирующей ситуации. В результате слезы сами по себе начинают течь из глаз. Можно сказать, что слезы есть материализация наших переживаний.

Можно представить, что тело человека представляет из себя «накопитель переживаний», заполненный до уровня глаз (85%). Поэтому при любом колыхании человека, эмоциональном или физическом, слезы начинают уже выливаться через глаза — как жидкость из переполненного сосуда.

Наша методика больше ориентирована на людей, у которых логика преобладает над эмоциями. У сверхэмоциональных людей эмоции преобладают над логическим мышлением, и им очень трудно анализировать, какие идеализации у них имеются, какие «воспитательные» процессы применяет к ним Жизнь, и использовать другие наши техники. Наверное, им могут оказаться более близкими и эффективными медитативные практики, молитвы, голодание или еще какие-то техники, не связанные с анализом ситуации и поиском причин, почему это возникло в вашей жизни. Аналитические техники Разумного пути здесь часто не помогают.

Люди разные, и в зависимости от особенностей устройства их организма, черт характера, склонностей и т. д. Жизнь предлагает им самые разные технологии комфортного существования. Наша технология, как мы уже говорили, ориентирована на людей, желающих изменить свою жизнь и имеющих для этого необходимые аналитические способности. По нашим оценкам, этим требованиям отвечают 20 или 30% людей. Это совсем немало, и нам нужно донести до них идеи Разумного мира.

3.8. Как лучше в конце дня избавляться от переживаний, полученных за день?

Конечно, лучше всего от переживаний не избавляться, а сделать так, чтобы их не было. Но если уж они появились, для избавления от них мы предлагаем два несложных инструмента.

Первое — это **дневник самонаблюдений**. Вы вспоминаете события прошедшего дня и записываете травмирующую вас ситуацию в левую колонку дневника. А затем начинаете анализировать, какой урок дала вам Жизнь, разрушила какую вашу идею о том, какими должны быть окружающие люди или какой должны быть вы сами. Вас кто-то обманул, вам кто-то нахамил, вас кто-то предал, кто-то поступил не в соответствии с вашими ожиданиями или планами? И вы по этому поводу впали в негативные переживания? А чего вы ожидали от этих людей, как они должны себя вести, по-вашему?

Вы анализируете ситуацию и в правую колонку записываете, какая ваша идеализация проявилась в том или ином событии. Затем мысленно говорите что-то вроде: «Прости Господи, впредь я не буду переживать по этому поводу, потому что понимаю, что мир многообразен и не мне судить о том, каким он должен быть. Впредь я не берусь судить, как должны поступать окружающие меня люди и как должна складываться ситуация в моей жизни. Я принимаю любой ее вариант.

В дальнейшем я буду поступать руководствуясь своими принципами и своим воспитанием, но я не навязываю свою точку зрения окружающим. Они могут руководствоваться совершенно другими убеждениями, и я без осуждения принимаю их во всем их разнообразии».

Конечно, если вы руководитель, то вы не можете принимать сотрудников со всей их ленью и разгильдяйством. Не нужно путать эмоциональное отношение и исполнение функциональных обязанностей, это совсем разные вещи. Как руководитель, вы должны строго отслеживать интересы вашего предприятия и воспитывать виновных, при необходимости даже избавляться от них. Вы должны разграничить внутреннее отношение к людям и выполнение **функциональных** (должностных) обязанностей.

Если же эти люди от вас не зависят (вы не руководитель, они не подчиненные), и поступают они как-то неправильно, то вы говорите себе: «Я принимаю их со всеми их недостатками. Они такие есть, их такими создал Бог, и это от меня не зависит. Я не осуждаю их, но по возможности держусь от них подальше». В итоге вы не накапливаете новых переживаний, что бы с вами ни происходило.

Это первый инструмент, который должен предупредить появление новых переживаний в будущем. Вы проанализировали произошедшее и сделали осознанные шаги к тому, чтобы в следующий раз, когда эта ситуация повторится, она не станет для вас травмирующей и вы не впадете в переживания.

А для того, чтобы счистить тот сгусток негативных эмоций, который возник в вашем эмоциональном теле после травмирующей ситуации, вы повторяете несколько раз медитацию прощения по отношению к этому человеку или к этой ситуации. Это наш **второй инструмент**. Текст совсем прост: «С любовью и благодарностью я прощаю этого человека и принимаю его таким, каким его создал Бог. Я прошу прощения у него за мои мысли, эмоции и поступки по отношению к нему».

Повторив медитацию прощения 5—10 раз, вы почувствуете некоторое внутреннее облегчение, что будет свидетельствовать о том, что ваш эмоциональный план немного очистился. Но желательно сделать так, чтобы со временем вам пришлось повторять медитацию прощения все реже и реже. Иначе, если вы постоянно будете днем плакать, страдать или ругаться, а вечером чиститься, то это будет уже не Разумный путь, а вполне безумный путь, безумная жизнь, которой живут множество людей.

3.9. Как по вашей теории можно объяснить случаи массовой гибели людей: «Титаник», Чернобыль, землетрясения, Хиросима, теракты и т. д.?

Наша технология Разумной жизни объясняет события, происходящие с конкретным человеком в его ближайшем окружении, то есть почему возникли те или иные ситуации в той среде, в которой он находится. В том социуме, в котором он существует.

Под эти объяснения **не попадают** случаи массовой гибели людей и случаи смерти младенцев, то есть детей, у которых заполнение сосудов явно не достигло 90—95%. Эти случаи досрочной (на наш взгляд) гибели детей вызваны другими механизмами, которые мы пока что не можем объяснить в рамках нашей технологии Разумного пути.

Наша технология не объясняет также случаи массовой гибели людей, поскольку трудно предположить, что все люди, которые плыли на «Титанике» (или что все люди, которые оказались в зоне Чернобыля), были закоренелыми грешниками и заслужили гибели. Ведь там были и дети, и вполне нормальные люди с небольшим заполнением сосуда (во всяком случае, на наш взгляд). Тут существуют какие-то другие механизмы, приводящие к гибели людей.

Здесь нужно пояснить, что наша модель с накоплением переживаний в «сосуде кармы» объясняет события, связанные только с наработанной (накопленной) кармой, то есть с тем, что человек **совершил в этой жизни**.

А случаи массовой досрочной гибели людей, видимо, вызваны какими-то другими механизмами, например механизмами зрелой кармы. Возможно, значение имеет включенность человека в какой-то родовой, национальный, территориальный эгрегор. Соответственно, душа человека, включенная в подобный эгрегор, вынуждена участвовать в событиях, которые должны совершиться с этим эгрегором.

К сожалению, сегодня мы не можем достаточно четко и однозначно объяснить эти ситуации и дать рекомендации по их предупреждению. Не имея однозначной (не интуитивной) системы объяснения этих событий, трудно заниматься их прогнозированием и разработкой каких-то рекомендаций.

Но с другой стороны, наша теория говорит о том, что если у человека все в порядке с «сосудом кармы», то, скорее всего, даже в ситуации стихийного бедствия или других массовых катаклизмов его ангел-хранитель создаст такие условия, что он выживет, невзирая на все проблемы своего эгрегора. И жизнь его будет достаточно благополучной, невзирая на то, что вокруг него могут происходить самые тяжелые события.

Например, мне известны чеченцы, которые пережили несколько бомбежек в Грозном, но они не озлобились, не прониклись ненавистью по отношению к тем, кто совершал эти действия. То есть они сознательно не включились в общий эгрегор ненависти и стремления любой ценой отстоять национальные интересы, а приняли происходящее как объективную реальность, не зависящую от них. После этого они сумели выехать из зоны боевых действий, и жизнь их стала вполне благополучной. Ситуация сложилась так, что они получили жилье, получили работу, причем хорошую работу, очень высокооплачиваемую, и их дети получили хорошее образование.

Таким образом, эти люди не озлобились и не впали в длительное осуждение, хотя в силу включенности (по рождению) в национальный чеченский эгрегор они оказались в этой стрессовой ситуации (бомбежек). Интуитивно они повели себя в соответствии с нашими рекомендациями (естественно, не зная о них), то есть не озлобились, не переполнились ненавистью или желанием отомстить. Поскольку они усвоили урок, который им дала Жизнь, то она проявила к ним свое расположение и реализовала все их текущие потребности (безопасность, жилье, материальная обеспеченность). Жизнь их сложилась вполне успешно и благополучно. Большинство же остальных жителей Грозного не сумели правильно пройти и сделать выводы из этого урока, и поэтому до сих пор у них имеются огромные трудности. Они живут в лагерях беженцев, у них проблемы с материальным достатком, с работой, со здоровьем и со всем остальным.

Их эмоциональный план перегружен негативными эмоциями. Они не усвоили уроки, которые дала им

Жизнь, и, соответственно, Жизнь продолжает их «воспитание».

Но однозначно сказать, почему именно та или иная душа оказалась в этой ситуации, мы определить пока не можем. Это вне рамок нашей методики.

3.10. Является ли избыточно значимой идея желания любить?

Нет, не является. Человек может иметь любые желания, в том числе стремление кого-то любить и быть любимым. Это нормальное человеческое желание, причем легко исполнимое в том случае, если оно не перерастает в идеализацию. А идеализация, как мы уже указывали, характеризуется наличием длительных негативных переживаний. То есть если вы просто хотите, чтобы вас кто-то любил или вы кого-то любили, и ваши мысли на эту тему имеют примерно следующий вид: «Жизнь, я хочу кого-то полюбить» или «Я хочу быть любимым, дай мне, пожалуйста, это», то все замечательно. Вы не тревожитесь, что это может не произойти, у вас нет страха, у вас нет претензий к окружающим, обиды, почему у других это есть, а у меня нет. Вы спокойно (азартно, непрерывно и т. д.) ищете то, что хотите получить, и вам это обязательно будет дано.

Если же у вас в голове поселились страхи о том, что вдруг мне не хватит любимого (всех разберут раньше, видимо), вдруг меня никто не полюбит, вдруг я не смогу никого полюбить, вдруг что-то не произойдет, то **это будет заказ этого самого негативного события.** И, соответственно, вы получите то, что вы держите у себя в голове. То есть **произойдет реализация ваших страхов** и ваше желание любви не реализуется. Либо реализуется таким странным образом, что вы, в конце концов, сами скажете: «Откуда это взялось? Как это могло возникнуть в моей жизни? Зачем вообще мне это нужно было?» Вы принудительно «поумнеете», но будет уже поздно, ваши страхи уже реализуются.

И эта ситуация будет не критической, выход
всегда найдется. Но прежде вы должны будете п
что она не случайно возникла в вашей жизни. З
сами сформировали ее своими страхами, своими сомнениями или своими претензиями. Так что любить
можно, желать любви можно, радоваться любви можно, находиться в трепетном ожидании любви можно, а
сомневаться, держать в голове страхи, сомнения и какие-то другие негативные переживания — нельзя. Тогда все будет отлично.

3.11. Как по вашей методике нужно относиться к тяжелым болезням и смерти близких людей?

Конечно, нормальный человек не может оставаться равнодушным, когда с его близкими людьми происходят какие-то несчастья, когда они болеют или
умирают. Конечно, мы должны сделать все для того,
чтобы помочь им, чтобы они выздоровели, чтобы у
них было все хорошо. Мы люди, и должны жить по об-
щечеловеческим принципам помощи ближним, заботы
о людях, помощи слабым, больным и тем, кто испытывает страдания.

Но если, вопреки всем нашим желаниям и усилиям,
с близким человеком что-то происходит, многие люди
погружаются в длительное горе.

А что такое горе?

С нашей точки зрения, горе — это идеализация
жизни. То есть мы знаем, как должна быть устроена
жизнь. Мы знаем, как должны жить люди, сколько лет
должны жить наши ближайшие родственники, каким
должно быть их здоровье. Мы знаем, но действительность не совпадает с нашими ожиданиями.

То есть Жизнь несправедлива к этим людям. Жизнь
почему-то дает им слишком много страданий, или они
слишком рано уходят из нашего мира. Жизнь несправедлива к ним, и мы испытываем по этому поводу ужасные
страдания.

Хотя мы не знаем, с какой программой их душа
приходила в этот мир. Мы не знаем, сколько лет она

должна была здесь просуществовать, какие задачи выполнить, какие уроки получить. Мы этого ничего не знаем, но беремся судить о происходящем. В своих суждениях мы исходим только из своей модели устройства мира. А эта модель обычно бывает проста: «Мои родственники должны жить долго. Они должны быть здоровы. Жизнь должна не применять к ним никаких неприятных ситуаций» и т. д. К сожалению, нередко реальность довольно сильно не совпадает с нашими ожиданиями того, как должен быть устроен этот мир. В результате мы погружаемся в горе и интенсивно заполняем свой «сосуд кармы» новыми переживаниями.

Эти претензии к жизни возникают в результате появления идей о том, что Жизнь несправедлива, что Жизнь с кем-то поступает слишком жестоко, что какому-то человеку достаются слишком тяжелые страдания. В общем, что-то там наверху не в порядке. Высшие силы, похоже, не знают, сколько лет должен жить этот человек. Каким должно быть его здоровье. Они не знают, а мы знаем. То есть получается, что мы недовольны тем, кто управляет всем нашим миром, кто посылает нам те или иные «воспитательные» процессы. Мы знаем, а они не знают.

Как вы понимаете, здесь еще имеет место идеализация своих способностей («Только я знаю, что и как должно происходить!»), и в соответствии с общим принципами Жизнь начинает применять «воспитательные» процессы уже по отношению к вам. Вы считаете, что с этим человеком поступили несправедливо, а кто вы есть, чтобы судить об этом? Вы знаете, с какой задачей приходила душа этого человека в наш мир? Вы знаете, какие «воспитательные» процессы к нему применялись и какими были результаты? Вы знаете, что произошло с его душой и как будет дальше складываться ее существование? Всего этого, естественно, мы не знаем, но мы беремся судить о Жизни и ее поступках. И в итоге оказывается, что мы сами являемся грешниками в силу того, что судим о Высших силах и о том, правильно или неправильно они управляют (или присматривают) за нашим миром.

В общем, чтобы даже случайно не накапливать грехов, нужно научиться принимать реальный мир таким, каков он есть. Конечно, никто не может остаться равнодушным, когда болеет или умирает близкий человек. Но горе или избыток сочувствия не должны приводить к тому, что мы погружаемся в длительные переживания. То есть горе не должно быть затяжным, многолетним. Скорбь не должна останавливать нашу жизнь и не должна полностью блокировать нашу жизнь, выполнение тех задач, с которыми наша душа пришла в этот мир.

У человека, который болеет или который умер, **были свои задачи, и он получил свои уроки.** Он получает свои «воспитательные» процессы, и не нам судить, что с ним должно происходить.

Мы не призываем к полному равнодушию и к полной апатии по отношению к родственникам. Конечно, **нужно сделать все, что можно и необходимо.** Но при этом нужно понимать, что этот человек получает свои уроки, и раз он их получает, то не нам судить, как у него должно все складываться. Мы делаем все, что можем, чтобы помочь ему, в том числе и корректируем его отношение к жизни с помощью идей Разумного пути. Но если у нас не получилось, то это не повод для длительного осуждения жизни или самого себя.

Примерно таков наш подход к этому вопросу.

3.12. Сможет ли человек сохранить незаполненным свой «сосуд кармы», если он не будет придавать избыточное значение всем земным ценностям?

Конечно, может. Собственно, суть нашей технологии Разумной жизни сводится к тому, что мы спокойно относимся ко всем происходящим событиям. Если от нас что-то зависит, то мы вмешиваемся и делаем так, как считаем необходимым, невзирая на реакцию других людей.

Если ситуация от нас не зависит, то мы не впадаем в переживания, что бы вокруг ни происходило. В любом случае нет повода для длительных переживаний, а есть повод для размышлений, в том числе почему вы оказались в этой ситуации. Если так спокойно относиться ко всему, что бы с вами ни случилось, то Жизнь будет рада прийти к вам на помощь и исполнить ваши пожелания. В крайнем случае если что-то происходит не так, то вы можете попереживать, но делайте это не слишком долго. После того как приступ ваших нерадостных эмоций пройдет, вы должны отработать эту ситуацию, понимая, что она не просто так возникла в вашей жизни. Через эту ситуацию Жизнь дает вам урок, и вы должны понять и принять его, каким бы неприятным он ни был. Тогда ваш «сосуд кармы» не будет пополняться и ваша жизнь будет и дальше идти благополучно. И вы будете получать от Жизни то, что вы хотите.

3.13. Читала, что потомки расплачиваются за грехи предков до четвертого колена. Всякий раз, когда случаются неприятности, невольно думаешь: может, это от предков?

Нужно сказать, что это очень удобная для многих людей версия — считать, что во всем происходящем со мной виноват не я, а виноваты какие-то предки, которые в неизвестном мне прошлом что-то там совершили, и я теперь за то расплачиваюсь. То есть мне ничего не нужно делать, поскольку происходящее от меня не зависит. Это зависит от чего-то, что мне неподвластно. Я хороший, я все делаю правильно, а в том, что со мной происходит, виноваты мои предки, это все «зрелая» карма.

Но наш опыт показывает, что большинство событий в жизни людей является результатом именно их текущих мыслей, поступков, их нынешнего отношения к жизни. Это означает, что нашей жизнью в основном управляет так называемая «наработанная карма». И почти все техники Разумного пути направлены на то, чтобы выйти из-под воздействия кармических «воспитательных» процессов, направленных на исправление наших текущих взглядов на жизнь. Они подсказывают, как надо вести себя, чтобы жизнь не применяла к нам методы по разрушению наших ошибочных убеждений и идеализаций.

Что касается грехов предков, это имеет место в действительности, но проявляется достаточно редко. И проявляется обычно сразу при рождении. Были ли у вашей души или у души ваших предков какие-то грехи, можно понять по следующим обстоятельствам: условия рождения, степень обеспеченности и взаимоотношения между родителями, состояние здоровья младенца (есть ли врожденное заболевание или какие-то врожденные пороки), степень выраженности тех или иных качеств личности (чем сильнее выражена жестокость, агрессивность или избыточная чувствительность, тем тяжелее человеку жить).

Поэтому однозначно сказать, что вы страдаете за прошлые грехи, можно только в том случае, если вы с момента рождения имели достаточно большие проблемы. Но это могли быть грехи вашей собственной души, а не предков.

Если же рождение было вполне благополучным, детство прошло более-менее благополучно, а затем начались неприятности, начались эксцессы — это однозначно «наработанная» карма, то есть те ошибки, которые вы совершили уже в этой жизни. Очень редко «зрелая» карма влияет на события нашей жизни во взрослом возрасте, если до этого она себя никак не проявляла.

Поэтому списывать все на предков удобно, но не конструктивно.

Такая позиция приводит к тому, что вы попадаете в зависимость от тех людей, которые говорят, что они способны прочитать ваше прошлое, могут туда влезть и что-то там исправить, и тогда все у вас будет хорошо. В результате вы попадаете к ним в полную зависимость, поскольку без них сделать ничего нельзя.

Нужно сказать, что многих людей такая позиция устраивает. Не нужно ничего менять в себе, не нужно работать над собой. Достаточно просто отдать деньги — и вам все там исправят. Подобных предложений имеется множество, но результат обычно бывает никакой (за исключением потраченных денег). Результат бывает неплохим только у тех людей, кто очень сильно поверит целителю и у кого действительно есть проблемы из прошлого. Фактически за счет этой веры он сам исправит информацию о своем прошлом. Можно было бы сделать это и самостоятельно, но на волне чужого внушения часто получается лучше. Но, повторяю, списывать все текущие проблемы на прошлые жизни совершенно неконструктивно.

Мы считаем, что **большая часть проблем, которые имеются в жизни человека, являются результатом его текущего отношения к действительности.** И только если вы полностью отработали этот пласт, то есть выявили свои идеализации, почистились и больше не испытываете переживаний, но все равно с вами происходят явные неприятности, то вот здесь уже можно смотреть, нет ли какого-то влияния «зрелой» кармы. Если проявления «зрелой» кармы имеются, то нужно попытаться понять, не проблема ли это вашей собственной души, которая в прошлой жизни совершала какие-то не очень хорошие поступки. Но на наш взгляд, это достаточно редкий случай.

3.14. Отсутствие чувства любви. Это что — идеализация?

Как следует из определения, идеализация всегда связана с длительными негативными переживаниями. Если у вас имеются переживания по поводу того, что у вас нет любви, что годы идут, а любви все нет, и что это не жизнь без любви, поскольку жизнь имеет смысл, только когда есть любовь, то это идеализация. Идеализация любви в нашей терминологии — это, наверное, **идеализация отношений между людьми.** Только в этом случае можно говорить, что отсутствие любви является «воспитательным» процессом. Как можно выйти из-под этого «воспитания»? Только **признав и приняв, что жить без любви можно так же хорошо, как и с любовью.**

Если вы ждете любовь, она не приходит, но вы не испытываете по этому поводу длительных страхов, сомнений или тревог, а просто ждете ее с открытым сердцем, то, значит, просто еще не появился человек, которого вы можете полюбить. «Воспитательных» процессов нет, но вторая половинка еще не появилась на вашем горизонте.

Почему это происходит, нужно разбираться. Причины тут могут быть самые разные. Возможно, внешне вы декларируете, что ждете любовь, а внутри имеется страх, ожидание того, что любовь принесет какую-то смуту в вашу жизнь, сделает ее дискомфортной. Может быть, вы боитесь последствий любви, опасаетесь потерять независимость, поскольку любовь всегда предполагает вашу полную открытость. Может быть, вы еще чего-то опасаетесь и, внешне декларируя, что вам нужна любовь, вы внутри себя от нее отказываетесь. А Жизнь реализует в первую очередь не декларативные наши заказы, а те истинные желания, которые находятся у нас в глубине души.

Приоритет имеют наши подсознательные желания. Если подсознательно мы не хотим любви, мы боимся, мы избегаем ее, то ее не будет. Если на внешнем плане мы декларируем: «Ну где же моя любовь? Куда же ты делась?», а на деле опасаемся ее, то Жизнь реализует такую ситуацию, когда этой самой любви не будет.

Еще одна возможная причина, почему может не быть любви — это следствие того, что просто нет человека, который должен составить вам пару. Может быть, вы нечетко продекларировали, чего вы хотите, и Жизнь не знает, как выполнить ваш заказ. А когда ваш запрос поставлен не конкретно, то, к сожалению, никто в Тонком мире не берется его исполнять. Или ваш заказ давно был исполнен, а вы этого не заметили, поскольку из-за неконкретной формулировки он был реализован неприемлемым для вас способом.

Может быть, вам для разрушения идеализаций нужен человек, который бы достаточно сильно разрушал

избыточно значимые для вас идеи. Но из-за повышенного самоконтроля, из-за преобладания логического мышления вы не позволяете себе войти в такое состояние «оглупления», чтобы полюбить человека, который совсем не соответствует вашим ожиданиям. А другого вам не дают. Вы не пускаете несовершенных людей в свою жизнь, а совершенных вы недостойны, потому что должны получить свои уроки кармического «воспитания».

Поэтому, собственно, ничего в вашей жизни не происходит. Вы не пускаете в себя любовь людей, которые не соответствуют вашим ожиданиям. А те, которые соответствуют, вам не попадаются в силу того, что для вас избыточно значим ваш идеал. Возможно, вы испытываете переживания типа: «Где же он, мой любимый, высокий, красивый, с большой машиной, с отдельной квартирой (и рядом еще каких-то достоинств)?» Вы его ждете, но вы такого недостойны. Вам для разрушения идеализации семейной жизни нужен человек с набором противоположных качеств (без машины и квартиры, невысокий, не очень красивый и пр.). Такие мужчины обращают на вас внимание, но вы их сразу отвергаете, а того, кого вы хотите, Жизнь вам не дает. «Воспитательные» процессы имеют приоритет перед нашими заказами. То есть в первую очередь реализуется «воспитательный» процесс, затем исполняются наши заказы.

Подумайте, какой из рассмотренных вариантов ближе всего к вашей ситуации.

3.15. Вы хотите, чтобы люди ушли из мира переживаний. Не станет ли при этом мир серым?

Действительно, для многих людей, если им отказаться от негативных переживаний, мир станет бесцветным в силу того, что они не умеют радоваться. Они не умеют любить себя, они не умеют радоваться жизни в тех ее проявлениях, которые имеются вокруг нас.

Что же делать человеку, который, отказавшись от идеализаций и избавившись от всех своих недругов, оказывается в таком спокойном мире, в котором нет негативных переживаний, но нет и сильных положительных эмоций. Возникает жизнь без сильных эмоций, которая может показаться пресной или даже пустой. Где же взять сильные ощущения в таком состоянии?

Можно научиться радоваться жизни. Для этого мы предлагаем ряд несложных упражнений. В частности, такое. Напишите себе хвалебную оду, восславьте себя, какое вы замечательное божественное творение, как у вас все хорошо. Перечитывайте эту оду каждое утро, и она будет заполнять вашу душу положительными эмоциями.

Несколько позже в этой книге мы приводим некоторое количество од, написанных нашими читателями-непрофессионалами. Почитайте их, и вы увидите, как люди могут восхвалить самого себя как божественное создание. Ода себе может быть написана в стихах или прозе. Многим людям будет довольно сложно сделать такой психологический шаг и вместо традиционного осуждения начать хвалить себя. Тем не менее сделайте его — это хороший прием для зарядки положительными энергиями.

В принципе годятся и любые другие средства, помогающие вам радоваться жизни. Это кинокомедии, чтение юмористических произведений или прослушивание выступлений юмористов и незлобных сатириков. Это общение с веселыми людьми и т. д. В общем, научитесь радоваться, превратите свою жизнь в медитацию постоянной радости, и окажется, что жизнь не сера, а замечательна.

3.16. Почему, когда человек начинает менять свои мысли, отношение к жизни, просто начинает читать книги А. Свияша, у него в жизни начинается ухудшение: событий, здоровья, отношений? Это я наблюдаю каждый раз, как только начинаю с кем-то беседовать и в качестве начального обучения даю человеку книгу Свияша. Любую. Это как в начале лечения, снача-

ла идет ухудшение? Я не пойму, это уходит плохое из жизни или это человека воспитывают, закаляют перед тем, как дать хорошее?

Нужно отметить, что действительно в начале работы над собой, когда человек начинает чиститься от накопленных переживаний и работает над своими идеализациями, то ситуация вокруг него может объективно ухудшиться на некоторое время. Не всегда, но так бывает. Мы уже давали объяснение этому эффекту в книгах, здесь лишь повторим его.

На наш взгляд, подобные случаи могут быть вызваны следующим. Поскольку наша методика направлена на выход из сложных ситуаций, то она обычно предлагается людям, имеющим какие-то жизненные неурядицы. А если у человека много проблем, то он излучает только негативные эмоции, то есть является «кормильцем» не самых светлых демонов Преисподней. Все было хорошо — с их точки зрения, и вдруг вы даете их «кормильцу» книги Свияша, он читает их и начинает работать над собой. Он начинает понимать причины своих проблем и перестает переживать по их поводу. Что в такой ситуации будут делать демоны? Сидеть и спокойно ждать, когда их «кормилец» уйдет из-под их контроля? Этак всех «кормильцев» растерять можно. Поэтому они начинают бороться за его душу, не жалея для этого собственной энергии. А что нужно сделать, чтобы «кормилец» остался? Нужно вновь заставить его переживать! Поскольку на все прежние ситуации он больше не реагирует, нужно создать новые, к которым он совсем не готов. Поэтому демоны в спешном порядке обостряют ситуацию — все окружающие люди почему-то начинают делать человеку гадости, прежние недруги резко обостряют свою конфликтность, у него возникают непредвиденные проблемы и т. д.

Вариантов ухудшения ситуации может быть множество, но все они направлены на одно — заставить человека снова переживать. Здесь трудно устоять, и некоторые люди забывают все наши рекомендации и возвращаются к прежним нерадостным мыслям и эмоциям. В таком случае демоны празднуют победу — их «кормилец» остался в стойле.

Здесь же находит объяснение то обстоятельство, что ухудшение ситуации может начаться сразу, как только человеку в руки попала книга Свияша, и он ее даже не успел прочитать. Видимо, методика Разумного пути уже получила недобрую известность в среде «черных» и они предпочитают не рисковать, дав своему «кормильцу» почитать нашу методику. А **сразу начинают атаку на него**, не давая ему времени и сил ознакомиться с книгой. Только большая воля и желание решить свои проблемы могут в такой ситуации заставить человека встать на Разумный путь. Так что, похоже, демоны уже нашли пути блокирования распространения наших идей, и нужно тоже прилагать дополнительные усилия, чтобы люди смогли нас услышать и воспользоваться нашей технологией Разумной жизни.

Но, поскольку обострение ситуации требует дополнительных расходов энергии, **оно не может продолжаться очень долго** без соответствующей отдачи со стороны «кормильца». Наш опыт показывает, что подобное обострение длится не больше месяца-полутора, а то и меньше. Человек, встающий на Разумный путь, должен понимать, что его так просто не отпустят прежние «друзья» из Тонкого мира, поэтому он должен проявить силу воли и принимать без переживаний все, что будет происходить вокруг. Это сложно, но если проявить силу воли, то через некоторое время ситуация резко улучшится и Жизнь в лице уже светлых духов отблагодарит его за проявленное старание.

Внешне все это выглядит как обострение болезни перед выздоровлением. Еще можно рассматривать это обострение как проверку пациента на твердость решения придерживаться идей Разумного пути. Если это решение твердое, то и результат будет отличным.

3.17. Стоит ли помогать человеку, указывать ему лучший вариант, просто предлагать ему ту же книгу, если он не просит у меня помощи?

Если вы видите, что у человека имеются проблемы и вы можете ему помочь, то, конечно, можно попытаться это сделать. То есть предлагать книгу или что-то еще, даже если человек не просит о помощи, можно. Но **не ждите, что он вас услышит и поблагодарит за помощь либо даже воспользуется ею.** Он не просит помощи, значит, рассчитывает на свои силы или не верит, что ему что-то может помочь. Поэтому, скорее всего, он начнет с вами спорить и препираться, отстаивая свои убеждения, которые уже создали ему проблемы в жизни. И вы в этой ситуации имеете очень большие шансы накопить переживаний в свой собственный «сосуд кармы» по клапану «Идеализация разумности поведения людей». Переживания в подобных обстоятельствах обычно имеют вид: «Ну как же он не видит, что все так просто! Ведь он сам создал это, ему ведь нужно всего лишь сделать то-то и то-то. Как же можно быть таким слепым (недогадливым, упрямым, бестолковым и т. д.)!» Кроме того, можно начать осуждать себя за неспособность объяснить другому человеку причины проблем в его жизни (клапан «Идеализация собственного совершенства»). В общем, пробовать помогать можно, но не нужно ожидать, что человек обязан воспользоваться вашими рекомендациями или кто-то должен поблагодарить вас за это.

Предлагая что-либо человеку, **вы должны оставить ему право выбора** — воспользоваться вашей помощью или нет. И ни в коем случае не переживать, если он сделает не лучший выбор и будет упорствовать в своих заблуждениях. Значит, он еще не созрел до получения помощи и ему нужно пройти свои «воспитательные» процессы. Это его выбор, и он имеет на него право.

3.18. Есть несколько трактовок понятия кармы. Ну, например, накопленный грех поколений. Вы уверены, что ваша трактовка самая верная?

Да, действительно, понятие кармы многообразно, но в соответствии с традицией мы разделяем несколько видов кармы. Один из видов — это «наработанная» карма, то есть те ошибки, которые совершила наша душа в этой жизни. Но нужно учитывать, что в отличие от религиозных толкований мы учитываем не сами поступки, а то, как вы к ним относитесь, то есть вашу эмоциональную реакцию. На наш взгляд, основную составляющую «наработанной» кармы составляют накопленные нами негативные переживания. Технологии самостоятельной работы с этим видом кармы более-менее отработаны.

Но, кроме «наработанной», имеются и другие виды кармы. В частности, это те проблемы, которые наша душа приносит из прошлых жизней. Эти проблемы относятся к «зрелой» карме.

Как известно, «зрелая» карма делится на несколько: это карма рода, карма поколений, карма национальности, карма данной территории, карма семьи и так далее. Иногда в силу тех или иных причин наша душа должна некоторые из них отрабатывать. Здесь мы пока не имеем сколько-нибудь серьезных наработок по самостоятельной диагностике и исцелению.

Уверен ли я, что наша трактовка самая верная? Как я понимаю, речь идет только о «наработанной» карме, поскольку другими видами мы почти не занимаемся. Да, это подтверждено тем, что происходят положительные изменения в жизни многих тысяч, десятков тысяч людей. Я получаю массу писем, в которых люди благодарят меня, при личных встречах многие говорят, что их жизнь многократно изменилась к лучшему после применения технологии Разумной жизни. Люди говорят: «У меня ушли проблемы, у меня улучшились отношения между людьми, у меня появились деньги, поправилось здоровье и т. д.». И это все вследствие того, что люди немного поработали над собой.

Технология работает, и опыт множества людей это подтверждает. А если она работает, то почему бы ей не пользоваться?

3.19. Что происходит при снижении заполнения «сосуда кармы» и что делать, если меня такое состояние не устраивает? Я почистила свой сосуд и попа-

ла в состояние, когда меня совершенно ничего не волнует, мне все равно, что бы ни происходило вокруг. Наверное, так быть не должно.

Как вы знаете, «сосуд кармы» заполняется негативными переживаниями. Снижение заполнения сосуда означает, что вы вышли из мира негативных переживаний и вошли в умиротворенное состояние. Это состояние спокойствия, расслабления, рефлексии. Чем меньше заполнение сосуда, тем больше вы расслаблены и спокойны, поскольку у вас нет никаких проблем. А те сложности, которые иногда все же возникают на вашем пути, вы не воспринимаете как проблемы. Вы совершенно спокойно и отстраненно рассматриваете возникшую ситуацию, хотя раньше могли бы воспринять ее как вселенскую катастрофу.

А разве может быть спокойным человек, озабоченный кучей проблем? В принципе любой человек может стремиться быть богатым, занять престижную должность, достичь успеха в обществе или еще чего-то. Но на этом пути очень важно внутреннее состояние человека. Если он постоянно борется, если его жизнь полна страстей, в том числе тех, которые заполняют «сосуд кармы», то на пути к цели неминуемо возникнут проблемы, поскольку начнутся «воспитательные» процессы.

Если человек осознает, что он сам является источником своих проблем и начинает работать над своим отношением к жизни, то ситуация улучшается. По мере работы человека со своими идеализациями и чистки от накопленных ранее переживаний заполнение его сосуда уменьшается. При этом меняется отношение человека к жизни и поставленным целям.

Когда он уменьшает заполнение своего сосуда до 25—30% и меньше (что иногда бывает у подростков), то оказывается, что те самые ожидания и цели, которые раньше доставляли ему массу переживаний, становятся незначимыми. Он просто входит в спокойное, умиротворенное состояние, все прежние устремления кажутся бессмысленными. Для многих такое состояние тотального внутреннего спокойствия хорошо и комфортно, и люди довольны этим. Они говорят: «Мне надоело бороться с жизнью, я устал от этого, и наконец-то я поживу спокойно, просто порадуюсь жизни».

Но для некоторых людей это состояние очень непривычно и даже дискомфортно. Они говорят: «Что случилось, жизнь стала пресной, мне не за что бороться и не к чему стремиться, потому что все неинтересно. Я ничего не могу желать, мне скучно!» или «Мне не нравится эта жизнь без борьбы и переживаний!». Так действительно бывает, и мы предупреждали об этом.

Фактически возникает неявно выраженное недовольство собой и Жизнью, а это небезопасно. При малой заполненности сосуда **резко увеличивается интенсивность «воспитательных» процессов!** Даже за малые переживания при пустом сосуде вы можете получить крупные неприятности, включая заболевания (при длительном неявно выраженном недовольстве собой). Так что мы не рекомендуем чиститься чересчур сильно, если вы не целитель и не монах. Последствия этих «развлечений» могут быть совсем не такими, как вы себе это представляли.

Как же избежать такого состояния полного принятия мира во всех его проявлениях, когда действительно ничего не хочется? Здесь существует несколько выходов.

Во-первых, мы не рекомендуем очищать свой сосуд до 30% тем людям, которые подозревают, что просто умиротворенная жизнь будет их мало устраивать. Таким людям нужно **вовремя остановиться в процессах чистки** своего сосуда на уровне 50—60%. Сделать это несложно. Нужно просто остановить процесс чистки, как только вы почувствуете, что начинаете чересчур спокойно (для вас) относиться к происходящим вокруг событиям.

А вторая рекомендация состоит в следующем: если вы все-таки «влетели» в эту благодать и вам ничего не хочется, но умом вы понимаете, что хотелось бы чего-то захотеть, то выход здесь очень простой. Вспомните о Методике формирования событий.

Какая перед вами стоит задача? Ее можно сформулировать примерно так: «Я хочу жить! Я хочу наполнить свою жизнь желаниями! Я хочу испытывать острые ощущения!»

Сосредоточьтесь мысленно на этих целях (пусть даже без особого желания), и Жизнь начнет вам их подбрасывать. Но будьте осторожны, не забывайте об ограничивающих условиях при формулировке цели.

Если вы поставите задачу в максимально широком плане: «Я хочу получить острые ощущения, мне надоело жить в расслабленности и умиротворенности», то исполнение такого заказа может быть самым неожиданным для вас. Например, на следующий день у вас может случиться сильнейшее расстройство желудка, и недели на две вы будете обеспечены острыми ощущениями. Тем самым ваш заказ будет исполнен самым простым и малозатратным способом, хотя вы наверняка ожидали чего-то более приятного.

Если вы как-то подкорректируете формулу и скажете: «Я хочу испытать острые эмоциональные ощущения, но не желудочные», то как может исполниться этот запрос? Опять же самым неожиданным для вас способом. У нас в журнале было опубликовано письмо одной девушки, которая по нашей методике вошла в состояние полного расслабления, а потом неосознанно попросила у жизни, чтобы ей дали острые ощущения.

Через пару дней она уехала к своим родственникам в другой город. В это время ее муж случайно находит ее письмо к любимому (не мужу), в котором она изливает свои чувства. Это письмо, естественно, приводит мужа в агрессивное состояние. И когда она через два дня приезжает назад, он начинает выяснять отношения. Невзирая на всю ее тридцатипроцентность, острых ощущений ей хватает на целую неделю. Весь юмор этой ситуации состоит в том, что письмо было написано пять лет назад, а замужем она только три года. В общем, ей хотелось острых ощущений, и эгрегор создал их самым простым способом. Он сделал так, что она сама вынула письмо пятилетней давности из архива и положила его куда-то сверху своих бумаг. Позже она не могла найти никаких объяснений, зачем она это сделала.

Кроме того, если бы она была дома, то все можно было бы уладить за пять минут, объяснив мужу историю появления письма. Но ее несколько дней не было, и он успел накопить негативных переживаний в достаточной мере. В общем, она получила полный комплекс острых ощущений, невзирая на свой почти пустой сосуд. Поэтому с формулировкой заказа в такой ситуации нужно быть осторожнее, формула должна быть максимально корректной. И тогда вы сможете искренне пожелать того, чего вы решили достичь.

На этом пути можно дать и несколько вполне практических рекомендаций. Люди давно осознали, что хорошие эмоции украшают нашу жизнь, и они придумали массу способов **поволноваться, не накапливая при этом негатива**. Что это? Это любые занятия, которые поневоле заставят вас испытывать какие-то ощущения.

Первое место здесь занимают экстремальные виды спорта — горные лыжи, виндсерфинг, прыжки с парашютом и без, гонки, альпинизм и т. д. Все эти виды спорта направлены на возбуждение энергий первой чакры, поскольку они создают мнимую или реальную опасность для жизни. В момент этой опасности адреналин вбрасывается в кровь и человек ощущает себя очень хорошо. Более безопасное развлечение из этой же серии — катание на «американских горках» или аналогичных аттракционах, где можно получить массу сильных, но невредных переживаний.

Чуть меньше эмоций дает созерцание соревнований по зрелищным видам спорта — футбола, хоккея, бокса, борьбы и пр., но это уже чисто мужские развлечения. Можно самому поучаствовать в безопасных и азартных видах спорта — футбол, волейбол, теннис, боулинг и т. д. Хорошую порцию адреналина можно получить на массовых концертах поп-звезд или на дискотеках. Секс — традиционный способ получения сильных (или каких получится) эмоций.

Несколько меньшие переживания можно получить, просматривая кинофильмы (комедии, сентиментальные романы или боевики), читая любовные романы или боевики и сопереживая их героям.

Неплохую порцию переживаний можно получить, участвуя в разного рода лотереях и розыгрышах. Важно только здесь не начать идеализировать свои способности по поводу выигрыша. А для этого нужно играть не столько для выигрыша, сколько для получения острых ощущений в ожидании выигрыша и радоваться, когда вы эти ощущения получили.

В общем, люди много чего уже придумали, чтобы получить острые ощущения. Ссоры и скандалы — из этой же серии, но этим желательно не пользоваться. Или пользоваться, но понемножку, получая максимум удовольствия от каждого такого переживания.

В принципе мудрая Природа предусмотрела механизм выработки адреналина как **дополнительного средства для выживания человека** в той суровой среде, в которой он существовал тысячи лет назад. При опасности организм вырабатывает порцию адреналина, который, как стартовый ускоритель, намного повышает возможности человека — увеличивает реакцию, силу, внимание и прочие качества, повышающие выживаемость.

В нынешнем относительно безопасном мире человеку нет необходимости выживать, его жизни почти ничто не угрожает. Но механизм выработки адреналина остался, каждый человек хоть раз в жизни испытал это сверхвозбужденное состояние, и почти всем оно понравилось. И **люди ищут, как бы снова войти в это высокоэнергетическое и очень приятное состояние.** Фактически, это очень похоже на наркотическую зависимость, только уже не от внешнего наркотика, а от внутреннего. Существует немалая категория людей, так называемых «адреналинщиков», смысл жизни которых сводится к преодолению препятствий и взятию новых барьеров, рубежей в личной жизни, в сексе, в спорте, в бизнесе и т. д. Без этого жизнь кажется им пресной и пустой. Они — наркоманы от собственного организма, желающие вновь и вновь испытывать состояние радостного (и не радостного тоже!) возбуждения. Это, конечно, лучше, чем зависеть от наркотиков или алкоголя, но из этой же серии.

3.20. Как накапливать энергию желаний?

Энергию желаний накапливать на земле невозможно. Сколько вы их испытали, столько их от вас ушло и они к вам никогда не вернутся. Можно смело считать, что они накапливаются где-то там, в Тонком мире. Поэтому, чем эмоциональнее вы будете стремиться к достижению своей цели, тем быстрее вы энергетически оплатите свой заказ и тем быстрее он может реализоваться.

Если же вы не можете испытывать страстное желание достичь чего-то, но умом вы решили, что вам это необходимо, то нужно с помощью разных приемов **увеличить время** вашего малоэмоционального размышления на эту тему. Один из приемов — наполнить себя желанием, мы только что рассматривали. Но есть и другие приемы, направленные на увеличение времени ваших размышлений о том, что вам нужно. В частности, можно **сделать себе самые разные «напоминалки»,** которые поневоле будут возвращать ваши мысли к одной и той же теме. Это могут быть бумажки с записанной на них целью, расположенные в тех местах, где они чаще всего будут попадаться вам на глаза. Это могут быть картинки из журналов или целые коллажи, напоминающие о вашей цели. Это могут быть брелки, игрушки, амулеты, заставка на экране компьютера или надпись на панели автомобиля — лишь бы они возвращали ваши мысли к нужной вам цели. Тем самым вы будете потихоньку энергетически оплачивать свой заказ.

Если заказ очень большой, то нужно, чтобы это была энергия не одного человека, а нескольких, иначе исполнение может растянуться на многие годы. Над большими целями нужно работать командой единомышленников, устремленных к единой цели. Команда в любом случае более эффективна, чем один человек.

Для достижения своей цели нужно привлекать других людей, сознательно мотивировать тех, кто еще способен стремиться к этому. В качестве команды можно рассматривать не только группу сотрудников или группу энтузиастов, но и членов своей семьи, родственников и знакомых. В общем, увеличивайте число людей, искренне заинтересованных в достижении вашей цели, и все получится значительно быстрее.

3.21. Как измерить заполнение «сосуда кармы»?

Когда мы начинали разрабатывать нашу методику, мы большое внимание уделяли работе с маятником. Теперь этого нет, поскольку полученные с помощью маятника результаты часто бывают неоднозначными.

Несколько раз мы проводили следующий эксперимент. Мы просили участников тренинга, то есть группу в 20—25 человек, настроиться на ангела-хранителя (каждый участник настраивался на своего ангела-хранителя) и запросить у него, чтобы он указал заполнение «сосуда кармы» одного из присутствующих там же человека. Все они получали ответы, но очень разные. Разброс полученных значений заполнения сосуда мог колебаться от 30 до 90%, и это притом, что человек был вполне благополучный. И так повторялось каждый раз. Если исходить из того, что ангелы не могут обманывать, значит, нужно искать другое объяснение этому явлению. Возможно, ангелы по-разному оценивают мысли и поступки людей: одни более строги, другие либеральны, отсюда и разные оценки. Возможно, при оценке заполнения они исходят из какого-то своего представления, что такое «сосуд кармы» и как он может заполняться. Может быть, что-то еще. Но точно это неизвестно. Поэтому мы перестали использовать маятник для измерения заполнения сосуда, а стали это делать по тем событиям, которые происходят в жизни человека, по степени его успешности.

Скорее всего, результаты проведенных экспериментов отразили ситуацию, что объективно никакого «сосуда кармы» не существует, и мы об этом много раз говорили. Это не более чем образное отображение накопленных негативных переживаний в форме, удобной для нашего способа восприятия информации. Мы все понимаем, что значит 10 или 80%, и это значительно упрощает процесс объяснение текущего положения. Мы говорим: «В вашем сосуде восемьдесят процентов», и все сразу понимают, что у этого человека большие проблемы и значимые для него цели должны блокироваться. В общем, эти самые проценты помогают разговаривать на одном языке людям, знакомым с технологией Разумной жизни.

Таким образом, можно сказать, что **уровень заполнение сосуда — это свернутое, интегративное описание степени успешности человека.** Критерии, по которым можно оценить уровень заполнения своего сосуда, достаточно четко описаны в книгах [6,7].

Уровень своей успешности достаточно точно может определить и сам человек. На тренингах первого уровня мы всегда просим людей самих оценить заполнение своего сосуда по известным критериям. А затем мы получали оценки уровня заполнения их сосуда с помощью маятника от ангела-хранителя. Так вот, оказалось, что эти оценки совпадают в 90% случаев! Поэтому мы пришли к выводу, что нет смысла даже размахивать маятником, поскольку люди с очень высокой достоверностью сами могут оценить свою успешность. Тем более, как мы выяснили, информация, полученная с помощью маятника, не всегда оказывается корректной.

Конечно, бывают отклонения, когда кто-то к себе слишком критичен и завышает оценку заполнения своего сосуда, другой слишком благостно к себе относится и снижает свою оценку уровня заполнения, но в общем и целом достоверность любой самооценки достаточно высокая.

Так что для оценки уровня заполнения своего сосуда мы рекомендуем просто прикинуть, насколько жизнь радует вас, как быстро исполняются ваши легкие пожелания и как быстро реализуются поставленные цели. И в зависимости от результатов такого самоанализа определить цифру, показывающую уровень заполнения вашего сосуда. Она будет очень близка к истинной.

3.22. Зачем может быть нужной манипуляция людьми? Хорошо ли это?

На самом деле иногда возникает необходимость использовать техники манипулирования, чтобы достичь нужной вам цели. Ведь что такое манипуляция? Это способ сделать так, чтобы другой человек совершил что-то нужное вам, и при этом он считал бы, что сделал это полностью самостоятельно. Когда могут понадобиться подобные приемы манипуляции? Таких ситуаций встречается множество.

Например, женщину на работе домогается ее руководитель. Она не хочет иметь с ним никаких неформальных отношений, но и отказать боится, поскольку опасается потерять работу или получить какие-то еще неприятности. В итоге она ходит и постоянно переживает, заполняя свой «сосуд кармы» и тем самым еще усугубляя ситуацию. Вот здесь как раз, вместо переживаний, ей нужно сделать так, чтобы ее руководитель сам полностью потерял к ней интерес как к женщине, но не имел претензий как к работнику. Есть ли способ это сделать? Если хорошенько подумать, то можно найти множество таких ходов, особенно если знать систему ценностей своего руководителя и сыграть на его идеализациях. Но это уже манипуляция высокого уровня, на самом простом уровне можно вызвать у него отвращение к себе, если от вас будет пахнуть чесноком или луком, хотя бы несколько раз. Или можно имитировать заразное заболевание. Или сделать что-то еще, что навсегда отобьет у него желание приближаться к вам с сексуальными намерениями. Это и будет манипуляция, направленная на достижение нужной вам цели.

Другой случай — когда на пути к одной цели сталкиваются несколько вполне успешных людей с примерно одинаковым заполнением сосуда. Например, когда несколько человек хотят победить на выборах и занять какое-то престижное место. Место одно, а желающих занять его много.

Другой вариант — в бизнесе, когда вы хотите приобрести какое-то имущество, но на него же претендуют и другие люди или организации. Кто выиграет в такой ситуации? Скорее всего, тот, кто больше приложит усилий, кто окажется более эффективным менеджером и сумеет повлиять на продавца, привести какие-то явные или неявные доводы в свою пользу.

Здесь уже техника прощения не работает, потому что прощать нечего. Оба азартные, никто никого не проклинает и не осуждает, все устремлены к своей цели. В данном случае решающую роль играет личная энергетика участников соревнования и умение манипулировать со своим собеседником. Поэтому техники манипуляции нужны для людей вполне успешных, тех, кому нечего и некого прощать. А если ваш сосуд переполнен, то никакие техники манипуляции вам не помогут, все станет только еще хуже.

3.23. На сигналы какого уровня нужно реагировать?

Здесь имеются в виду сигналы, которые постоянно посылает Жизнь, чтобы помочь нам или предостеречь нас от чего-то. Этих сигналов существует множество, поэтому возникает вопрос, на что стоит обращать внимание, а что можно пропустить?

На этот вопрос, к сожалению, однозначного ответа не существует. Для начала неплохо бы **научиться реагировать на сильные сигналы**. К сильным сигналам мы отнесем такие ситуации, когда вы буквально упираетесь в стену.

Например, вы приходите в нужное место, а там закрыто. Вы звоните куда-то двадцать раз, а нужного человека все нет. Вы ждете его часами, а он не появляется. Подобные ситуации мы относим к явным сигналам и предлагаем учитывать их на пути к своим целям. Скорее всего, на этом пути вас ожидают неудачи. Это не значит, что нужно бросать начатое дело после трех сигналов «занято» по телефону, но задуматься о том, правильно ли вы все делаете и такими ли будут результаты, как вы ожидаете, все же стоит.

Иногда Жизнь посылает сигналы не такие явные. Например, вы собрались за покупкой, а множество обстоятельств мешают вам туда попасть. Как это расценивать: как сигнал или просто так складываются обстоятельства? Если вы достаточно решительный и энергичный человек, то вы все равно поедете и купите себе эту вещь. Скорее всего, проблемы возникнут после покупки, и Жизнь заранее предупреждала вас об этом. Но вы опять же можете напрячься и выправить ситуацию — заменить покупку, вызвать ремонтника или сдать ее обратно. Но все это требует дополнительных расходов сил и нервной энергии, и как раз об этом Жизнь заранее предупреждала вас.

Если вы — человек не очень уверенный в себе, вы можете начать искать сигналы во всем происходящем, и это может полностью отравить вам жизнь. Если на все реагировать, то жизнь становится сложной. Вы подходите к троллейбусу, а его дверцы закрылись перед вами. Что это, сигнал, что не нужно ехать на работу? Нет, конечно, но на работе, на всякий случай, нужно вести себя повнимательнее и не допускать явных нарушений.

В общем, здесь нужно найти для себя некую грань, разделяющую сигналы явные, многократно повторяющиеся, от всех остальных. Если сигнал явный, то лучше на него обратить внимание, хотя бы задуматься, о чем Высшие силы пытаются предупредить вас через эту ситуацию.

Например, один из наших слушателей рассказал такой случай. Он в Москве едет в одну контролирующую организацию сдавать документы. На Садовом кольце огромная пробка, и вместо обычного часа дорога занимает около двух часов. Понятно, что эмоции при этом возникают не самые благостные. А когда в результате всех этих усилий ему удалось приехать на место, то оказалось, что сегодня инспектор не принимает (хотя день был приемный). Понятно, что это не прибавило ему радости и спокойствия. Наверное, большинство читателей могут припомнить что-то подобное из своей жизни. Как же нужно было правильно отреагировать на эту ситуацию?

Видимо, нужно было не нервничать, а **попробовать понять, о чем Жизнь предупреждает через эти пробки на дорогах.** Можно было позвонить в эту организацию и выяснить, все ли там в порядке, ждут ли его там (у него был с собой мобильный телефон). И быстро бы выяснилось, что нет никакого смысла пробираться через пробки к своей цели. Но к сожалению, мы редко оцениваем поступающие отовсюду сигналы, а стараемся любой ценой достичь намеченного.

В общем, рекомендуется обращать внимание на сигналы довольно мощные, многократно повторяющиеся, которые не проходят мимо вашего внимания. Менее сильные сигналы нужно учиться понимать, но не нужно превращать свою жизнь в поиск этих сигналов.

3.24. Не идеализировать — значит ли это смириться со всем злом, которое происходит вокруг. Получается, что нужно не противоречить злу насилием, как учил нас Лев Толстой. Так ли это?

Нет, наша теория совершенно не говорит о том, что если ты видишь зло, то ты должен не обращать на него внимания.

В своей жизни мы должны руководствоваться теми нормами поведения, теми принципами и теми идеалами, которые нам близки и соответствуют нашему мировоззрению.

И если мы видим, что кто-то нарушает принятые в нашем обществе правила поведения, например унижает другого человека, пытается украсть или кого-то обманывает, и в результате страдает другой человек или происходит еще какое-то событие, которое мы воспринимаем как зло, то **мы имеем полное право вмешаться и отстоять свою** точку зрения тем или иным способом. Вплоть до привлечения милиции или применения физической силы (если у вас есть такие возможности).

Единственное, о чем говорит наша теория, так это о том, что в ситуации, когда вы пытаетесь навести порядок (соответствующий вашему мировоззрению), то не впадайте в безумство ярости, гнева, очень сильного осуждения и другие эмоции. Поймите, что этот человек — он плод своего воспитания, он результат той среды, из которой он вышел, у него своя система убеждений, своя система ценностей, и в соответствии с ней он совершает тот или иной **поступок**.

С вашей точки зрения, он, может быть, совершает неправильный **поступок**, и вы имеете полное право пресечь его поведение, особенно если он доставляет неприятности вам или окружающим людям. Но попробуйте **сделать это со спокойствием в душе**, понимая, что вы вынуждены это сделать, поскольку если это не сделаете вы, то не сделает никто. Примерно как в ситуации, когда ползет таракан и вы его пришлепываете или посыпаете порошочком. Ведь вы делаете это без гнева и без ярости, это просто вынужденная мера, чтобы обеспечить себе нормальную жизнь, без тараканов.

Точно так же нужно относиться к тем людям, которые нарушают нормы нормального человеческого общежития. Пресекать их нарушения, но не испытывать к ним негативных чувств.

То есть вы принимаете реальные меры по пресечению их деятельности, но внутри вы испытываете к ним не очень сильное негативное чувство. Конечно, делать это совершенно спокойно практически невозможно. Но мы рекомендуем хотя бы через некоторое время после инцидента прийти в себя и **попросить прощения** у того человека, которого вы только что сдали в милицию или надрали ему уши. Мысленно, конечно.

Тогда тот гнев, который вы испытали по отношению к нему некоторое время назад, не отложится в вашем эмоциональном теле и вы останетесь вполне благополучным человеком, ваш «сосуд кармы» не пополнится. То есть бороться со злом нужно, но нужно делать с минимальным количеством негативных эмоций.

Конечно, это очень сложное рассуждение, но приведу пример, как все это может реализоваться. У меня есть знакомая семья, в которой школьник, ученик восьмого класса, прочитал книги и стал постоянно диагностировать свою маму. Например, мама спрашивает, почему у него в комнате беспорядок, а ребенок отвечает, что, мол, это, мама, у тебя идеализация чистоты. Или он задерживается после назначенного времени, приходит поздно вечером, и мама спрашивает, почему он опять задержался. А ребенок отвечает, что, мол, мама, это у тебя идеализация контроля окружающего мира. Что делать маме в этой ситуации? Она ведь должна выполнить функции родителя и заниматься воспитанием. То есть если ребенок совершает объективно неправильный поступок, разводит беспорядок в комнате или слишком поздно гуляет на улице, то она должна пресечь эти нарушения. С одной стороны, она должна воспитывать его, а с другой стороны, она не хочет накапливать лишних переживаний. Тогда она нашла выход и стала говорить своему ребенку примерно следующее: «Да, дорогой, я понимаю, что осуждать нехорошо, поэтому я с любовью и благодарностью в следующий раз возьму ремень и отлуплю тебя, чтобы выполнить свои родительские функции. То есть я отлуплю тебя, но с любовью и благодарностью».

Примерно так и вы можете бороться со злом. Вы пресекаете зло, но с любовью и благодарностью к этому человеку, понимая, что если вы это не исправите, то никто этого не сделает. Никакого избыточного миролюбия, непротивления злу мы не предлагаем. Человек достоин жить спокойно и безопасно, но он должен приложить какие-то усилия, чтобы окружающий его мир стал таким.

Нужно сказать, что этот вопрос имеет еще один аспект. Вы должны задуматься над тем, почему именно возле вас (или с вами) творится зло, чем, какими своими мыслями или поступками вы привлекли это в свою жизнь. Поскольку, если у вас в голове все в порядке, то и окружающие вас люди не будут совершать зло. Поработайте со своими мыслями, и вам не нужно будет прилагать усилия для принудительного исправления чего-либо в окружающем мире.

3.25. Можно ли чистить «сосуд кармы» других людей с их согласия или без их согласия?

Наша **технология Разумной жизни не предполагает стороннего вмешательства в жизнь других людей ни с их согласия, ни без их согласия.** Каждый человек сам накапливает свои убеждения — ошибочные либо правильные. Он сам накапливает переживания, он же должен от них избавиться.

Различные техники воздействия на других людей существуют. Это религиозные ритуалы, магические и биоэнергетические манипуляции и многое другое. Подобные процедуры можно получить у магов, целителей, ясновидящих. Они воздействуют на человека путем чтения молитв, проводя отливание на воск или другими способами. В результате они действительно могут уменьшить скопление негатива в поле человека. И к человеку на время может прийти облегчение.

Но **в длительной перспективе это бесполезно,** поскольку если вы просто почистили «сосуд кармы» и немножко улучшили ситуацию человека, то через месяц, два или три он вернется в эту же ситуацию. Если он не перекрыл поступления новых переживаний в свой сосуд, то ситуация вернется на прежний уровень и, может быть, будет даже еще более худшей, поскольку он ждет от Жизни только хорошего, а Жизнь опять начнет заниматься его кармическим «воспитанием».

Поэтому мы говорим, что **нужно начинать с выявления своей системы ценностей и отказа от идеализа-**

ций. Тем самым мы перекрываем поступление новых переживаний в «сосуд кармы». И те люди, которым вы хотите помочь, они **должны проделать эту процедуру сами.** Вы можете им рассказать всю теорию, вы можете помочь им выявить их идеализации, вы можете подсказать им пути, как можно избавиться от них, как перестать переживать.

Но отказ от переживаний, в случае если их ценности нарушаются, должен быть строго добровольным. Они сами должны признать свои ошибки, избыточность своей привязанности к чему-то земному. Если они этого не сделают, то тогда клапаны не перекроются и через некоторое время их «сосуд кармы» наполнится. Ваше вмешательство будет неэффективным и может даже принести вред.

Кроме того, непонятно, какими техниками вы будете влезать в чужое поле негатива и куда будут деваться те негативные энергии, которые вы будете оттуда скачивать.

Не исключено, что по неопытности вы сможете скачать их куда-то на себя, и у вас возникнут неприятности, заболевания или еще что-нибудь малоприятное.

Поэтому мы категорически не рекомендуем вмешиваться в чужую жизнь оперативным путем, то есть чистить чужой «сосуд кармы».

Вмешиваться в чужую жизнь путем подсказок, путем попыток достучаться до сознания человека, путем объяснения ему закономерностей, управляющих нашей жизнью, — это хороший путь, и на этом пути вы заслуживаете только поощрения.

Но если у вас что-то не будет получаться, если люди будут упираться, отстаивать свои идеалы, спорить с вами, то позвольте им сделать этот выбор. Позвольте им жить в том мире, который они создали своими мыслями и из которого они не желают выбираться. Может быть, это не очень хороший мир. Может быть, там есть болезни, неприятности, несчастные случаи, но **это их добровольный выбор.** Их душа еще не дозрела до того, чтобы усвоить ту информацию, которую вы хотите им дать, а **навязать подобную информацию человеку практически невозможно.** И хотя вы будете видеть, что их взгляды ошибочны, но они вас не услышат. И на этом пути **вы сами можете накопить множество переживаний,** осуждая людскую глупость или осуждая себя за то, что вы не можете донести до людей совсем простые истины. То есть, пытаясь сделать добро, вы тем самым накопите негатив у самого себя.

Поэтому чистить чужой «сосуд кармы» мы не рекомендуем.

3.26. Вы говорите, что человек может сам управлять своей жизнью. А как же с предопределенностью? Ведь Ванга, известная на весь мир ясновидящая, не смогла предотвратить смерть своего мужа, хотя и видела, что она приближается? Значит, все предопределено? Тогда в вашей методике заложено явное противоречие.

На самом деле никакого противоречия здесь нет. Человек свободен делать любой выбор. Но после того, как он сделал этот выбор, **неизбежно начинается его реализация,** которая может привести к самым тяжелым последствиям, вплоть до смерти. Это уже выглядит как некая не зависящая от нас предопределенность. Но и на этом пути **человек может сделать другой выбор** и получить сосем другую жизнь. Только сначала **он должен осознать, как и каким образом он создал то, что имеет сегодня.**

Поясним это сложное рассуждение примером. Допустим, в какой-то семье дедушка и отец умерли в 45 лет от рака. У всех родственников тут же формируется убеждение «Все мужчины в нашем роду умирают в 45 лет». Это убеждение они тем или иным образом много раз доводят до сведения подрастающего ребенка — мальчика. Поскольку мнение взрослых для него авторитетно, то и **он** проникается **убеждением,** что, видимо, придется умереть в 45 лет, хотя и не хочется. Ментальная порча проникла его сознание, и он сделал выбор: «Я умру в 45 лет». А дальше, по четвертому принципу кармического «воспитания», запускается реализация этой программы. Став взрослым, мужчина может предпринимать все усилия, чтобы остаться в живых. Он может заниматься спортом, быть вегетарианцем, заниматься очисткой организма и т. д. Но страх и ожидание смерти, заложенные в его подсознании, окажутся сильнее.

Если в 44 года ему встретится сильная ясновидящая (уровня Ванги), она может увидеть эту программу самоуничтожения. Она может попытаться как-то ее отменить, но, скорее всего, у нее ничего не получится, поскольку вмешаться со стороны в программу, сформированную за 35—40 лет, очень сложно. В результате у всех возникает **ощущение полной предопределенности** того, что смерть этого человека должна наступить в 45 лет, и ничего с этим сделать нельзя.

На самом деле все это исправить можно. Но для этого сам человек должен осознать, что когда-то ему была внушена эта программа и сейчас просто **реализуется его же внутренний заказ**. Он должен простить всех, кто поневоле (по глупости, по незнанию и т. п.) внушил ему эту программу. А затем **составить себе новое, положительное утверждение** типа: «Начиная с меня, все мужчины в нашем роду живут до 90 лет!» И начать интенсивно повторять его с утра до вечера. Тем самым произойдет внутреннее перепрограммирование, и организм начнет отрабатывать новую программу долгой жизни. Именно на этом принципе построены многие элементы в системе самоисцеления доктора Норбекова.

Вот еще один пример. Человек имеет массу идеализаций, и его «сосуд кармы» заполнился до 90%. Жизнь посылает ему самые сильные сигналы, а он не хочет ничего понимать, упираясь в борьбе за свои идеалы. Это его добровольный выбор, который никто, кроме него, не может отменить. Но этот выбор однозначно ведет к заболеваниям и досрочной смерти, то есть возникает элемент предопределенности (как следствие его собственного добровольного выбора).

Далее, в связи с переполнением сосуда, у человека возникает онкологическое заболевание, которое может привести его к смерти. Хороший ясновидящий может увидеть эту ситуацию, но как ее отменить, если она является следствием добровольного выбора человека? Сильные целители могут на время слить часть грехов из «сосуда кармы», и ситуация на время улучшится. Но если человек по-прежнему будет пребывать в обиде, тоске или раздражении, то его сосуд скоро вновь заполнится и заболевание вернется. Это предопределено.

Но в любой момент человек может понять, что его претензии к жизни — это следствие его иллюзий и что мир не обязан быть таким, как он хочет. Если он это сделает (добровольно или с чьей-то помощью), то ситуация резко изменится. Человек перестанет переживать, его сосуд не будет пополняться новыми грехами, и Жизни незачем будет досрочно прекращать его командировку в нашу жизнь. Он выздоровеет, нам известно множество подобных случаев.

То есть добровольный выбор и предопределенность тесно связаны между собой. **Сначала человек делает выбор, а затем неизбежно наступает результат**, выглядящий внешне как предопределенность. Затем человек делает другой выбор, и возникают новые последствия, и так всю жизнь.

Поэтому мы и **призываем людей жить осознанно**, понимая, к чему приведут те или иные их убеждения.

Например, в юном возрасте **лучше самому узнать про свои идеализации** и заранее поработать с ними, чтобы потом вы не влюбились в человека, который уже в семейной жизни будет разрушать ваши ценности. Конечно, вы можете сказать что-то типа: «А, обойдется, любовь все победит!» — и не работать со своими ценностями. Тем самым **вы сделаете выбор** и тем самым предопределите себе будущую семейную жизнь, в которой будут неминуемые разборки, связанные с отстаиванием своих идеалов.

Если же вы еще в юности осознаете свои идеалы и **искренне признаете**, что если кто-то не будет их разделять, то в этом нет ничего страшного, то Жизни не нужно будет сводить вас через любовь с вашим кармическим «воспитателем». Она даст вам того, с кем вам будет действительно хорошо. Вы сделали другой выбор и создали (предопределили) себе другое будущее.

То же самое относится и к будущим детям, начальникам, подчиненным, соседям, родственникам и пр. Делая тот или иной выбор (цепляясь за свои идеалы или отпуская их), мы делаем выбор. А затем с неизбежностью пожинаем его плоды. Так что будьте разумны, и Жизнь будет только радовать вас.

На этом мы заканчиваем рассматривать общие вопросы, уточняющие некоторые общие понятия нашей методики. Но в этой главе мы совершенно не касались вопросов, связанных с тем, кто же именно организует нам «воспитательные» процессы, помогает нам в достижении целей или, наоборот, блокирует все наши усилия. В общем, что там, на Небесах? Вопросам на эту тему посвящена следующая глава.

Глава 4
ЧТО ТАМ С ВЫСШИМИ СИЛАМИ?

В этой главе мы рассмотрим вопросы о том, как могут взаимодействовать люди и «курирующие» их силы Непроявленного мира. В предыдущих книгах мы уже изложили нашу версию того, что в целом происходит на Небесах.

Поскольку подобных теорий существует множество, мы не стали предлагать еще одну, а использовали хорошо известную христианскую модель. Она предполагает, что наш мир создан Творцом, который заселил его бессмертными душами людей. Чтобы управлять нашим миром, он создал себе помощников — бесплотных духов, которые взаимодействуют непосредственно с людьми. Эти духи делятся на ангелов и демонов, каждые из которых преследуют свои интересы при контактах с людьми.

Вроде бы все это довольно просто, но именно эта тема вызывает у людей особый интерес. У читателей моих книг возникает много вопросов. Ответам на них и посвящена эта глава.

4.1. Какова цель существования человека? Зачем Бог создал его?

Нужно сказать, что эта тема интересует многих людей, в том числе тех, кто пользуется нашей технологией Разумной жизни. Решив с помощью нашей методики свои текущие проблемы и перейдя в состояние умиротворения, человек начинает думать на тему: «А что же дальше? Неужели я создан только для того, чтобы получать удовольствия? Наверное, есть более высокие и благородные цели, и нужно их найти». И он начинает искать их, обращаясь к религии или другим духовным или эзотерическим школам. Он поступает так, поскольку мы не объяснили **свое видение предназначения человека**. За исключением разве что его предназначения как источника чистых энергий, но такая цель мало кого устраивает, она слишком заземленна. Людям хочется чего-то большего, и их привлекают к себе другие школы, пообещав постижение смысла жизни, развитие личной силы или, на крайний случай, благополучную жизнь на Небесах. Сейчас мы постараемся высказать свое мнение на этот счет. Нужно сказать, что наша точка зрения на конечную цель существования человека ничем не расходится с хорошо известными целями, заявленными почти во всех религиях. Мы расходимся только в видении путей достижения этой цели.

Как известно, **конечная цель существования — это соединение человека с Богом**. А оно возможно только при достижении человеком такого уровня развития, при котором он становится подобен Творцу. Человек соединяется с Богом, когда **его истинные желания совпадают с замыслами Творца**. В доказательство этих утверждений мы не будем ссылаться на религиозные источники — все они написаны так многозначно, что при желании там можно найти подтверждение или опровержение чего угодно. Отсюда такое огромное количество религий, основанных, казалось бы, на одних и тех же источниках (Веды, Библия, Талмуд и пр.). Поэтому мы просто вкратце перескажем, что можно было вынести из них, если относиться к ним не как к Истине в толковании кого-то, а как к обычным источникам информации о событиях, имевших место когда-то очень давно. На наш взгляд, происходило все примерно так.

Некоторое, никому точно не известное время назад, существовал Бог, который был Всё. В какой-то момент времени он решил создать наш мир. Поскольку он был всем, то все, что было им создано, является его частицей. Элементами созданного им мира явились и мы, люди. Но он не стал создавать людей сразу всемогущими и совершенными, а решил позволить им достичь этого состояния путем эволюции, развития. Поэтому, когда наш мир достаточно развился, он выбрал на Земле относительно развитых животных (обезьян или каких-то чуть более развитых животных) и **наделил их частицей своей божественной сущности** — душой. Кроме того, похоже, он освободил их от шерсти и дал зачатки разума, то есть способности к абстрактному мышлению.

Но он дал только зародыш, поэтому **каждая душа в ходе эволюции должна осознать свою божественную сущность** и стать подобной Творцу на конечной стадии своего развития. Причем Творец незримо присутствует во всех наших делах — он вездесущ. Это трудно себе представить, но так это и есть. Это вовсе не значит, что он подглядывает за каждым человеком и учитывает все его плохие мысли и поступки — все это происходит автоматически в созданной им достаточно совершенной структуре Вселенной. Кроме того, для реализации определенных программ у него есть множество помощников — бесплотных духов (ангелов).

Творец постоянно отслеживает ход человеческой эволюции, и, если на пути развития люди забредают куда-то не туда, он производит чистку (вариант чистки — Всемирный потоп) и запускает процесс эволюции заново. По информации некоторых эзотериков, мы являемся представителями уже пятой расы, третья раса была в Атлантиде.

На наш взгляд, в ходе эволюции человек должен стать существом осознанным, чего вовсе не наблюдается сегодня. Каждый человек, пройдя множество жизней и получив различный опыт, должен освободиться от самых разных зависимостей и стать свободным существом. На пути эволюции каждый человек должен избавиться от разных зависимостей, и в частности:

— зависимости от желудка, который заставляет некоторых беспрестанно объедаться;

— зависимости от половых органов, которые руководят мыслями и поступками некоторых (особо сексуально озабоченных) людей;

— зависимости от нервной системы, которая у некоторых людей требует постоянного возбуждения (адреналина) любыми способами (кофе, секс, конфликты, опасность и т. д.);

— зависимости от врожденных инстинктов, которые заставляют придавать избыточное значение национальности, родственным связям, толкают на путь мстительности, алчности, борьбы за власть и т. д.;

— зависимости от характера — чтобы избыточные проявленные качества личности (эмоциональность, жестокость, сентиментальность, жадность и пр.) не определяли образ жизни и поведение человека;

— зависимости от своих идеализаций и негативных программ, повергающих его в мир переживаний.

В общем, человек должен осознать себя частицей Божественного разума и не идентифицировать себя полностью со своим телом и его потребностями.

Нужно отметить, что некоторые отдельные души в процессе эволюции уже познали Бога и приблизились к нему. Их совсем немного — это святые, пророки, вознесенные Учителя и т. д.

Все сказанное выше вовсе не означает, что мы разделяем взгляды некоторых восточных аскетических учений, полностью отрицающих земные радости и считающих, что сексом можно заниматься только для продолжения рода, есть по минимуму и т. д. Творец дал нам самые разные органы чувств, чтобы мы получали удовольствия от того мира, в котором есть вкусная еда и напитки, любовь духовная и вполне плотская, путешествия, различные виды спорта и многое другое, чего можно ощутить только в нашем материальном мире. Мы только считаем, что на пути духовной эволюции человек должен научиться получать все эти удовольствия сам, а не жить так, чтобы тяга к очередному удовольствию определяла его жизнь. Например, некоторые люди всю жизнь проводят в поиске очередной порции секса, подобно мартовским котам. Это уже крайность. Мы против крайностей, а в разумных пределах все земные удовольствия только украшают нашу жизнь и дают нам дополнительные основания для радости.

Большинство же людей блуждают на пути духовного развития, погрязают в земных страстях и привязанностях, в результате чего рождаются в неблагоприятных условиях и их жизнь представляется сплошным мучением. Поэтому Творец через своих посланников периодически выдает «инструкции» о том, как нужно правильно жить и поступать в тех или иных случаях, как молиться Богу и так далее. Обычно на основе таких своеобразных «инструкций» возникают религии — христианство, мусульманство и другие. Все они изначально направлены на развитие души человека в том прекрасном мире, который создал Творец. Но эти инструкции обычно искажаются людьми, которые начинают трактовать их в своих интересах либо в соответствии со своими убеждениями. В результате возникают религиозные распри и войны, преследования инакомыслящих и все другие явления, которые искажают изначальный замысел Творца. Творец создавал прекрасный мир, а люди все время умудряются заниматься в нем насилием, войнами, борьбой за власть или материальные блага, борьбой за национальные или религиозные убеждения и т. д. Понятно, что тем самым они нарушают замысел Творца. Но Он дает им время опомниться и вернуться на путь эволюции.

Тем не менее процесс духовного развития людей постепенно происходит, об этом говорит все увеличивающийся интерес к религиозной, духовной и мистической литературе во всем мире. В мире существует несколько тысяч религиозных организаций, последователи которых искренне убеждены, что только их путь служения Богу истинный, а все остальные ложны. Никаких объективных доказательств этих утверждений не существует, поскольку то, что мы относим к чудесам, могут привести последователи практически любой религии.

Большая часть людей довольствуется предложенными когда-то способами духовного служения — молитвами, исполнением определенных религиозных ритуалов и т. д. Но некоторых людей не устраивает необходимость исполнять непонятные обряды и читать малопонятные тексты, предложенные несколько тысяч лет назад совсем другим людям, в других странах, имеющих другие условия существования и другой уровень развития. У них возникает вполне законный вопрос: неужели служение Богу состоит в исполнении именно этих ритуалов и нет ничего другого, более соответствующего нынешнему состоянию развития человечества? Неужели ничего не изменилось за тысячи лет?

На наш взгляд, конечно, изменилось. То есть основная задача — духовное развитие и соединение с Богом, — конечно, осталась. Но ритуальная часть этого процесса, созданная тысячи лет назад совсем в других условиях, вряд ли годится в нынешнем индустриально развитом обществе. Поэтому современные люди, имеющие возможность пользоваться всеми достижениями цивилизации, ищут какие-то иные пути духовного развития, более соответствующие их уровню развития. Им не нужны жесткие предписания, как и когда что делать, — они вполне осознанны, руководствуются нормами морали, гуманизма, взаимопомощи, гражданским и уголовным кодексами, наконец. Им не нужны чужие инструкции, эти правила являются естественными законами их жизни!

То есть они сами по себе живут так, как должны жить люди, стоящие на пути к Богу. И поэтому **их жизнь, в которой они радуются прекрасному миру, созданному Творцом, и является процессом служения Богу!** Поскольку других людей с иными системами ценностей Творцу приходится заставлять жить именно так с помощью специальных инструкций (религиозных источников).

То есть **сама по себе жизнь современного человека, живущего радостно, спокойно, благожелательно, без избыточных претензий к миру, и является путем духовного развития его души.** Путем не интенсивным, но правильным.

Существует множество техник более интенсивного духовного саморазвития, но все они связаны с отказом от обычной земной жизни, и далеко не всех людей это устраивает. Но получается, что и сама наша **повседнев-**

ная жизнь может стать служением Богу и способом духовного развития, если жить осознанно, понимая волю Творца и прислушиваясь к его подсказкам.

А как это делать, хорошо известно из наших книг и книг других авторов. И при этом нет необходимости соблюдать какие-то религиозные ритуалы — это возможно, но ничего не добавляет к вашему духовному потенциалу. Бог присутствует в душе каждого из нас, и ему безразлично, исполняем ли мы с недоумением и натугой какой-то обряд или нет. Если мы что-то делаем «на всякий случай», то это никак не засчитывается нам на пути духовного развития.

4.2. Ваша методика называется Разумный путь. Куда вы ведете людей?

Мы исходим из того, что повседневная жизнь человека может быть способом его духовного развития и способом исполнения его предназначения. Естественно, речь идет не о конфликтной и проблемной жизни, когда человек погряз в своих переживаниях и излучает в окружающую среду массу негативных эмоций. Подобная жизнь никак не относится к способу духовного развития. Скорее наоборот, Высшим силам приходится прилагать массу усилий, чтобы разрушить какие-то избыточно значимые идеи человека и привести его в состояние душевного равновесия.

Значит, человек должен осознать свое божественное происхождение и то, что Бог присутствует в жизни каждого из нас в любой момент времени. И он (через своих помощников) всегда готов прийти нам на помощь, хотим мы этого или нет. **Нужно просто осознать его вездесущее присутствие и научиться понимать его сигналы.** Именно этому учит наша технология Разумной жизни. Она предназначена преимущественно для тех людей, кто обладает развитой душой, интеллектом и кому недостаточно исполнения непонятных религиозных ритуалов.

Мы говорим, что **служить Богу можно своей повседневной жизнью.** Естественно, не мы это придумали, до нас это высказали множество просветленных Учителей. Мы даем всего лишь технологию того, как это можно сделать в своей повседневной жизни. Как можно ощутить волю Творца — через кармические «воспитательные» процессы и другие сигналы. Как можно научиться понимать его подсказки — через жизненную позицию «Жизнь есть урок». Как пользоваться его поддержкой при правильном поведении — с помощью правил Методики формирования событий.

То есть мы даем инструмент для тех людей, кто хотел бы духовно развиваться и своей жизнью исполнять божественное предназначение. Собственно, в этом состоит задача Разумного пути. Это совсем не религиозная организация, у нас нет ни одного признака религии — нет богов, нет ритуалов, нет иерархии служителей, мы не берем на себя роль посредников между людьми и Богом. Мы считаем, что все это нужно лишь тем, кто еще прошел недостаточный путь духовного развития и нуждается в четких инструкциях. Но нужно отметить, что как раз такие люди на сегодня составляют подавляющее большинство человечества.

Наша организация, скорее, исследовательская. Только наши исследования лежат не в материалистической сфере, а в сфере исследования божественной воли и способов ее проведения на Землю для определенных категорий людей. Результатом наших исследований является разработка таких рекомендаций, чтобы как можно больше людей научилось радоваться жизни и тем самым они стали бы исполнять свое предназначение. Надеемся, вас устраивает такая миссия Разумного пути.

Естественно, наши идеи, скорее всего, не понравятся людям, являющимся ярыми (догматическими) приверженцами любой религии. С любовью и благодарностью мы заранее прощаем им те слова и мысли, которые они испытают при прочтении приведенных выше фраз. Нужно сказать, мы и до этого иногда получали письма от религиозных фанатиков с угрозами или иными неблагостными выражениями (почему-то почти всегда без подписи и обратного адреса). И нас всегда изумляла неразумность поведения этих людей. Не нравится — не читай, зачем же так мучиться и испытывать такие далеко не радостные эмоции. И что интересно, обычно авторы этих подметных писем утверждают, что только их путь служения Богу является истинным. Но после прочтения этих злобных писем явно хочется держаться от них подальше.

Кроме того, наши идеи могут не понравиться людям, профессионально занимающимся посредничеством между людьми и Богом, то есть служителям любых религий. Мы, как и они, говорим, что Бог присутствует в жизни каждого человека. Но дальше мы расходимся. Мы не берем на себя роль очередных толкователей и посредников, а **предлагаем каждому человеку в повседневной жизни войти в непосредственное общение с Богом** и даем соответствующие техники. Если человек научился это делать, то для него отпадает необходимость в священнослужителях (повторяем, что все это относится к только определенной, малой части людей). То есть в какой-то мере подрываем благополучие профессиональных толкователей воли Божьей, что их явно не обрадует. С любовью и благодарностью мы заранее прощаем им то, что они, возможно, выскажут в наш адрес.

Нужно отметить, что в религиозной сфере ведется жесточайшая борьба за человеческие души между различными религиозными конфессиями, течениями и группами. Причем там используются такие способы борьбы с идеологическими конкурентами, за которые, если бы их применить в бизнесе, давно последовали бы судебные разбирательства и немалые наказания. Например, если бы в бизнесе любая фирма публично выдвинула тезис, что ее продукция совершенна, а аналогичная продукция всех остальных конкурентов — полное дерьмо, то ее ждали бы многочисленные судебные иски и разорение, поскольку она не смогла бы доказать истинность своих утверждений. В религиозной сфере подобный прием применяется постоянно: «Только наша религия от Бога, а все остальные от Сатаны (дьявола, шайтана и пр.)». Кому не приходилось слышать таких утверждений? А ведь, если бы другая сторона подала судебный иск, авторы такого утверждения ничем не смогли бы подтвердить истинность своих заявлений.

Но это еще цветочки, и церковная анафема в христианстве — далеко не самое сильное средство борьбы с иноверцами. Если взглянуть на действия религиозных экстремистов в странах Среднего и Ближнего Востока, то там физическое уничтожение религиозных оппонентов стало чуть ли не повседневным делом. Неужели это и есть путь истинного служения Богу? Неужели ему нужна эта религиозная ненависть, фанатизм, догматизм?

Конечно нет, **большая часть человечества опять заблудилась на пути духовного развития.** А если учесть, что прирост населения идет преимущественно за счет малоразвитых стран, часто с экстремистскими религиозными системами, то можно предположить, что со временем количество ненависти и вражды на Земле будет возрастать. И когда количество излучаемого людьми негатива превысит какой-то предел, Творцу в очередной раз придется произвести Всемирный потоп, чтобы очистить души людей от накопленного зла и запустить их на новый виток эволюции. К счастью, по воле Творца это не может произойти очень скоро (если только люди раньше не уничтожат сами себя. Но это будет их выбор, в который Творец вряд ли будет вмешиваться).

Но может быть, люди будут потихоньку становиться более разумными, их инстинкты и странные религиозные идеи постепенно перестанут довлеть над ними. И тогда Творцу не нужно будет проводить очередной тотальной чистки.

Именно в этом направлении работаем и мы. Мы разрабатываем технологии, позволяющие людям выйти из мира негативных переживаний и начать радоваться жизни. А спокойная и благополучная жизнь, в ходе которой вы находитесь в прямом контакте с Богом, слушаете и понимаете его сигналы и получаете от него поддержку, — это и есть путь приближения к Богу. И мы помогаем вам на этом пути не заблудиться.

4.3. В книге о формировании событий своей жизни вы часто обращались к эгрегорам как к маленьким богам, ведущим человека по правильному пути. Вопрос: Бог един или их несколько?

В своих рассуждениях мы исходим из того, что окружающий нас Тонкий мир кем-то населен, самыми разными бесплотными существами. Сегодня существует множество моделей, описывающих устройство Тонкого мира: есть модель мусульманская с Аллахом во главе, есть христианская с Божественной Троицей, есть буддийская с Буддой, есть последователи Кришны, есть теософская с Вознесенными Владыками и т. д. То есть религиозных, эзотерических и духовных течений существует множество, и каждое из них предлагает свою версию устройства Тонкого мира. Что интересно, **все эти модели работают одинаково эффективно.** К кому ни обратишься, тот тебе и поможет. Какой вывод можно сделать из этого? Скорее всего, тот, что обитателям Тонкого мира **все равно, как именно люди к ним обращаются, какие имена им приписывают.** Лишь бы люди к ним обращались и выполняли предназначенные им задачи. Ведь известно, что в Тонком мире не существует четко проявленных форм, как у нас, в материальном мире. Там нет четких форм и, видимо, нет однозначных названий (как у нас — каждому человеку соответствует строго определенное имя и фамилия).

Тем не менее нам нужно взаимодействовать с ними и как-то обращаться к ним, этого требует наш, человеческий стиль мышления, наша логика. Поэтому все же нужно иметь какую-то модель, описывающую устройство Тонкого мира, иначе трудно будет давать какие-то рекомендации по взаимодействию с ними. Но нужно понимать, что такая модель **нужна именно людям,** а не обитателям Тонкого мира.

У нас нет собственной модели, и мы не стали создавать ее, поскольку их построено и без того множество и не хочется еще больше запутывать людей новыми фантазиями. Зачем придумывать еще одну, когда уже существует множество готовых? Мы использовали известную христианскую модель, которая предполагает, что есть единый Бог — Творец, который создал наш мир. Он же создал людей, населивших Землю и имеющих бессмертную душу. Кроме того, есть помощники Бога-Творца, которые проводят его волю на наш земной план, в наш материальный мир. Это бесплотные существа, так называемые духи, которые делятся на ангелов и демонов. В чем состоят их отличия, мы подробно рассматривали в книгах [5, 6, 8]. Кроме того, в своих рассуждениях мы активно используем нехристианское понятие «эгрегор».

Как нам представляется, эгрегор — это совокупность духов (клан, коллектив, отдел), которые «курируют» какой-то конкретный вид деятельности людей. Существуют профессиональные (полиграфистов, милиционеров, ученых и пр.), религиозные, политические (коммунистов, экстремистов, демократов и пр.), развлекательные (спорта, музыки, отдыха и пр.), бытовые (семьи, любви, увлечений) и другие эгрегоры. Их множество — столько, сколько существует областей приложения эмоциональных и умственных устремлений людей. Эгрегоры не боги — это «сотрудники» Творца, исполняющие его волю.

Но с точки зрения возможностей, которыми обладают духи, они вполне могут быть приравнены к богам. Они существуют вечно, они без ограничений могут перемещаться в пространстве и времени, они обладают достаточно большим запасом информации о событиях прошлых, настоящих и будущих (конечно, не все, это зависит от положения духа в иерархии), они могут оказывать большое влияние на людей при принятии ими каких-то решений. То есть, с точки зрения обычного человека, имеющего рядовые способности, такие существа приравниваются к богам. Многобожеские (языческие, древнегреческие, индуистские и пр.) религии были построены на поклонении этим самым духам, заведующим силами природы, плодородием, торговлей, творчеством, любовью и т. д.

Мы называем совокупность таких духов эгрегорами. С точки зрения своих возможностей они равносильны богам, но это не боги. Бог в нашем понимании — это единый Творец, Всевышний, тот, кто создал весь наш мир. А эти обитатели Тонкого мира являются его инструментом, помощниками, проводниками его идей. Они наблюдают за тем, что происходит в нашем мире, они же помогают или вредят людям. Поэтому мы считаем, что Бог един, а его помощников, обладающих достаточно большими возможностями, существует множество, значительно больше, чем людей. Именно с ними мы и предлагаем осознанно взаимодействовать при формировании нужных нам событий.

4.4. Объясните, пожалуйста, ваше понимание Высшей силы.

В продолжение предыдущего добавим, что под Высшими силами мы понимаем как раз тех **обитателей Непроявленного мира, которые взаимодействуют непосредственно с людьми.**

Творец — он велик, могуч, он создал все. Его возможности беспредельны и трудно осознаваемы. Поэтому предполагать, что он находит время и возможность отвечать каждому человеку в любой момент его обращения со своими бытовыми просьбами, достаточно сложно. В человеческую логику это плохо укладывается. На наш взгляд, для этих повседневных целей Творец создал **посредников между собой и людьми.** То есть можно предположить, что Бог инстинктивно присутствует во всех делах и помыслах людей и держит всю ситуацию под неусыпным контролем. Но предполагать, что он вмешивается непосредственно во все наши дрязги и исполняет все наши мимолетные желания, это будет явным преувеличением своей значимости, то есть гордыней. Для этого у него существует огромный штат помощников.

Вот эти самые бесплотные обитатели Тонкого мира, называемые духами (ангелами, демонами), и есть те самые силы, которые приходят на помощь людям, наблюдают за ними, помогают или организуют «воспитательные» процессы. Именно их мы именуем как Высшие силы, и именно с ними мы предлагаем плодотворно сотрудничать. Это посредники между человеком и Богом, проводники его идей на Земле. Вот то, что мы называем Высшей силой.

4.5. Ваши рекомендации, согласуются ли они с вечными знаниями, заключенными в Библии?

Сразу нужно сказать, что наша технология Разумной жизни не религиозна и не опирается на какой-то религиозный источник (Библию, Коран, Веды и пр.). Это сознательная позиция. Мы не строим нашу теорию, опираясь на какой-то источник информации, требующий бездоказательной веры. Наш путь — это путь анализа, поиска, проверки и осознанного использования. И хотя наша технология также и не материалистична, поскольку мы предлагаем напрямую взаимодействовать с Высшими силами, минуя посредников в лице разного рода священнослужителей, она не опирается ни на одну из религий. И не противоречит ни одной из религий. Это вполне понятно, поскольку, нужно полагать, Истина одна, просто люди говорят о ней разными словами.

Что касается христианского первоисточника, Библии (точнее, Нового Завета и вытекающих из него материалов), то наша технология не противоречит ей. Можно даже сказать, что вся наша методика является развернутой инструкцией к исполнению двух христианских истин: «Не суди, да не судим будешь» и «Просите, и дано вам будет».

Вся первая половина нашей методики направлена на разъяснение того, как можно научиться принимать окружающий мир таким, каков он есть. То есть как научиться не судить себя, других людей и обстоятельства окружающей жизни. А если вы всем довольны, то есть никого не судите, то и к вам не применяются никакие «воспитательные» процессы — вы не судимы со стороны Высших сил.

Вторая часть, то есть Методика формирования событий, подробно объясняет, как именно нужно просить, что можно и чего нельзя просить, почему могут не исполняться наши просьбы и т. д. То есть мы даем инструкцию по применению к известному изречению «Просите, и дано вам будет».

Больше никаких новаций у нас нет, так что с христианством мы находимся в полном идеологическом согласии. Во всяком случае, мы не видим никаких противоречий.

Степень согласия нашей технологии Разумной жизни с другими религиями нам оценить сложно, поскольку они нам мало известны. Но, исходя из того, что наши лекции и тренинги привлекают большое количество жителей Казахстана, Узбекистана и других мусульманских стран, то, видимо, явных противоречий с Кораном у нас тоже нет.

Относительно других религий у нас информации нет.

4.6. Как, по-вашему, появляются души? Меняется ли их количество или их постоянное число? Как это сопоставить с увеличением количества людей, живущих на Земле?

Мы придерживаемся христианской модели устройства Тонкого мира, в который говорится, что всю Вселенную создал Творец, возможности которого даже трудно себе представить. Он же создал бессмертные человеческие души, и он же создал своих помощников — бесплотных духов.

По имеющейся у нас контактной информации, Творец создал определенное количество душ, порядка шести или семи миллиардов. И они постепенно и периодически воплощаются в тела людей, живущих на Земле. В последнее время, в силу того что продовольственные ресурсы нашей планеты растут, соответственно увеличивается количество живущих людей. Величина населения очень сильно зависит от того, какое количество продуктов люди вырабатывают, хватает ли их, чтобы всех прокормить.

Как известно, численность населения сегодня превысила 6 миллиардов человек. Если исходить из того, что количество созданных Творцом душ составляло 7 миллиардов, то скорость инкарнации, скорость воплощения души в человеческом теле должна увеличиваться, то есть интервалы между воплощениями должны уменьшаться.

Несколько лет назад проводилось специальное исследование на тему, каков срок между инкарнациями одной и той же души человека на Землю.

Исследование проводилось методом регрессивного гипноза, при котором человек погружается в свою прошлую жизнь под воздействием гипнотизера. Для исследования привлекались люди со всей территории России: с севера, юга, востока и запада. В итоге оказалось, что раньше средний срок между инкарнациями души на Землю составлял примерно четыреста лет. То есть живущий в XX веке человек перед этим рождался в XVI или XVII веках, перед этим в XII веке и т. д. Но в последнее время интервал между инкарнациями стал резко уменьшаться, и сейчас он иногда достигает 10—15 лет.

Нужно сказать, что мы тоже имеем некоторые данные, подтверждающие результаты этих исследований.

На наших тренингах первого уровня мы проводим реинкарнационную медитацию, в ходе которой большинство людей видят одну из своих прошлых жизней. Эту медитацию прошли уже несколько тысяч человек, и большинство из них действительно видели свое воплощение в XV—XVII веках. Но нам несколько раз встречались случаи, когда душа воплощалась в тело через 10—15 лет после смерти. То есть те, кто погиб в Великую Отечественную войну, вновь родились в 1956—1960 годах.

Это было выявлено по тем кармическим проблемам, которые эти души принесли с собой в нынешнюю жизнь (ребенок, погибший от ядерного взрыва в Японии, с детства панически боится красных рассветов и т. п.).

Отсюда вытекает вывод, что количество людей, живущих на Земле, скорее всего, не может быть больше количества душ, которые могут воплотиться в эти тела. Но, поскольку мы не знаем точное количество созданных Творцом душ, то говорить о том, будет ли увеличиваться население нашей планеты (при достаточном количестве продовольствия) дальше либо его рост должен остановиться, достаточно сложно.

Меняется ли количество душ? Согласно нашей контактной информации, не меняется. Они были созданы в самом начале, и с тех пор никаких изменений их количества в нашей Вселенной не происходит. Больше новые души и духи не создаются, сами они размножаться или как-то еще воспроизводиться не способны.

Хотя, по другим версиям, душа человека может воплощаться не только на нашей, но и на других планетах. Если это действительно так, то количество душ должно быть очень велико и население нашей планеты может расти бесконечно. Но мы не имеем фактов, подтверждающих эту версию.

В ходе реинкарнационных медитаций и было только два случая, когда люди видели себя чем-то похожими на инопланетян. Все остальные видели себя именно людьми. Так что версия с массовым воплощением на других планетах не нашла подтверждения на наших реинкарнационных медитациях. Хотя нужно отметить, что нам трудно представить себе, каким образом душа может воплотиться на другой планете, будет ли у нее там материальное тело или она может выглядеть как энергетический сгусток. Некоторая часть участников наших медитаций видела только сочные цветовые переливы. Может быть, это и была инкарнация на другую планету? Ответа, к сожалению, пока не существует.

Наш опыт показывает, что люди практически никогда не вспоминают себя растениями, животными или жителями других планет (в материальном теле). Поэтому мы не нашли подтверждения утверждениям многих восточных Учителей (например, миссия Шри Чайтаньи) о том, что душа человека может воплощаться в камень, в растение, в животное или родиться на других планетах. Трудно представить себе, как это может быть. Хотя, в принципе, можно представить себе особые обстоятельства, когда душа человека страстно пожелает такого воплощения и получит такую возможность. Но говорить о том, что подобные явления имеют массовый характер, вряд ли приходится.

4.7. Какая расплата нам будет предъявлена Тонким миром за неоднократное исполнение наших желаний?

Наши желания исполняются только после того, как мы расплатились за наш заказ, то есть после произведенной «предоплаты». «Авансом» почти никто не работает в Тонком мире, поэтому можно совершенно не бояться того, что позже кто-то предъявит какой-то счет к оплате. Счет всегда выставляется заранее. **Мы оплачиваем заказ своими энергиями желаний, и только после этого что-то происходит.**

Либо счет не выставляется, но все обитатели Тонкого мира спокойно ждут, когда количество выделенных человеком энергий желания достигнет такого уровня, что кто-то из тамошних обитателей (по нашей версии — эгрегоров) посчитает, что можно поработать и за такую оплату. Там тоже есть конкуренция, и если ваш заказ могут исполнить многие обитатели Тонкого мира, то вы можете рассчитывать, что самые нетерпеливые из них сделают это при минимальной оплате с вашей стороны. Правда, при минимальной оплате и качество может оказаться соответствующим. Именно поэтому мы рекомендуем не использовать общие фразы (хочу любви, хочу счастья), а вводить граничные условия в формулировку вашего заказа.

Поэтому можно не испытывать опасений, что позже кто-то придет и предъявит к оплате счет за свою помощь. Такого почти никогда не бывает. Изредка бывают случаи, когда человека хотят подключить к какому-то эгрегору, чтобы он стал его энергодонором. В таком случае ему в самом начале дают большие скидки, либо даже идет небольшое авансирование со стороны эгрегора. Например, давно замечено, что новичкам везет в азартных играх. Почему так происходит? Скорее всего, это эгрегор азартных игр делает шаги навстречу человеку, который явно еще не проплатил достаточной энергией свой выигрыш. Но эгрегор делает это, поскольку велика вероятность того, что, выиграв один раз, человек зацепится за этот вид деятельности и будет мечтать о последующих призах. В итоге он станет азартным игроком и после этого многократно оплатит все те затраты, которые произвел для него эгрегор в самом начале.

Человек имеет право эту наживку не глотать и отказаться от дальнейшего «кормления» эгрегора своими желаниями дальнейших выигрышей. Так будет, если он получит выигрыш, поблагодарит Высшие силы за помощь и уйдет, сказав «спасибо». Если он разумный человек, то поймет, что тем самым он исчерпал лимит всех своих «халявных» выигрышей на этот год. Человек волен поступать, как ему хочется, поэтому **никаких последующих счетов и никакой мести со стороны эгрегора быть не может**, с этим на Небесах все строго. Кроме того, месть — это формирование некоторого события, на которое нужно тратить свою энергию, а зачем эгрегору это нужно? Он уже и так на вас потратился, увеличивать свои затраты для удовлетворения своих амбиций там нет желающих. Поэтому при вашем отказе от продолжения играть эгрегор поймет, что по отношению к вам он ошибся в своих расчетах. Ну что поделаешь, он рисковал и просчитался, и никаких последствий для человека это не вызовет. Но много ли вы встречали подобных разумных людей? Мне — не приходилось.

А если обратить внимание на тех, кто обычно получает большие выигрыши в азартных играх, так это люди, **много лет увлеченно играющие в эти игры**. То есть выигрыш выдается тем, кто уже оплатил его своими энергиями. Это полностью укладывается в нашу теорию энергообменов между людьми и обитателями Тонкого мира.

Так что задумываться о возможной последующей оплате можно только в тех случаях, когда вы получаете подарок, которого совершенно не ждали, не хотели и даже не думали ни о чем подобном. Только в таких ситуациях стоит задуматься о том, что означает это событие и какие последствия оно может иметь. Но опять же это должны быть спокойные размышления, а не страхи. Если вы спокойно все обдумаете, то наверняка найдете правильный ответ, как и чем вы создали эту ситуацию в своей жизни. И примите правильное решение, принимать ли вам этот неожиданный подарок.

4.8. Я с недавних пор работаю с маятником. Отвечает через подсознание мой ангел-хранитель. Вообще довольно разумно, но достоверность информации часто внушает сомнения. В чем может быть дело?

На самом деле подобный вопрос может задать почти каждый человек, который начинает выходить на контакт с Тонким миром.

К сожалению, получать абсолютно достоверную информацию из Тонкого мира очень сложно, почти невозможно. То есть этими способностями обладают единицы людей на земном шаре, и то они обычно получают информацию по какой-то узкой сфере человеческого существования. Например, только целительскую или просветительскую информацию. По всем остальным вопросам информация бывает очень неоднозначная. Можно ли это как-то объяснить? Как-то можно, но, скорее всего, это будет очередная версия. Однозначного и подтвержденного объяснения этому нет.

Скорее всего, так происходит потому, что контактирующие с нами обитатели Тонкого мира подстраиваются под наши неосознаваемые желания. И когда мы получаем ответ, то наш невидимый собеседник в большей мере озабочен тем, чтобы **ответ нам был приятен**, чтобы он отвечал нашему подсознательному прогнозированию и совпадал с тем результатом, которого мы ожидаем. А дальше может сработать механизм «заказа» и все получится так, как мы ожидаем. Но к сожалению, так получается далеко не всегда. А для обитателя Тонкого мира наши хорошие эмоции в данный момент времени могут оказаться более значимыми, нежели то, чтобы ответ соответствовал последующей объективной реальности.

Возможно, именно это является основной причиной получения недостоверной информации. То есть **нам говорят то, что мы хотим услышать**. А не то, что есть на самом деле.

Еще возможно, вы неправильно настроились и ваш собеседник в Тонком мире просто не обладает достаточной информацией по интересующему вас вопросу, и просто он **выдвигает свою версию ответа**. Когда эта версия не совпадает с реальностью, никто за это ответственности не несет.

Поэтому не нужно идеализировать маятник и не нужно идеализировать контакты с Тонким миром. Бог дал человеку разум, и нужно им пользоваться. Конечно, интуиция дело хорошее, прислушиваться к сигналам, которые дает Жизнь, обязательно нужно. Но не стоит впадать в избыточную мистериальность и по всем вопросам пытаться контактировать с маятником — это будет поведение человека неразумного, и результат, скорее всего, будет огорчительный.

На этом мы заканчиваем рассмотрение вопросов, касающихся теоретических моментов нашей технологии Разумной жизни. И переходим к вопросам, касающихся конкретных ситуаций в жизни людей.

Глава 5
ПОРАБОТАЕМ НАД СОБОЙ

В этой главе мы заканчиваем рассматривать общие вопросы нашей методики и переходим к проблемам реальной жизни. Как известно, жизнь — штука сложная, и непонятного в ней хватает, во всяком случае на первый взгляд. Так вот, из всего множества непонятного мы для этой главы выберем только то, что касается самого человека. То есть мы будем рассматривать только те случаи, когда человек не понимает что-то в себе или пытается изменить что-то в себе, но у него не получается или он не знает, как это сделать. В общем, это не про несносных мам, мужей или начальников, а про себя, любимого (или не очень).

Наш подход к этой ситуации известен — **все, что происходит с человеком, является следствием тех идей или негативных программ, которые имеются у него в сознании.** И чтобы исправить ситуацию, нужно сначала понять, каким образом вы сами создали эту ситуацию в своей жизни. А затем сделать шаги по изменению своего отношения к проблеме либо ничего не менять, но перестать рассматривать нынешнюю ситуацию как проблему. Итак, начинаем.

5.1. В результате медитации выяснилось, что всего труднее простить себя. Как это сделать?

На наш взгляд, техника прощения себя ничем не отличается от техники прощения других людей. То есть мы рекомендуем ту же самую медитацию прощения, только вместо слов: «С любовью и благодарностью я прощаю другого человека» — вы ставите слова: «С любовью и благодарностью я прощаю самого себя, принимаю себя таким, каким меня создал Бог. Я прошу прощения у самого себя за мои мысли и эмоции по отношению к самому себе». Обычно 2—5 часов повторения этих фраз хватает для полного очищения накопленного самоосуждения и других нерадостных мыслей и эмоций по отношению к себе.

Кроме того, можно порекомендовать дополнительные приемы снятия претензий к себе. Например, можно **написать себе хвалебную оду**, в которой восхвалить себя как божественное создание, как проявление божественной воли. Можно написать хвалебную оду своему телу, которым вы можете быть недовольны, порадоваться ему. Примеры подобных од, написанных нашими читателями, приведены в этой книге в последней главе.

Этот прием позволит вам лучше понять, что вы тоже божественное создание, и, когда ваша душа выбирала ваше тело, она делала это добровольно. Ваше тело — самое лучшее для вас, и ему надо радоваться, как подарку Бога.

Если вас не вдохновляет это утверждение, то воспользуйтесь приемом «ежик событий». Если вы сделаете все правильно, то легко поймете, что ваша идея о том, что ваше тело ужасно, что вы несовершенный человек — это не более чем идея, потому что **на каждого несовершенного человека всегда можно найти другого, который в сто раз более несовершенен (толще, уродливей)**. А ведь тому человеку тоже нужно жить и радоваться жизни. Представляете, как он мечтает оказаться на вашем месте?

Еще один прием — составьте себе аффирмацию примерно такого вида: «Я принимаю себя как божественное создание. С любовью и благодарностью я принимаю себя и благодарю Творца за то, что создал меня, дал мне возможность пожить в этом прекрасном мире. Я принимаю свое тело, я принимаю свою душу, я принимаю свои способности. Я радуюсь себе, я имею самое лучшее, на что я мог(ла) рассчитывать.

Я благодарю Творца за то, что я имею, и я снимаю к себе все претензии». Если вы будете повторять ее каждый раз, когда у вас в голове в очередной раз возникнут мысли по поводу собственного несовершенства, то через пару месяцев такой работы вы полностью простите и полюбите себя.

5.2. Я очень сильно переживаю, когда вижу нищих, больных, беспризорников, когда обижают слабых и животных. Наверное, так нельзя, но я ничего не могу с собой поделать.

Переживания по поводу наличия в нашем мире нищих, больных и еще каких-то несчастных людей есть **идеализация жизни**. «Жизнь устроена несправедливо, эти люди слишком много страдают, они достойны лучшей участи» — примерно такие внутренние убеждения вызывают переживания. Не осознавая этого, вы **фактически осуждаете наш мир и того, кто им руководит.** Если бы вы были на месте Творца, то вы бы все устроили по-другому. Всем бы дали пищу, жилье, здоровье и т. д. А Он, видимо, плохо понимает, кому что нужно выдать.

Как видите, даже самые милосердные мысли, проявленные в избыточной мере, могут стать суждением, то есть грехом. Поэтому и мы призываем вас научиться принимать мир таким, каков он есть, не скатываться в переживания по поводу каких-то несправедливостей. Каждый человек в нашем мире живет той жизнью, которую он сам создал себе своими мыслями, эмоциями и поступками. Значит, если человек болен или беден, то **он сам создал себе такую жизнь.** И мы как раз даем инструмент для того, чтобы понять это. И выйти из этого состояния.

Чем же можно помочь вам, с вашей избыточной сострадательностью? Есть очень простой выход. Вместо того чтобы горевать, что в нашем мире что-то устроено неправильно, **поблагодарите Творца за то, что эта «неправильность» не касается вас.** То есть если вы видите больного человека, то, вместо переживаний по поводу его несчастий, попробуйте подумать примерно следующее: «Этот человек так тяжело болен, но я понимаю, что он чем-то сам создал себе это. Это его выбор, и я не берусь судить об этом. Я благодарю тебя, Боже, что я здоров(а). Я так рада, что ты заботишься обо мне и я не испытываю страданий со здоровьем».

Встретив беспризорника или бомжа, поблагодарите Творца за то, что у вас есть жилье, каким бы оно ни было. Если вы встречаете глупого или неразвитого человека, то, вместо его осуждения, мысленно поблагодарите Творца за то, что он позаботился о вас и вашем развитии. Если вы едете на автомобиле и видите огромную очередь на автобус, то вместо мыслей о том, куда смотрят городские власти, поблагодарите Творца за то, что вам не нужно стоять в этой очереди, и т. д. Тем самым вы сумеете избавиться от накопления переживаний по трубе «идеализация жизни».

То есть общая идея этой рекомендации вполне проста. Вместо осуждения Жизни в какой-то ее форме, поблагодарите Творца за то, что у вас есть то, чего нет у этих людей. И тогда вы всегда будете полны благостных мыслей, и Жизнь будет вполне благосклонна к вам. Это несложно, но требует небольшой перестройки своего способа мышления.

5.3. Жадность — к какой идеализации ее можно отнести? У меня она присутствует. Она мне мешает, очень хочется от нее избавиться. Причем жадность у меня проявляется к родственникам мужа, а своим родным могу последнее отдать.

Похоже, что жадность — это врожденная характеристика человека, причем сильную жадность можно смело отнести к кармической проблеме, от которой нужно избавляться, поскольку она постоянно будет провоцировать на негативные переживания. Скорее всего, жадность является **проявлением врожденного инстинкта**, направленного на сохранение рода. Тем более, что автор вопроса бессознательно жадна к «чужим» — для ее инстинкта родственники мужа именно чужие. Они посягают на ее собственность и ухудшают условия существования ее рода, поэтому инстинкт предписывает от них сторониться. А для своих родных, которых инстинкт признает за «своих», ей ничего не жалко, поскольку собственность не уходит из рода.

Мы уже рассматривали такое качество человека, которое состоит в неосознаваемом проявлении врожденных инстинктов. Оно называется **примативностью**. Она проявляется в повышенной и бессознательной тяге к родным, к детям, в придании большого значения родственным связям, религиозности, принадлежности к какому-то роду, национальности, стране. Есть люди с большой примативностью, есть с меньшей. Скорее всего, **чем большее количество реинкарнаций прошла душа, тем ниже примативность человека**, и наоборот. То есть это качество отражает возраст души и мало зависит от уровня развития, образования, занимаемого положения в обществе и других обстоятельств.

Так что автору вопроса нужно понять, что источником его переживаний являются врожденные инстинкты. Значит, ей нужно немного включить разум и **сознательно подавлять свою жадность**, когда она общается с родственниками мужа. В общем, нужно научиться сознательно контролировать свои поступки и не позволять инстинктам (практически — своей животной сущности) влиять на вашу жизнь.

5.4. Как побороть внутреннюю лень?? Что только я не делал! Видно, мало. А еще по утрам — такая тоска, такая лень ко всему. Если я получу ответ и смогу справиться с ленью, это будет Счастье!!! Парадокс — самосовершенствуясь, мне лень самосовершенствоваться!

Автор письма жалуется на лень, а при этом пишет, что он «чего только не делал», чтобы ее победить. Так о какой лени может идти речь в такой ситуации? Истинно ленивый человек ничего делать не будет, какие бы идеи его ни одолевали. В крайнем случае он будет переживать, но делать все равно ничего не будет. Так что утверждение автора о том, что он ленив, представляется очень сомнительным.

Что же имеется на самом деле? Скорее всего, он придумал образ какого-то суперделового человека, который, как электровеник, суетится по делам двадцать часов в сутки. Сравнивая себя с этим идеалом, он понимает, что никак не может заставить себя быть таким деловым. Отсюда сразу появились основания для самоосуждения: «У меня сильна внутренняя лень! Я несовершенный! Со мной что-то не в порядке!» А не в порядке только одно — имеется явно выраженная **идеализация собственного совершенства**. Где он подхватил свой идеал, неизвестно. Может быть, его отец был очень деловым человеком и достиг многого в жизни, и он хотел бы быть таким же, но плохо получается. Может быть, он в детстве прочитал, как Александр Македонский или Наполеон Бонапарт спали по четыре часа в сутки, а остальное время работали и достигли неимоверных высот в жизни, это потрясло его, и он твердо решил стать таким же.

Но, кроме сильного желания, у человека есть определенные врожденные качества личности, энергетический потенциал и другие особенности организма, которые во многом влияют на его жизнь. Конечно, с помощью специальных тренировок можно очень сильно увеличить ресурсы организма в любом направлении, но все это требует приложения больших усилий, что опять же требует воли, с которой могут быть сложности. В итоге получается, что реальность не соответствует ожиданиям, и начинаются переживания. Что мы и имеем в случае с автором вопроса.

Что можно ему посоветовать? Во-первых, нужно понять, что у него нет лени, а есть **идеализация собственного (не)совершенства**. И что нужно отказаться от переживаний по поводу, что вы родились не таким деловым, как хотелось бы. И полюбить себя такого, какой вы есть (пусть даже не любящего совершать лишние движения). Тогда Жизни не нужно будет применять по отношению к вам «воспитательные» процессы, блокируя возможность совершать какие-то усилия.

А во-вторых, ему нужно понять, что человеку, владеющему Методикой формирования событий, нет необходимости носиться по делам двадцать часов в сутки. Так поступают исключительно люди, полагающиеся только на свои силы. А специалисты по формированию событий могут достигать своих целей со значительно меньшими усилиями, а оставшуюся от хлопот часть свободного времени они могут посвятить саморазвитию, поскольку это невозможно делать на бегу. Так что **лень можно рассматривать как данную свыше возможность заняться своим самосовершенствованием**, ведь вы ставите перед собой такую цель! Высшие силы помогли вам на этом пути, за такое нужно их благодарить, а не заниматься самоосуждением!

Так что у вас все замечательно, нужно только применить технологию Разумного пути для анализа причин появления переживаний, какими бы они ни были. И сделать из анализа правильные выводы.

5.5. Где та тонкая грань между идеализацией и заказом? Например, я всю жизнь думала и жила мыслью, что роль женщины — воспитывать и растить детей. Хотела иметь свой детский сад.

Первые две беременности закончились абортом. Теперь я иногда боюсь быть так уверенной в чем-то, так как жизнь может доказать обратное.

Мы уже указывали, что идеализация всегда связана с переживаниями, с тревогами, со страхами и другими формами негативных переживаний.

Из самого вопроса видно, что у вас была идеализация семейной жизни, идеализация роли матери, кормилицы, вы не представляли себе жизнь без детей. Дети составляли смысл вашего существования — хотелось иметь их много, целый детский сад. Без детей жизнь представлялась бессмысленной.

Соответственно, в итоге жизнь сложилась так, что вы оказалась без детей. Вы своими руками, через аборты, заблокировали себе возможность родить тех самых детей, которые для вас были очень важны. Так проявился «воспитательный» процесс по разрушению **идеализации семейной жизни**, жизни в семье с множеством детей.

Сегодня, когда вы на основе личного опыта уже не так уверены, что без детей жить нельзя, скорее всего, «воспитательный» процесс закончится и начнется нормальная жизнь, в которой вы сможете иметь детей. Единственное, что может помешать этому, выражено словами «боюсь». Вы пишете, что боитесь быть так уверенной в чем-то. Что вы можете притянуть к себе такими мыслями?

В результате личного негативного опыта у вас появился страх того, что вдруг опять не получится, вдруг опять возникнет какая-то проблема и нужно будет делать аборт, и т. д. Но страх — это есть самый настоящий заказ того самого негативного события, которого человек боится! Страх — это излучение негативных эмоций, в которых содержится информация о событии, нежелательном для вас. Фактически, это есть **полноценный заказ негативного события**, «оплаченный» хорошей порцией ваших переживаний. Поэтому желание иметь детей, дополненное страхами, что ребенка может не быть, вполне может не реализоваться. Именно поэтому мы предлагаем контролировать то, что происходит у нас в голове, и не пускать туда страхи и другие негативные переживания.

Сам заказ положительного события может иметь вид: «У меня рождается прекрасный ребенок, у меня хорошая семья, у меня будет два-три ребенка. Я уверена, что так и произойдет, рано или поздно. Я допускаю, что это может произойти через год, через два, через пять, через десять, но рано или поздно это случится. Все время я радуюсь жизни, я позволяю жизни помочь мне реализовать мои устремления».

Если держать в голове только такие позитивные мысли, тогда у Жизни не появится необходимости проводить «воспитательные» процессы и, соответственно, желаемая вами модель жизни реализуется. Но если в голове постоянно будут присутствовать страхи, если там будет преобладать идея о том, что без реализации моих замыслов жизнь не сложится, это не жизнь, то тогда начнутся «воспитательные» процессы.

Вот в этом самом и состоит тонкая грань между заказом и идеализацией.

После прохождения наших тренингов бывает много случаев, когда женщина, которая не могла родить ребенка много лет, вдруг его рожает без всяких проблем (от своего мужа, разумеется). То есть у нее наступает беременность, хотя раньше при наличии многочисленных попыток завести ребенка у нее ничего не получалось.

Почему так происходит? Потому что в ходе тренинга **женщина снимает идеализацию семейной жизни**. В результате работы над собой она понимает, что можно жить и без ребенка, это тоже жизнь, и в ней есть свои радости и преимущества. Поэтому теперь она без переживаний принимает жизнь во всем ее разнообразии, с ребенком или без ребенка. Если ей не суждено будет иметь ребенка, то она готова принять такую жизнь без переживаний. Это тоже будет жизнь, со своими радостями и достижениями. Она постарается прожить ее с удовольствием, оказывая помощь себе и людям. Она постарается прожить ее полноценно. Но, если это возможно, пусть у нее будет ребенок.

При таком ходе мыслей ребенок обычно появляется.

Если же женщина жестко настроена на рождение ребенка — я должна иметь ребенка во что бы то ни стало, без ребенка это не жизнь, то возможно появление больших проблем. Эта самая «не жизнь» без ребенка будет тянуться год, два, три, пять, десять лет. До тех пор, пока она не поймет и не признает, что жизнь прекрасна и без ребенка.

Либо, в результате огромных усилий, она все же может забеременеть и родить ребенка, но он может прийти совсем не таким, какого она ожидала — с врожденными заболеваниями, с дефектами характера и т. д. В результате жизнь с таким ребенком будет много хуже, чем без ребенка. Она и сама признает это, но будет уже поздно что-то изменить.

Таким образом, тонкая грань между идеализацией и заказом состоит в том, что вы можете делать любой заказ. **Но при этом вы должны допускать, что он может не реализоваться, и это не будет поводом для ваших длительных переживаний.** А станет всего лишь поводом для размышлений, почему ваш заказ не исполнился.

Заказ может быть любым — вы можете просить денег, устройства личной жизни, детей, интересную работу, успеха в бизнесе и т. д. Но вы должны предполагать, что ваш заказ может и не реализоваться, и это не повод для страданий или длительных переживаний. Видимо, Жизнь рассудила, что вам не нужно то, о чем вы просите (или это давно реализовалось, а вы не заметили), и вы это принимаете без больших сожалений.

Если вы относитесь спокойно к возникающим препятствиям, то, скорее всего, ваш заказ будет реализован. Именно поэтому мы предлагаем при реализации заказа занять жизненную позицию «Жизнь есть игра». Вы игрок, вы стремитесь к своей цели, но заранее допускаете, что можете когда-то проиграть и ваш заказ может не реализоваться. Это не повод для переживаний, это всего лишь повод для того, чтобы наращивать свое мастерство как игрока и продолжать стремиться к своей цели. И тогда ваша цель рано или поздно будет достигнута.

5.6. Как определить грань между зацикленностью над чем-то и желанием? Если у меня зацикленность на том, чтобы быть единственной и неповторимой для мужчин, то я и желания буду иметь аналогичные? Но по вашей теории одно должно исключать другое.

В нашей методике нет понятия зацикленности, у нас есть близкий термин — «идеализация». Идеализация всегда связана с тем, что у вас есть какая-то очень значимая идея о себе или об окружающих людях, и вы не позволяете этой идее не реализоваться. В качестве такой идеи может выступить это самое желание быть единственной и неповторимой.

Если у вас есть очень большое желание быть единственной и неповторимой, и вы не представляете себе ситуации, что можете не стать этой самой неповторимой, то это уже идеализация. Идеализация своей внешности, идеализация собственной неповторимости, собственного совершенства. Не исключено, что Жизни придется разрушать эту идеализацию, применив один из «воспитательных» процессов, когда вы окажетесь в обстановке, в которой вас не будут признавать единственной и неповторимой. Например, ваш любимый будет забывать приходить на свидания или будет подсмеиваться над вами в присутствии других людей. Вы будете по этому поводу еще больше переживать, нервничать. Ситуация будет ухудшаться, и в итоге ваша идея неповторимости окажется разрушенной.

Поэтому вы имеете право иметь любые желания, в том числе желание быть неповторимой и единственной, сколько угодно. Рано или поздно Жизнь сделает так, что ваше желание сбудется. Будьте такой, ощущайте себя такой, и так вас будут воспринимать люди. Люди всегда воспринимают нас такими, как мы о себе думаем.

Но если вы начнете тревожиться по поводу того, достаточно ли я неповторима или оригинальна, а вдруг я уже стала не единственной, то, чем больше вы по этому поводу будете испытывать волнений, тем больше у вас будет шансов попасть в ситуацию, в которой вы окажетесь далеко не единственной. Фактически, это будет тот же заказ, только событие будет состоять в том, чего вы опасаетесь. Жизнь постарается исполнить то, что вы держите в мыслях. А что там? А вдруг я не единственная, а вдруг я не буду неповторимой? Каковы мысли, таков и результат. Этот ваш заказ рано или поздно реализуется, и мужчины не будут считать вас неповторимой, а, наоборот, как минимум, начнут сравнивать вас с другими женщинами и уделять больше внимания им. Во-вторых, они могут просто перестать обращать на вас внимание, и ваша идея о том, что вы единственная, неповторимая и производите на всех неизгладимое впечатление, будет разрушена. Либо вы окажетесь единственной и неповторимой, но на необитаемом острове или в месте, где вообще нет других женщин, — именно так может быть исполнен заказ с некорректной формулировкой.

Таким образом, выводы из всего сказанного следуют простые. Можно желать и делать все для того, чтобы быть единственной и неповторимой. Но нельзя тревожиться, что вдруг вы этого не достигнете. Как только вы начинаете тревожиться, то ваши желания становятся идеализацией и начинают разрушаться.

5.7. Я симпатичная, неглупая женщина, но совершенно не могу познакомиться с мужчинами. А если знакомлюсь, то ненадолго, очень быстро расстаюсь. Мне хотелось бы иметь пару, выйти замуж.

Похоже, что у автора письма имеется **идеализация собственного совершенства**, которая может проявиться в виде комплексов по поводу собственной внешности, своих умственных способностей, своего поведения и т. д. То есть может иметь место хроническое недовольство собой, выражающееся в виде мыслей: «Я должна быть более красивой, я должна быть более красиво одета. У меня должны быть лучшие формы, я должна быть более открытой, более развитой, тогда меня полюбят, тогда найдется мужчина, который меня оценит, тогда я сумею построить свою семейную жизнь. А пока что я этого недостойна». Если такие мысли периодически имеют место, то они должны привести к скованности, закомплексованности, внутренним страхам и неадекватному поведению. В результате вы сначала робкая и тихая, удивляющаяся, что кто-то может обратить на вас внимание. А потом начинаете смотреть свысока на влюбленного в вас мужчину, буквально издеваться над ним, и он быстренько исчезает с вашего горизонта. И это все при общем настрое на длительные и серьезные отношения.

Другой вариант, почему вы не можете познакомиться с мужчинами — это **идеализация взаимоотношений между людьми, идеализация семейной жизни.** Если у вас в голове все время крутятся мысли типа: «Я не могу жить без семьи, без детей. Без семьи — это не жизнь, мне нужно поскорее выйти замуж. Я обязательно должна выйти замуж!» Такие мысли явно свидетельствуют о том, что вы тревожитесь, переживаете, поскольку не представляете себе жизнь без замужества. Соответственно та жизнь, о которой вы мечтаете и без которой, как вы думаете, жить нельзя, никогда не наступает. То есть либо вы не можете ни с кем познакомиться, либо вы влюбляетесь в женатых мужчин, либо те мужчины, с которыми вы знакомитесь, исчезают с вашего горизонта, как только понимают, что с ними встречаются с очень серьезными намерениями.

Так проявляется кармический «воспитательный» процесс при наличии идеализации семейной жизни. Тем самым Высшие силы указывают вам на следующее: «Научитесь принимать жизнь в том виде, в котором она есть, то есть без мужчин. Найдите удовольствие в том, чтобы жить в этом состоянии. Жизнь без семьи имеет свои достоинства, вы должны их найти, оценить и попробовать получить удовольствие от той жизни, которую вы имеете».

Как только это произойдет, ситуация может опрокинуться и у вас появится тот мужчина, который может составить вам пару. А если даже он не появится, это тоже не станет поводом для переживаний, поскольку вы уже будете понимать, что ваша нынешняя жизнь не так уж плоха, как вам казалось, а скорее даже наоборот.

Возможно, у вас имеются и другие идеализации. Это может быть **идеализация контроля окружающего мира**. Тогда вы будете избыточно властны и к вам станут притягиваться слабые мужчины, которые вам не интересны. Вы будете их отвергать, а сильные мужчины к вам не будут приближаться на близкое расстояние, поскольку издалека почувствуют вашу силу. А им не хочется дома постоянно выяснять отношения, и они предпочитают иметь дело с более слабыми женщинами.

Мы привели только три характерные причины, которые могут привести к отсутствию личной жизни, на самом деле их может быть значительно больше. Поэтому рекомендуем в течение месяца-двух повести дневник самонаблюдений и выяснить свои идеализации. Тогда вам самой станет понятно, почему ваша жизнь складывается именно таким образом.

5.8. Я давно молю Бога дать мне простого человеческого счастья. Но у меня нет ничего: нет семьи, нет здоровья, нет денег. Может, он не слышит меня?

Конечно, Бог (Высшие силы, Жизнь) слышат обращение к ним любого человека в любой момент времени, когда бы это ни происходило.

Другое дело, что **человек должен** четко сказать, чего же именно он хочет. А в данном случае мы имеем **ситуацию некорректной постановки задачи.** Ведь что просит автор письма? Она просит «простого человеческого счастья». А затем говорит, что у меня нет денег, нет семьи.

Но она же не просит семью, она же не просит денег, не просит здоровья! Она просит простого счастья. А что такое счастье? Неужели семья — это и есть счастье? Ведь если взять общую статистику семейной жизни, то, судя по тому, что половина семей разводится, а вторая половина часто живет на грани развода, то само по себе понятие семьи вряд ли можно однозначно связать со счастьем. Для кого-то семейная жизнь — это действительно элемент счастливой жизни. Но для огромного количества людей семья — это нервы, неприятности, переживания. И масса семейных женщин скажет, что лучше бы у меня этого не было. И только для тех, у кого семьи еще не было, она представляется в розовом свете. Зная подобные особенности семейной жизни людей, Высшие силы никогда не станут однозначно трактовать семью как счастье.

Деньги. Неужели деньги делают человека счастливым? Разве деньги — это и есть счастье? Вряд ли. Например, по телевидению мы можем видеть фильмы из зарубежной жизни, где у людей есть деньги, но нет счастья. Они без конца страдают, постоянно испытывают самые разные переживания, хотя и обрамленные достаточно красивой обстановкой. Да что далеко ходить, у вас наверняка есть знакомые, у которых денег больше, чем у вас, а счастья все равно нет.

То есть счастье явно состоит не в деньгах, это однозначно. Хотя, конечно, быть счастливым с деньгами значительно проще, чем без них.

Теперь посмотрим на здоровье. Понятно, что здоровым быть лучше, чем больным, но сказать, что здоровый человек — это однозначно счастливый человек, вряд ли можно. Есть масса людей достаточно здоровых, но очень несчастных.

Поэтому, прося у Бога «простого счастья», вы можете получить совсем неожиданный результат, поскольку счастье — понятие нематериальное. Можно сказать, что **счастье — это возвышенное и радостное состояние души,** которое может возникнуть в результате самых разных обстоятельств жизни. Поэтому, если не уточнять свою модель счастья, то легко можно получить его в форме общения с хорошими людьми. Или получить счастье в виде созерцания красивой природы, счастье в виде наслаждения от какого-то произведения искусства, счастье в виде внутреннего общения с Богом или еще какие-то формы нематериального счастья.

Естественно, вы будете думать, что это ерунда, это мимолетное удовольствие. А где же настоящее счастье, где семья, где здоровье, где деньги? На самом деле поскольку вы этого не просили, то вам никто этого не даст.

Это типичная ошибка при обращении к Высшим силам. Никто не обязан и не горит желанием угадывать ваши потаенные желания, если вы не указываете точно, чего хотите. Раз вы просите просто «счастье», вы его получите. Но только в той форме, в которой воспринимают это понятие те силы Тонкого мира, которые вызовутся вам помогать. Скорее всего, они рассматривают человеческое счастье как нечто нематериальное. Им значительно легче дать человеку хорошие ощущения и эмоции, чем создавать какие-то материальные блага. Ну а если вы не воспримите их как счастье, то это уже ваши проблемы.

Поэтому при заказе событий обязательно четко формулируйте то, что вы хотите получить. Будьте предельно конкретны. Неконкретность порождает ситуации, когда вам кажется, что Бог вас не слышит или он не хочет вам помочь. На самом деле он хочет, но он не знает, чего именно вы хотите. Пока вы сами не скажете, чего именно вы хотите, вы будете что-то получать, но это может быть совсем не то, на что вы рассчитывали. Учтите это, пожалуйста.

5.9. Самая опасная зацепка — это боязнь смерти. Как от нее избавиться? Особенно когда боишься за близких, особенно если без причины?

Что такое страх и боязнь за близких? С точки зрения нашей теории — это **идеализация контроля окружающего мира**. Можно заранее предсказать примерный ход ваших мыслей: «Я все время должна знать, что происходит с моими близкими, где они находятся, все ли с ними в порядке. Я должна постоянно держать их жизнь под контролем! Я не могу допустить, чтобы с ними что-то произошло! Я должна в нужный момент оказаться в нужном месте и защитить близких мне людей от любого несчастья! Я должна все сделать для их безопасности, любой ценой я должна их защитить! А вдруг я не успею? Это ужасно!»

Человек, которого обуревают подобные страхи, конечно, постоянно находится в тревожном состоянии. В голове у него все время крутятся различные напасти, и ему далеко до спокойной, разумной и комфортной жизни. У его «словомешалки» давно сломались тормоза, и она работает в три смены, не давая ему ни минуты покоя.

Каков выход из этой ситуации? Выход здесь только один. Вам нужно осознать, что **вы не Господь Бог и что вы не можете держать все под контролем в этом мире.** Как бы вы ни старались, все равно что-то будет непрерывно выходить из-под вашего контроля. Родственники будут заболевать, куда-то уезжать или где-то задерживаться, вызывая у вас массу переживаний. Вы будете постоянно нервничать и заполнять тем самым свой «накопитель переживаний». И все это будет результатом неосознаваемой и ложной идеи о том, что вы способны держать все под контролем.

Как же выбраться из этой ситуации? Выход здесь очевиден. Расслабьтесь, позвольте Жизни течь так, как она течет. Поймите, что если уж Высшие силы решат, что ваши родственники должны заболеть или по каким-то причинам с ними что-то должно случиться, то **вы ничего не сможете сделать**. Если они это заслужили в силу наличия у них идеализаций или каких-то еще причин, то, как бы вы ни суетились и что бы вы ни делали, вы все равно не сможете встать на пути Высших сил и отменить их действия. У вас для этого не хватит сил, не хватит энергетической мощности. Поэтому у вас один выход — успокоиться, понять, что все в этом мире происходит по воле Божьей и каждый получает то, что должен получить. Ничего лишнего никому не выпадает, каждый человек сам создает свою жизнь.

А если у вас имеется идея, что кто-то страдает незаслуженно, так это свидетельствует о наличии у вас **идеализации жизни**. Успокойтесь, доверьтесь жизни, она всегда разумна и рациональна (в отличие от людей). В жизни ничего не происходит случайно и случается только то, что должно произойти.

Чтобы избавиться от идеализации контроля окружающего мира, мы рекомендуем много раз повторять аффирмацию: «Я доверяю Жизни, она безопасна. Я позволяю Жизни позаботиться о моих близких, и с ними будет все хорошо, все благополучно».

Если вы будете постоянно держать в голове эти фразы, то у вас уйдет страх смерти, уйдет страх за своих близких, и вы начнете наконец-то радоваться жизни. Вы успокоитесь и начнете жить своей жизнью, а не постоянно переживать страхи за других людей.

5.10. Если человека пытаются сломать, что ему делать?

Видимо, в данном случае речь идет о затяжной борьбе двух людей, которые пытаются выяснить, кто из них сильнее. И один, видимо, побеждает, а второй испытывает при этом дискомфорт, поскольку не может отстоять какие-то свои идеалы, свой образ жизни, свои позиции. Что в этом случае можно порекомендовать делать?

Чтобы ответить на этот, нужно сначала ответить себе на другой вопрос: «А стоит ли вообще так бороться за отстаивание своих идеалов?»

Ведь подобная борьба всегда сопряжена с осуждением того, с кем вы боретесь. Редко кто борется, в душе желая своему противнику любви и благополучия. Обычно ему желают совсем другое.

Стоит ли доводить конфликт до той стадии, пока у кого-то из его участников не кончится здоровье и он сломается психологически или даже физически? Или можно разойтись как-то более мирно?

Мы много раз встречались с подобными случаями, когда, например, муж пытался полностью подавить жену, сделать так, чтобы у нее не было своего мнения. А она всеми силами пыталась отстаивать свою независимость, свою точку зрения. И все время, пока она боролась с мужем, их жизнь была полна дискомфорта и негативных переживаний, как с одной, так и с другой стороны. В общем, жизни не было, была непрерывная борьба за отстаивание своих идеалов.

Может ли такая ситуация закончиться благополучно? Так бывало, но только тогда, **когда женщине надоедало бороться.** Она понимала, что переделать своего мужа и доказать ему что-то невозможно в силу того, что он убежден в своей правоте. У него есть своя модель мира, в которой жена должна знать свое место, и бесполезно пытаться его переделать, бесполезно ему что-то доказать. Он будет биться за свои идеалы до последнего, не принимая никаких доводов и слов. Фактически, он безумен.

А если вы понимаете, что этому человеку все равно невозможно ничего доказать, сколько бы сил, здоровья и времени вы ни положили, то стоит ли тратить свои силы на борьбу? Вы понимаете, что изменить этого человека невозможно. Так стоит ли вам продолжать с ним борьбу, если вы претендуете на звание человека разумного?

Конечно нет. Но это не значит, что нужно признать его правоту или с взаимными проклятиями разбежаться. **Нужно понять, почему этот человек появился в вашей жизни, какой урок он дает вам, какие идеализации разрушает.** Поймите, **чему вам нужно у него научиться.** Может быть, вам не хватает умения отстаивать свое мнение, умения добиваться своего? Возможно, вы чересчур добры и мягкотелы, и он вам демонстрирует другую сторону жизни: жесткость, агрессивность, еще что-то, и вам нужно этому поучиться.

А может быть, у вас просто имеются явные **идеализации независимости и отношений между людьми,** и он является вашим кармическим «воспитателем», посланным Высшими силами для их разрушения?

Поэтому сначала нужно проанализировать, что положительного дает вам эта борьба, чему можно научиться у этого человека. Но этот анализ должен проходить не через осуждение, гнев, протест, слезы или другие эмоции. Вы должны почистить накопленный на него негатив и затем проанализировать ваши отношения отстраненно, как бы со стороны. Вы должны понять, **чего вам не хватает** для того, чтобы быть столь же успешной, как он, хотя бы в отстаивании своей точки зрения. Потому что в остальных вопросах он может быть вовсе даже не успешен, просто он самореализуется путем подавления другого человека (в нашем примере — своей жены).

Вы берете у него все хорошее, чему у него можно научиться, чего у вас не хватает. А затем вполне разумно, без негативных эмоций, **решаете, что будете делать дальше.** При этом вы исходите из того, что ваш муж никогда не изменится, он будет до конца своих дней таким, каков он есть сегодня.

Исходя из этих обстоятельств, вы решаете для себя, что будете делать дальше. Может быть, **вы примете его** со всеми его заморочками, со всеми его претензиями на лидерство, с чувством собственной значимости, с его жаждой власти, жаждой командовать. Вы примете его как **большого капризного ребенка,** которому что-то взбрело в голову. И будете спокойно относиться ко всем его капризам. Может быть, вы станете ему немножко подыгрывать. Может быть, вы не будете обращать на него внимания или займете еще какую-то позицию. Например, **позицию матери, у которой есть большой капризный ребенок,** ничего не желающий слушать.

Что обычно делает мать капризного ребенка? Иногда она его бьет. Но у вас так не получится, вашего мужа побить уже нельзя, он переросток. Что еще можно сделать? Можно либо обращать его слова в шутку, внешне или внутри себя. Можно просто не обращать на них внимания, можно кивать головой и думать о другом. Вы понимаете, что переубедить его невозможно, и никогда не пытаетесь это делать. Вы просто **перестаете принимать всерьез его слова.** Он будет что-то говорить, но это совершенно не основание для того, чтобы на это всерьез реагировать, чтобы обращать на них внимание. Пускай себе говорит. Ему хочется самовыразиться, поэтому он открывает рот и что-то произносит. Может быть, он будет делать это достаточно громко или грубо, может быть, он будет даже замахиваться на вас при этом. Простите его, он такой большой и с очень большим приветом, что тут поделаешь. Возможно, он таким образом **просит у вас внимания и уважения** — пошлите мысленно ему порцию подобных энергий. А если сильно замахивается — спокойно пригрозите сдать его в милицию, это обычно отрезвляет.

В общем, как бы он ни выкаблучивался, вы вполне сможете спокойно к нему относиться. Если, конечно, решите, что **вам это зачем-то нужно.** Такой выбор обоснован, если вы считаете, что плюсов вашего совместного проживания больше, чем минусов, поэтому вы сознательно выбираете совместную жизнь, принимая его вот в таком странном обличье.

Если же вы видите, что плюсов у вашей совместной жизни почти нет, надежды на изменения к лучшему нет и нынешняя жизнь вас совершенно не устраивает, тогда, конечно, нужно сделать какие-то шаги, чтобы удалиться от этого человека как можно дальше. Чтобы он жил своей жизнью, а вы жили своей.

В общем, вы делаете шаги к тому, чтобы он больше не появлялся на вашем горизонте. Но разрыв не должен быть сделан в виде истерики, в виде хлопанья дверьми, с выкриками типа: «Я ухожу, и провались ты куда подальше!» Нет. Все должно быть сделано совершенно спокойно, разумно, многократно обдуманно. Вы делаете осознанный шаг, при котором вы ничего не теряете, не несете никаких убытков — материальных, моральных,, организационных и прочих. Вы должны построить ваш разрыв так, чтобы вам не о чем было жалеть.

Этот разрыв **не должен быть эмоционально окрашен**, он должен быть совершенно спокойным, как вынужденная мера. Пусть это будет шаг человека, обдумавшего все свои действия. Пусть ваш бывший недруг тешится мыслями, что он своего добился, нет проблем. Позвольте ребенку поиграть своими любимыми игрушками. А вы выйдете из этой ситуации победителем в силу того, что расстанетесь с ним эмоционально спокойной, не накопив в своем сосуде дополнительных грехов, без любого рода потерь. То есть вы выйдете победителем из этой ситуации, хотя на внешнем плане он может считать, что победил. Но это не более чем его фантазии. Вас не должно волновать, что он о вас думает, что он о вас говорит или что кому-то скажет. Это его проблемы, его жизнь, его головная боль, пускай он ею живет. А вы станете жить спокойно и без проблем.

В общем, как видите, **всегда существует, как минимум, два выхода**. В первом случае вы можете остаться, если количество плюсов совместного проживания превышает минусы разрыва, но вы обязательно должны выйти из мира негативных переживаний, изменить отношение к его словам и поступкам, перестать остро реагировать на них. Второй выход — вы можете разойтись, но разрыв должен быть осознанный, разумный, многократно просчитанный, чтобы вы ничего при этом не потеряли, а только выиграли.

Конечно, есть еще вариант оставить все как есть, но последствия такого выбора несложно предсказать. Они будут очень печальными.

Мы рассмотрели случай, когда муж пытается подавить свою жену. Но не менее редко встречаются ситуации, когда жена пытается подавить своего мужа, один из родителей пытается сломать волю своего ребенка, один из деловых партнеров пытается раздавить другого, начальник пытается подавить своего подчиненного (или подчиненную) и т. д. Приведенные выше рекомендации относятся ко всем этим случаям (за исключением разве что случая родитель и несовершеннолетний ребенок). В любом из этих случаев **ситуацию можно сохранить, изменив свое отношение к словам и поступкам вашего противника. Либо отношения можно разорвать, но вы должны сделать это осознанно, с благодарностью к этому человеку за преподнесенные им уроки.**

Заметьте, что мы не говорим, что нужно отказываться от борьбы за достижение своих целей, без приложения усилий трудно чего-то достичь. Вы можете бороться, но делайте это с внутренним спокойствием и даже с сочувствием к своему оппоненту — учителю. И тогда все будет замечательно!

5.11. Как поступать в той ситуации, когда моя жизнь благодаря чистке «сосуда кармы» стала улучшаться, а ближайшие родственники никак не включаются в этот процесс, даже осуждают и не понимают меня? Их жизнь ухудшается: здоровье, несчастные случаи, что вызывает сильные переживания у меня.

Народная мудрость говорит, что насильно в Рай никого не затащишь. Каждый человек в жизни руководствуется своим набором принципов, убеждений, идеалов, какими бы странными и разрушительными они ни были. Он имеет на это полное право. Собственно, об этом говорит и наша теория.

Допустим, вы встали на Разумный путь. Вы начали понимать, что ваша жизнь почти полностью зависит от вас. Вы понимаете те закономерности, которые управляют нашей жизнью. А ваши родственники не хотят становиться на этот путь, невзирая на ваше обращение к ним и попытки достучаться до них. И это вызывает у вас переживания, что свидетельствует о наличии у вас каких-то идеализаций.

Можно констатировать, что у вас есть **идеализация разумности** людей, и она проявляется в том, что вы недоумеваете и раздражаетесь на глупое поведение ваших родных. Вы не поймете, почему они упорствуют и не хотят осознать очевидных вещей. Казалось бы, все так просто: измените свои взгляды на жизнь — и она изменится! А люди упорствуют, настаивают на своих заблуждениях. Это вызывает ваше раздражение, недоумение и другие нерадостные эмоции.

Вы исходите из того, что люди — разумные существа, но на самом деле вы заблуждаетесь. И они своим поведением доказывают вам, что человек — существо, как минимум, странное, руководствующееся самыми чудными и непонятными идеями и убеждениями. Не осуждайте их, позвольте им пожить в мире их идей, им хорошо и комфортно там, и они не хотят выбираться из этого состояния. Они имеют на это право. Вы предложили им помощь, они ее не приняли — вам-то зачем переживать по этому поводу? Успокойтесь, иначе вы уподобитесь тем, кого осуждаете.

И вторая ваша идеализация — это **идеализация своего совершенства**. Она проявляется в мыслях типа: «Я не позволяю себе жить хорошо, когда вокруг люди так мучаются. Все люди должны жить одинаково. Поэтому помучаюсь-ка я вместе с ними, мне нельзя жить лучше, чем другие».

На самом деле каждый человек живет той жизнью, которую он сам создал себе. Некоторые люди, правда, отдают свою жизнь ребенку, полностью отказавшись от своей жизни. Но это тоже неправильно, и мы об этом уже говорили.

Каждая душа приходит в эту жизнь и вселяется в тело, чтобы **исполнять свои задачи**, свое предназначение. И спрос с нее будет именно за то, **насколько она выполнила свои задачи**, а не насколько она вмешивалась в жизнь окружающих и пыталась их изменить к лучшему в соответствии со своими идеями.

Посмотрите, все проблемы в жизни возникают из-за того, что люди стараются переделать окружающих. Жена пытается отучить мужа от пьянства или пытается как-то принудить его зарабатывать больше денег. Муж пытается переделать жену, чтобы она не лезла в его дела или меньше слушала свою маму, и т. д. Отсюда все проблемы.

К сожалению, вы стоите на этом же пути. Вы продекларировали, что встали на Разумный путь, но **продолжаете переделывать своих родственников.** Вы пытаетесь их просветить, научить жить осознанно, а они не хотят просвещаться.

В итоге у вас есть два выбора: один — попытаться силой заставить их жить разумно. Интересно, сможете ли вы это сделать? Пока что этого не удавалось **никому.**

Второй путь — просто предлагать им необходимую информацию и не ждать, что они услышат вас, воспользуются ею и поблагодарят вас. Скорее всего, они не воспримут ваших советов, будут критиковать, насмехаться или ссылаться на другие источники. Если при этом вы будете впадать в переживания, то **вы ничем не лучше их** — вы все живете в мире негативных эмоций. Так чем вы лучше их и с какой стати они должны слушать ваши поучения? Они страдают потому, что нарушают закономерности, не зная их. А вы страдаете потому, что вы знаете закономерности, но вы не позволяете другим людям жить своей жизнью. То есть вы тоже нарушаете закономерности, и в итоге ваша жизнь ничем не лучше их.

Поэтому мы говорим, что идеи Разумного пути хороши, но **далеко не каждый человек готов их услышать или сумеет ими воспользоваться.** Кому-то достаточно строгих указаний, инструкций. Кому-то достаточно религиозной веры, в которой тоже заложено множество указаний, а кому-то необходимо осознание. Через осознание закономерностей люди приходят к управлению своей жизнью.

Это Разумный путь, но он приемлем далеко не для всех людей. А если вы на этом пути погрузились в переживания, то вы тоже далеки от Разумного пути.

Так что рекомендуем подумать о себе и позволить окружающим иметь свое мнение, пусть и ошибочное. Ваша позиция может быть следующей: вы не осуждаете их, а в душе даже сочувствуете и как-то пытаетесь помочь им. Но если они не принимают вашей помощи, то что здесь поделаешь? Это их выбор. Это их жизнь, они добровольно выбирают эту ситуацию, и позвольте им жить так, как они хотят. От вас это не зависит.

А если ваша жизнь при этом изменится в лучшую сторону, то, возможно, через некоторое время **они сами обратятся к вам и спросят:** «Слушай, почему нам кажется, что жизнь такая помойка, а у тебя все хорошо? У тебя хорошее здоровье, у тебя всегда хорошее настроение, у тебя все благополучно, почему так получается? Не знаешь ли ты каких-то секретов счастливой жизни?» И тогда вы расскажете им, что руководствуетесь вот такими-то принципами, или такими-то нормами, или такими-то техниками. И они **сами захотят попробовать их применить,** поскольку увидели, что у вас все хорошо. А пока вы испытываете сильные переживания, вы совершенно ничем не отличаетесь от них, и у них нет никаких оснований обращаться к вам за помощью. Вы стоите на одном уровне. Просто они испытывают переживания по одному поводу, а вы испытываете их по другому.

Рекомендуем вам сначала самостоятельно выйти на Разумный путь. И тогда, возможно, ваш пример вдохновит других людей. До тех пор, пока вы сами будете переживать так же, как они, все ваши слова будут проноситься мимо них со свистом. Успехов вам на пути к Разумному миру!

5.12. Как вести себя, проводив ребенка в армию?

Собственно, здесь могут быть два варианта поведения. Один вариант — это бесконечные страхи, переживания по поводу сына. Содержание этих страхов стандартно: «А вдруг там дедовщина? А вдруг с ним что-то случится? А вдруг его пошлют на боевые действия и он погибнет? А вдруг с ним какое-то несчастье случится?»

То есть вы постоянно терзаете себя страхами, переживаниями, кидаетесь к телевизору, слушая очередные новости, ждете письма. В общем, накапливаете в своем «сосуде кармы» дополнительные проценты только из-за того, что ваш ребенок находится в армии. Никаких объективных оснований для переживаний у вас пока нет, но ваша «словомешалка» не дает вам покоя. При этом в какой-то мере **вы сами заказываете своему сыну те самые страхи**, которые крутятся у вас в голове. Мы уже говорили, что **страхи — это одна из форм заказа негативного события**. Когда вы представляете себе различные страшные случаи по отношению к другому человеку, вы занимаетесь, грубо говоря, черной магией. Вы направляете к другому человеку то, что представляете себе, и своими эмоциональными энергиями вы «оплачиваете» это самое событие.

Другое дело, что если этот человек вполне благополучен, то ваша магия не срабатывает. Скорее всего, ваши страхи так или иначе к вам вернутся и выразятся в виде проблем с вашим здоровьем.

Таким образом, нужно ли держать страхи в голове?

Естественно, не нужно. Будете вы переживать или не будете, лучше от этого вашему сыну не станет. От страхов может быть только хуже как ему (что маловероятно), так и вам.

Лучше ему станет только в том случае, если **вы будете относиться ко всему спокойно, с благодарностью и доверием к Жизни**. Напишете себе положительную аффирмацию: «Я доверяю Жизни, она безопасна. Я позволяю Жизни заботиться о моем ребенке, у моего ребенка все отлично, у него отличный коллектив. Ангел-хранитель всегда с ним. Бог всегда его защищает. Жизнь всегда приходит ему на помощь».

Вы повторяете эту аффирмацию про себя, контролируя за тем, что происходит у вас в голове. Как только там появится очередной страх, очередная «страшилка», вы сейчас же изгоняете ее путем многократного повторения аффирмации.

Тем самым вы будете заниматься «белой магией», то есть будете «заказывать» своему ребенку только положительные события. Если он вполне благополучный человек, то у него все будет хорошо. Так что успокойтесь, от вас почти ничего не зависит. Чем больше вы будете волноваться и тревожиться, тем с большей вероятностью ваши страхи так или иначе реализуются.

Конечно, оставаясь спокойным внутри, вы должны делать все то, что делают родители, то есть посылать деньги, писать письма и т. д.

На внутреннем плане вы должны быть абсолютно спокойны, вы должны доверять Жизни. Если вы не будете ей доверять, то она вынуждена будет реализовать ваш негативный заказ. Не забывайте об этом.

5.13. Многие люди жалуются на нехватку времени, можно ли как-то его растянуть?

Что такое жалобы на нехватку времени? Это **осуждение самого себя** за то, что вы что-то не успеваете сделать. Это мысли типа: «Я должен быть более оперативным, более быстрым, более деловым. А я вот не очень хороший, я не очень деловой, я не очень активный, я не очень энергичный, я что-то не успеваю сделать».

Понятно, что это **типичная идеализация собственного совершенства**. «Я недоволен собой потому, что я должен быть лучше. У меня даже время слишком короткое. Если бы его растянуть, я тогда успел бы больше дел сделать» — примерно так мыслит человек, осуждающий себя за несовершенство в деловой сфере.

Понятно, что при таком самоосуждении все больше и больше дел должны срываться или откладываться, таковы закономерности «воспитательного» процесса. Чем больше вы себя осуждаете, тем хуже у вас все будет получаться, тем меньше дел вы сможете делать. Нужно понимать, что человек может сделать только столько дел, сколько у него получается. Он, конечно, может как-то активизировать свою работу — методов оптимизации рабочего времени много, но это все действия на внешнем уровне.

А на внутреннем уровне вы **должны снять осуждения с себя** за то, что что-то не успеваете сделать. Потому что это не более чем идея о том, что на вашем месте какой-то другой, более идеальный человек, успел бы сделать на два-три дела больше. Спрашивается: а зачем? Что произошло в мире от того, что вы не успели сделать еще два-три дела? Что-то рухнуло, сгорело, утонуло, уплыло, жизнь остановилась? Очень сомнительно.

В нашем мире **ничего не происходит просто так**. И если вы сделали именно столько дел, значит, так и должно быть. Позвольте себе делать столько, сколько вы можете, и порадуйтесь этому. Если вы будете продолжать себя ругать, то, скорее всего, вскоре вы не сможете делать и того, что успеваете сегодня. У вас возникнет множество проблем, блокирующих все ваши усилия. Таковы закономерности кармического «воспитания» вашей души.

Поймите, что ваше недовольство собой — это не более чем идеализация своего (не)совершенства. Чтобы избавиться от нее, составьте себе примерно такую аффирмацию: «Я позволяю себе делать столько, сколько я могу. Я радуюсь всему тому, что я сделал. Я радуюсь тому, что я мог бы сделать еще, но я оставляю себе дела и на будущее. Я всегда доволен собой! Я принимаю себя таким, каков я есть, и все, что я делаю, это замечательно». Повторяйте много раз эти хорошие слова про самого себя, и вы поймете, какой вы замечательный человек. И если вы не успели сделать какие-то дела, то значит, что их не нужно было делать в тот день, который вы наметили. Иначе бы обстоятельства сложились так, что вы бы сумели их сделать. Перестаньте себя осуждать, полюбите себя такого, каков вы есть, и все у вас будет замечательно.

5.14. Я сейчас нахожусь в отпуске. Проблема — не могу отключиться. Нервничаю, каждый день ощущаю, как сокращается отведенное на отдых время.

Создается суета, неудовлетворенность. Есть ли выход, если уехать, сменить обстановку не получается. Что делать?

Собственно, здесь та же самая ситуация недовольства собой. Только здесь она приняла форму: «Я осуждаю себя за то, что я не могу хорошо отдохнуть. Вот какой-то другой, идеальный человек на моем месте, он бы в первый день, как ушел в отпуск, сразу напрочь забыл бы все дела. Он отключился бы от всего и ходил расслабленно, наслаждался отдыхом. А я так не могу, я несовершенный человек. Я как-то неправильно устроен. Я не могу даже хорошо отдыхать».

Понятно, что это **идеализация собственного совершенства**. Вы считаете, что на вашем месте какой-то другой человек вел бы себя по-иному, а вы вот ведете себя далеко не идеально. Но ведь вы таковы, как вы есть! Так что примите себя со всеми вашими переживаниями, со всеми вашими мыслями о работе — а куда вам деваться от этого? Порадуйтесь себе, такому трудолюбивому, примите себя со всеми вашими недостатками. Почитайте на себя медитацию прощения и скажите: «Да, видимо, я так устроен, что не могу перестать думать о работе. Ну и что? Я все равно люблю себя с моими бесконечными мыслями о работе! Я люблю себя с моими переживаниями, с моими бесконечными думами. Я все равно люблю себя такого, который не умеет хорошо отдыхать. Зато я умею хорошо работать. Я такой классный, все остальные умеют отдыхать, а я отличаюсь от них. Я занимаюсь своим делом, даже находясь в отпуске. Только здесь у меня появилась возможность подумать обо всем спокойно, взглянуть на ситуацию со стороны, объективно. Я себя за это люблю, я себе радуюсь, и у меня нет никаких оснований для самоосуждения».

Так что попробуйте полюбить себя таким, каков вы есть, то есть с вашей внутренней суетой, с нервами и думами о работе. И тогда окажется, что все замечательно и что вы очень хороший, хотя и немного нервный человек.

5.15. Как с помощью вашей методики избавиться от страха перед одинокой, голодной старостью? Здоровья нет, а пенсия маленькая.

Что такое страх перед одинокой и голодной старостью? Это проявление **идеализации контроля окружающего мира.** Есть некая действительность, которая состоит в том, что нет денег и хорошего здоровья.

Впереди у вас неопределенное будущее, в котором вы не уверены. Вам хотелось бы знать, каким будет ваше будущее, какую пенсию вы будете получать через год или через десять лет, каким будет ваше здоровье и т. д. Но этого не знает никто. И вас это постоянно тревожит, потому что **жизнь выходит из-под вашего контроля.** Жизнь становится непредсказуемой. Она может выкинуть какой-то фокус, а вы не сможете заранее принять меры для того, чтобы обезопасить себя в будущем.

К сожалению, попытка контролировать будущее обречена на провал, будущее неизвестно и непредсказуемо, как бы ни пытались его предугадать. В мире происходят катастрофы, происходят всякие изменения, революции, валюты падают или меняются, и **ни один человек в мире не может быть на 100% уверен в своем будущем.**

И чем больше вы тревожитесь, тем больше негатива вы притягиваете в свою жизнь, потому что **страх — это есть заказ того, чего вы опасаетесь.**

Как выйти из этой ситуации? Нужно осознать, что ваши страхи — это есть результат попытки контролировать весь мир, контролировать ваше будущее. Понять, что вы не Бог и не можете контролировать будущее. Оно никому не известно, поэтому есть только один выход: успокоиться, смириться с невозможностью заглянуть за горизонт времени, принять это как объективную реальность. И **научиться радоваться сегодняшнему дню** — тому, что у вас хоть неважное, но есть здоровье. Пенсия хотя бы небольшая, но все же есть. В мире существует множество людей вашего возраста, у которых нет и этого!

Ваша внутренняя программа, аффирмация, которая поможет вам успокоиться, может звучать примерно так: «Я доверяю своему будущему, мое будущее безопасно. Я позволяю Жизни заботиться обо мне. Я знаю, что Жизнь всегда мне помогала, и она будет помогать мне в будущем. Я доверяю будущему, я доверяю Жизни! Я радуюсь жизни во всех ее проявлениях!»

Повторяйте подобные фразы пятьсот или тысячу раз, и они станут вашей реальностью. Вспоминайте о них каждый раз, когда у вас возникают страхи. В результате вы станете спокойным человеком, уверенным в своем безоблачном будущем. И оно будет именно таким, потому что жизнь наша такова, каковы наши мысли.

Заказываем страхи — получаем их реализацию. Заказываем хорошее будущее — получаем благополучную жизнь.

5.16. Как избавиться от неуверенности, например что купить: белое или черное, куда пойти: направо или налево, и все такое?

Можно посочувствовать автору этого вопроса, потому что он человек бесконечно сомневающийся. А в основе его сомнений лежит страх сделать ошибку, сделать неправильный выбор. Что такое боязнь сделать ошибку? Это **идеализация собственного совершенства.** Ход мыслей при этой идеализации всегда одинаков: «Идеальный человек на моем месте не ошибется, он всегда пойдет туда, куда нужно. Он всегда пойдет правильно, будь то право или лево, купит то, что нужно. Он никогда не ошибается! А вот я — несовершенный человек, я обязательно ошибусь, и все это увидят. Мне обязательно нужно избежать ошибки, но я не знаю, как это сделать, и для меня это недопустимо. Как же быть, как же мне сделать так, чтобы я не ошибся?»

При таком ходе мыслей начинаются бесконечные сомнения, делается **попытка принять единственно правильное решение.** Но поскольку принять его обычно невозможно в силу того, что для принятия обоснованного решения не хватает информации, то все сводится к бесконечным переживаниям.

Это идеализация собственного совершенства, и бороться с ней мы предлагаем с помощью аффирмации: «Все, что я делал, делаю и буду делать — замечательно изначально. Все, что я делаю, я делаю с удовольствием. Мой выбор всегда самый правильный и самый замечательный. Даже если я делаю ошибки, то это самые хорошие ошибки! Это мои ошибки, и я ими горжусь! Я получаю огромное удовольствие от того, что я делаю. Я позволяю Жизни помогать мне делать шаги к цели без всяких раздумий. Я делаю первый шаг, который приходит мне в голову, и он всегда оказывается правильным. Все, что я делаю, всегда правильно, изначально правильно. Жизнь замечательна, и, если я даже ошибаюсь, я делаю это с удовольствием! У меня все хорошо, я прекрасный человек».

Повторяйте подобные фразы много, много раз, и вы выйдете из состояния неуверенности, перестанете колебаться при принятии любых решений.

5.17. Очень жаль, что люди так губят природу. Вокруг много мусора и грязи. Как жить с хорошим настроением в окружении всего этого?

Более наглядно эти мысли можно выразить примерно так: «Какие же свиньи люди, что они так загадили окружающий мир! Неужели они не понимают, что мир хорош, а они своими поступками, своим поведением губят прекрасную природу, и скоро мы будем все жить на помойке!»

Нужно констатировать, что у вас имеется ошибочная идея о том, что люди — это существа разумные. Вы исходите из того, что люди, как разумные существа, должны заботиться о своем доме, должны заботиться об окружающем мире. Они не должны его губить, должны сохранять его для своих детей. Но так могут вести себя только разумные существа. А люди — это существа безумные, мы уже много раз это повторяли. Именно поэтому они уничтожают все вокруг себя. При этом большинство из них остаются довольны собой и находят подобному поведению научные обоснования. В общем, это нормальный безумный мир, в котором все мы живем. И если у вас есть ошибочная идея, что люди разумны, то это всего лишь **идеализация разумности**.

Рекомендуем отказаться от этой идеи и понять, что люди — это в основной массе существа безумные. И живут они в том мире, которого заслуживают. Но **вы не обязаны разделять их точку зрения** и становиться таким же безумным, как они. Вы и любой другой человек, которому дорога природа, **имеете право и должны делать все, чтобы в вашем личном окружении все было хорошо и чтобы вы сами не участвовали в разорении природы**.

То есть, например, ваш собственный автомобиль не должен коптить. А если вы ругаете других, но сами ездите на каком-нибудь вонючем автомобиле, из которого вылетают грязь и копоть, то никаких оснований для осуждения других вы не имеете. Будьте добры сами не совершать поступки, которые идут во вред природе. Не делайте этих поступков сами, но и не осуждайте других людей за то, что они их делают. Лучше, если есть возможность, **сделайте им замечание или исправьте то, что они сделали**. Поймите, что люди — это такие странные существа, что часто за ними нужно исправлять то, что они совершают. Исправьте это, но не осуждайте их. Поймите, что они еще находятся в очень слабой стадии развития, они еще дети на пути эволюции. А разве можно на детей обижаться? Детям можно либо подсказывать, либо указывать, либо что-то за ними исправлять. Попробуйте принять эту позицию, и тогда окажется, что все обстоит не так уж плохо.

На этом мы заканчиваем рассмотрение вопросов, касающихся проблем самого человека, и переходим к следующей теме — взаимоотношениям между мужчиной и женщиной.

Глава 6

МУЖЧИНА И ЖЕНЩИНА. ВСЕ ТАК ПРОСТО И ТАК СЛОЖНО!

В этой главе мы рассмотрим ситуации, связанные с взаимоотношениями между мужчинами и женщинами, влюбленными или уже имеющими статус мужа и жены. Это очень большая часть нашей жизни, и проблем тут более чем достаточно. И хотя основные идеи на эту тему подробно изложены в предыдущих книгах, все же у читателей остается множество вопросов. Вкратце повторим наши основные идеи на этот счет.

Если у человека имеются какие-то идеализации, то Жизнь устраивает все таким образом, что он влюбляется в того, кто имеет другую систему ценностей, то есть используется второй способ разрушения наших идеализаций. На момент сильной влюбленности пара не замечает этих расхождений или надеется, что их избранник со временем исправится. Но затем любовный пыл, а вместе с ним и «розовые очки» спадают, и оказывается, что муж (избранник) или жена (избранница) совсем по-другому относится к очень важным для вас вопросам. Начинаются претензии, ссоры, обвинения, попытки навязать некогда любимому человеку «правильные» взгляды по тем или иным вопросам. А все потому, что каждый борется за свою модель устройства мира и не позволяет ему быть иным. Выход из этой ситуации, к которому подталкивают нас Высшие силы, — признать, что мир многообразен и равное право на существование имеют самые разные ценности и идеалы (а не только ваши). То есть нужно принять мир таким, каков он есть в действительности, а не в наших ожиданиях и мечтах.

А теперь рассмотрим, как с помощью технологии Разумного пути можно выбраться из запутанных жизненных ситуаций.

6.1. Бывают ли мужчины, которые выбирают умных, красивых женщин, но не моложе себя?

Похоже, что автор письма — это женщина, у которой есть внутренняя программа, что мужчины выбирают себе в спутницы женщин только моложе себя. Это ошибочная программа. На самом деле жизнь вещь очень сложная, многообразная и многогранная. И достаточно часто встречаются ситуации, когда мужчины выбирают себе любимую женщину, совершенно не обращая внимания на ее возраст. Ведь для совместной жизни главное — это не возраст, а то, чтобы им было хорошо вместе и чтобы она отвечала его внутренним потребностям. Сколько лет одному и другому — это имеет далеко не решающее значение. Это имеет большое значение на Востоке, где часто жену выбирают родители, которые обращают внимание только на ее происхождение, внешность, возраст и здоровье и совершенно не рассматривают ее как самостоятельную личность. В цивилизованных странах ситуация давно изменилась, и женщина является равноправным партнером (а то и главенствующей стороной) в браке. Очень часто именно женщина является выбирающей стороной, и ее успешность во многом зависит от того, **какие идеи засели в ее голове.**

То есть если в голове у женщины имеется негативная программа типа: «Мне слишком много лет, на меня уже никто не будет обращать внимания; я слишком стара для любви; я уже вышла из возраста, когда на меня обращают внимание; меня могут полюбить только за мои деньги; мужчины обращают внимание только на молодых и красивых» и т. д, то **Жизнь будет реализовывать именно эту программу.** Именно так работает четвертый принцип кармического «воспитания», если вы помните.

Имея в голове подобную программу, женщина сама заказывает себе такую жизнь, в которой мужчины не обращают на нее внимания. Это типичное ошибочное убеждение, и с ним нужно работать. Для устранения этой программы мы предлагаем составить противоположную по смыслу аффирмацию и многократно повторять ее.

Аффирмация может быть примерно следующей: «Я доверяю жизни, она всегда исполняет мои желания. Я обязательно встречу мужчину моей мечты, и нам будет хорошо вместе. Мне все равно, сколько будет ему лет, меня не интересует этот вопрос. Важно, чтобы он любил меня, я любила его и нам было хорошо вдвоем. Я доверяю миру, и я знаю, что этот мужчина рано или поздно появится возле меня. С любовью и благодарностью я жду встречи с ним, и она обязательно произойдет».

Многократное повторение такой аффирмации поневоле заставит вас смотреть по сторонам: «Где же мой любимый? Где же тот, кто составит счастье моей жизни?» — и обязательно приведет к положительному результату. Если при этом вы составите себе примерный перечень характеристик вашего любимого, то тем самым значительно облегчите Высшим силам процесс выполнения вашего заказа.

Единственное, чего ни в коем случае нельзя делать, так это тревожиться, беспокоиться и испытывать любые другие негативные эмоции по поводу своего заказа. Тогда Жизнь даст вам то, что вы попросите.

6.2. Я замужем. Полюбила другого мужчину, он меня тоже. Мы хотели бы быть вместе, но у нас семьи, маленькие дети. Как вы относитесь к такой ситуации?

В этой ситуации нет ничего оригинального, она повторяется многократно. Сначала люди влюбляются и строят семьи, потом любовь проходит и наступают будни. Потом вдруг приходит новая любовь, но уже к другому человеку. Нередко мужчина находит женщину, которая замужем. Или женщина влюбляется в женатого мужчину. У них возникают сильные взаимные чувства, но у обоих имеются семьи, дети, по отношению к которым существуют немалые обязательства. Это обычная ситуация, многократно повторяющаяся в жизни.

Каков может быть выход из этого положения?

Выходов, собственно, может быть два. Первый вариант — это когда **влюбленные разводятся с семьями, соединяются и живут вместе.** Нам приходилось много раз встречать людей, которые решились на этот шаг и живут вполне счастливо. Наша теория здесь обычно не нужна, поскольку у счастливых людей нет поводов для негативных переживаний. Разве что им неплохо бы использовать Методику формирования событий для решения своих текущих материальных и иных проблем.

Но к сожалению, так бывает не часто.

Чаще **влюбленные отказываются от своей любви** ради того, чтобы сохранить семью, чтобы у детей были настоящие родители. Чтобы у детей был родной отец, а не отчим, или чтобы мать была родная.

Фактически, в таком случае родители пробуют любой ценой сделать полноценной жизнь своих детей, пусть даже за счет отказа от собственного счастья. Они отказываются от своей любви ради сохранения семьи, ради детей. Это тоже достойный выбор, человек имеет на него право. Единственное, что, делая такой выбор, он **должен предусмотреть все его последствия** и не впадать в переживания после принятия своего решения расстаться с любимым.

Если вы сами отказываетесь от любви, отказываетесь от любимого человека, отказываетесь от совместной с ним жизни только потому, что считаете, что детям нужен только родной отец, каким бы он ни был, и что нельзя строить свое счастье на чужом горе, то вы имеете полное право на такое решение. Тем более, что мораль и общественное мнение всегда стоит на защите существующей семьи, какой бы она ни была.

Это будет ваш добровольный выбор, и если вы его сделаете, то живите себе спокойно дальше. Вспоминайте свою любовь как приятное приключение, которое подарила вам Жизнь, чтобы скрасить ваши будни. Это будет поведение разумного человека, понимающего, что и зачем он делает.

Но к сожалению, многие отказываются от любви только под влиянием **идеализации отношений** (я не могу уйти и заставить страдать моего мужа, он не заслужил этого!), **идеализации семьи** (семью нужно сохранять любой ценой, нельзя ребенка лишать одного из родителей!), или **идеализации общественного мнения** (я не могу так поступить, что люди обо мне говорить будут!), или какой другой. А потом многие годы страдают: «Ну почему же я отказался от любви? Зачем же я отказался, надо было сделать этот шаг к своему счастью! Почему же я оказался таким нерешительным!»

То есть человек сначала делает поступок, а потом долгие годы скорбит об этом, занимается самоедством, накапливает претензии к жизни и к себе. Естественно, что его «сосуд кармы» наполняется и жизнь становится все хуже и хуже. То есть человек сначала делает вполне добровольный выбор, а потом всю оставшуюся жизнь недоволен этим выбором. Такова нормальная безумная жизнь, которой живут множество людей.

С точки зрения Разумного пути вы сначала должны принять осознанное решение, а потом **спокойно довольствоваться его последствиями**, поскольку это было ваше собственное решение. Оно может быть любым, вы имеете полное право поступать так, как вам захочется. В рассматриваемом случае это вполне могут быть разводы в прежних семьях и соединение с любимым человеком. Или это может быть расставание с любимым и жизнь в прежних семьях. Но это должен быть ваш добровольный выбор! Пожалуйста, найдите в нем множество положительных сторон и постарайтесь забыть об отрицательных, и тогда все будет отлично.

Самое худшее, что вы можете сделать — это оставить все так, как есть, не принимая никаких решений и страдая от невозможности жить с любимым человеком. Тогда вы превратите свою жизнь в ад, поскольку вы не решились соединить свою жизнь с любимым человеком, остались с нелюбимым, но **не**

смирились со своим выбором, не увидели в нем ничего хорошего. В результате вы погрузитесь в мир переживаний на тему: «Ну почему я не сделала так, чтобы моя жизнь была другой?»

Но это же был ваш добровольный шаг, так какие же у вас есть основания для переживаний? Успокойтесь, примите мир таким, каков он есть. Вы сами сделали выбор жить с нелюбимым человеком, но зато сохранили семью и у вашего ребенка остался родной отец (или мать). Теперь вам с ним жить многие годы, так попробуйте начать относиться к нему хотя бы без осуждения! Может быть, вы сможете найти в нем новые достоинства — ведь не зря же вы когда-то полюбили его!

В общем, примите любое ваше решение и постарайтесь увидеть в нем только положительные стороны. Ведь это был ваш собственный выбор, значит, он не может быть неправильным! И, пожалуйста, будьте им довольны.

6.3. Подскажите, пожалуйста, как мне определиться. Развестись или поработать с мужем, если он по всем человеческим параметрам полное дерьмо. Чувство обиды и боли — мое постоянное состояние.

Судя по тому, что автор данного вопроса пишет о постоянных чувствах обиды и боли, ситуация у нее достаточно напряженная. Похоже, что количество негативных эмоций, накопившихся у женщины по отношению к своему мужу, достигло предельного значения, поскольку она называет его «полным дерьмом». Похоже, что она всерьез обижается на жизнь за то, что у других бывают приличные мужики, а вот ей попалось непонятно что.

Возможно, что муж у нее действительно не подарок, но если вот в таком состоянии с ним разойтись, то это будет далеко не лучшее решение. Может быть, он очень скупой или гуляет на стороне, не умеет зарабатывать деньги, пьет, скандалит или неуважительно относится к своей жене, но это все не просто так. Он дает своей жене какие-то уроки, а она не понимает их и погружается в пучину переживаний.

Если она разойдется с мужем, сохраняя все недовольство и претензии к нему, то, скорее всего, в следующий раз она попадет в то же самое, а то и похуже. Она не усвоила тот урок, который давала ей Жизнь. А урок был простой и состоял в следующем.

У вас есть модель идеального мужчины и модель идеальной семьи, но ваша реальная семейная жизнь никак не совпадает с этими ожиданиями. Поэтому вы испытываете длительные переживания, что свидетельствует о наличии у вас **идеализации семейной жизни** и, возможно, **идеализации отношений между людьми**. Ваш муж разрушает эту идеализацию, то есть он является своего рода «кармической таблеткой» для вас.

Но вы не хотите принимать эту таблетку, вы с гневом и с недовольством отвергаете его уроки. Возможно даже, что вы вовсе не хотите его видеть, считая, что он не достоин находиться рядом с вами. Хотя некоторое время назад вы сами выбрали его своим мужем, считая, видимо, что он кладезь достоинств. Но потом пришло разочарование в своем выборе.

Если вы не усвоите урок, который вам дает Жизнь через вашего мужа, то в следующий раз, скорее всего, попадете в еще более худшую ситуацию. Ваш следующий муж поначалу будет таким же прекрасным, как был и ваш прежний на стадии женитьбы. А потом окажется, что у него есть масса недостатков и с очень большой вероятностью он окажется ничуть не лучше (а то и хуже), чем то, что вы имеете сегодня.

Приведем пример, как это бывает в жизни. Например, есть некая женщина. Ее первый муж любил лежать на диване и смотреть телевизор, чем сильно раздражал свою жену. После развода она вышла замуж, но ее новый муж через некоторое время полюбил смотреть телевизор, лежа на диване, но уже с бутылкой водки. Понятно, что особой радости своей жене он не доставил. Если ей еще раз разойтись, то, наверное, третий муж будет любить лежать на диване не только с водкой, но и с другой женщиной. Именно так Жизнь учит нас не осуждать то, что мы имеем.

То есть, если вы не принимаете без осуждения своего мужа, Жизнь будет вынуждена ставить вас в одну и ту же ситуацию многократно. Пока вы не поймете, чему она вас учит через эти события. А когда вы поймете, что идет разрушение ваших идеализаций, и откажетесь от них, то дальше вы сможете жить так, как захотите.

Но все это не значит, что вы должны жить с ним всегда. Если вы захотите развестись, то нет никаких проблем. Это будет ваш добровольный выбор, но **развод должен произойти только после того, как вы простили этого человека.** Иначе ситуация повторится! Вы поняли, какие уроки он вам дает, почему он вам встретился в жизни, почему вы вышли замуж именно за него, какие ваши идеализации он разрушает. Если вы поймете это, поблагодарите Бога за то, что он вам дал урок. И после этого скажите: «Господи, я усвоила все, чему ты хотел научить меня. Я простила этого человека и позволяю ему быть тем, кем он хочет, меня это совершенно не волнует. Но мне хотелось бы быть от него подальше, я хотела бы дальше жить такой жизнью, какой мне нравится. Я разойдусь с ним без претензий, без оскорблений, без криков, без негодования. Я спокойно позволяю ему идти своим путем. Если это нужно, то пусть он дает урок следующей женщине, которая этого достойна. Я свой урок получила и сделала из него выводы. **Я искренне благодарна ему** за это. Я прошу, чтобы в следующий раз у меня была нормальная жизнь, потому что меня не нужно больше воспитывать. Я уже прошла «воспитание» и благодарна за него».

Если ваши мысли будут примерно такими, то вы сможете встретить достойного вас человека и жизнь у вас будет вполне благополучной, но только в этом случае. Если вы не сделаете выводов и развод будет конфликтным, то очень велика вероятность, что Жизнь заставит вас повторно пройти тот же самый урок. Чего мы вам вовсе и не желаем.

6.4. Я очень добрый человек, а мой муж издевается надо мной. Иногда бьет меня, даже по лицу. Я все это терплю, принимаю его со всеми его недостатками. Но неужели так будет продолжаться всегда?

К сожалению, нередко приходится встречаться с ситуацией, когда один человек обладает избыточной добротой, а второй является сущим негодяем (в общечеловеческом смысле).

То есть Жизнь часто сводит вместе людей, один из которых является патологически добрым, помогающим всем, заботящимся обо всех. А второй — это патологически жестокий, думающий только о себе эгоист, издевающийся над этим добрым человеком, преследующий его.

Казалось бы, почему так получается, почему доброму человеку жизнь доставляет такие неприятности, сводит его с явным злодеем? Неужели он чем-то заслужил такое? На самом деле ничего особенного здесь нет. Это обычный кармический «воспитательный» процесс, когда Жизнь использует второй способ разрушения наших идеализаций (сведение вместе людей, имеющих разные системы ценностей).

Ведь что такое избыточная доброта, избыточное милосердие? Это **идеализация отношений** между людьми, к сожалению. Избыточно добрый человек руководствуется идеей, что всем людям нужно помогать, обо всех нужно заботиться, люди требуют моей неустанной заботы, нельзя ни в коем случае думать о себе, нельзя защищаться, нельзя отстаивать свои интересы. Нужно думать и помогать **другим людям**. Тогда люди, посмотрев на меня, сами изменятся и будут вести себя так же хорошо.

То есть здесь имеет место **попытка изменения других людей** с помощью собственного примера.

К сожалению, в подобных ситуациях личный пример обычно не срабатывает из-за наличия идеализации отношений. Идеализация проявляется в том, что этот самый добрый человек ждет, **что другие люди изменятся**, посмотрев на него. Он ждет какой-то благодарности в ответ на свои добрые поступки. Он может

158

не осознавать этих ожиданий, он **может не призна-**
ваться даже самому себе, что он ждет, когда же люди
вокруг него изменятся и тем самым вознаградят его за
его благодетели, усилия, страдания, за смирение и за
его помощь людям. Фактически, он ожидает, когда мир
изменится. Этот мир неправильный, в нем есть люди
недобрые, злые, жестокие (как мой муж), и они должны измениться. Они должны стать лучше, я для этого
не предпринимаю усилий по принудительному изменению этого человека, но **я меняю его своим собствен-**
ным примером. Это несколько иная по форме попытка
переделать другого человека, но, по сути, это то же
самое. Если бы он не ожидал этого результата, он давно бы ушел и жил нормальной жизнью.

Для того чтобы разрушить эту идеализацию отношений, Жизнь сводит вместе людей с различными, а то
и противоположными качествами. В частности, в мужья к очень доброй женщине достается мужчина, который думает только о себе, не выбирает выражений
и в случае необходимости не стесняется пускать в ход
физическую силу, и для него это норма поведения.

Он наверняка не очень доволен жизнью и испытывает не самые светлые чувства по отношению к своей
патологически доброй половине. Фактически, он дает
доброму человеку своего рода урок того, что человек
не должен думать только о других, он должен немнож-
ко думать и о себе.

Тем самым Жизнь подсказывает нам, что быть добрым хорошо, но гипертрофированная доброта — это
тоже патология, это тоже избыточность. Собственно,
почему вы отказываетесь от своей жизни, добровольно терпя унижения и жестокость? Разве вы, хороший
человек, не имеете права на нормальную жизнь? Но вы
отказываетесь от нее в надежде, что рано или поздно
кто-то, вдохновленный вашим терпением и добротой,
будет меняться. Ведь вы в любой момент можете совершить какой-то шаг к нормальной жизни. Например,
уйти от вашего обидчика или выгнать его из своего
дома. Тем самым ваша жизнь сразу изменится, станет
более комфортной, более спокойной, поскольку вас

никто не будет оскорблять, никто не будет бить или унижать. И вы перестанете испытывать те самые страдания, которые вам так отравляют жизнь.

Это ваш добровольный выбор, вы его сделали, отстаивая свою систему ценностей. Ваш идеал состоит в том, что все люди должны быть очень добрыми и милосердными, должны помогать другим.

Ваш муж, в данном случае, предъявляет совершенно другую систему ценностей. Он считает, что нужно думать только о себе, нужно плевать на интересы других людей, над людьми можно издеваться, их можно унижать, и они будут терпеть это. Нужно сказать, что вы своим поведением, своим терпением подтверждаете его точку зрения. Раз вы сносите все это, какой у него стимул меняться?

Наша рекомендация «принимать мир таким, каков он есть» совсем не означает предложение терпеть унижения и побои от другого человека, вовсе нет. «Принимать мир...» всего лишь означает, что вы должны **снять эмоциональные претензии** к человеку, который ведет себя неподобающим образом. А жить вместе с ним и терпеть от него унижения — с какой стати? Вы можете сделать и такой выбор, но это не будет иметь никакого отношения к «принятию таким, каков он есть». Разумный человек должен, вместо переживаний, понять, какой урок дает ему другой человек. А потом, усвоив этот урок, он должен сделать для себя выбор — оставить все, как есть, или прекратить неприятные для себя отношения.

Патологическая доброта и смирение являются такой же идеализацией, как и патологическая жестокость и суперэгоизм. Это все крайние проявления страстей, и разумный человек не будет цепляться за эти крайности, поскольку Жизнь наверняка начнет применять к нему «воспитательные» процессы. Именно поэтому к патологически добрым и заботящимся только о других людям часто притягиваются эгоисты и просто негодяи. Тем самым они дают друг другу урок, который, к сожалению, обычно никто из них не понимает и не делает из него выводов. А выводы должны быть совсем простыми — доброта должна иногда быть жесткой, чтобы защитить саму себя.

Разве добрый человек должен позволять над собой издеваться? Он же тем самым поступает жестоко по отношению к себе! Нет, иногда он должен стать немножко более жестким и отстоять свои интересы, свою безопасность, свое достоинство, свою нормальную жизнь. Добрый человек имеет такое же право на хорошую жизнь, как и любой другой. И отказываться от своей жизни, отказываться от спокойного, хорошего существования во имя своих убеждений — это идеализация, поскольку такой выбор обычно связан со страданиями. Эту идеализацию Жизнь разрушает по второму способу кармического «воспитания» путем сведения с человеком, имеющим противоположную систему ценностей.

Ну а что жестокость — это патология, говорить особенно не приходится, и добрый человек своим поведением показывает жестокому, к чему ему следовало бы как-то подвигаться.

Из всего этого следует вывод о том, что наш призыв принимать человека во всех его проявлениях вовсе не означает, что нужно терпеть те унижения или оскорбления, которые он вам наносит. **Принимать — это значит не осуждать его на эмоциональном плане.** А на внешнем плане вы имеете полное право с ним развестись, вызвать милицию, если он будет заниматься рукоприкладством, или найти на него управу другим способом. Вы имеете право обеспечить себе спокойную и комфортную жизнь, при этом не испытывая обиды и ненависти.

То есть на внутреннем плане вы его не осуждаете, понимая, что он является результатом полученного воспитания, своей среды и других обстоятельств. И он тоже тварь Божья, поэтому он не подлежит осуждению. А на внешнем плане вы можете защищать свои интересы всеми доступными вам способами. Тогда вы обеспечите себе хорошую, достойную жизнь. И вы получите ту жизнь, которую заслужил такой хороший человек, как вы.

6.5. Посоветуйте, пожалуйста, как мне вести себя, если мой муж влюбился в двадцативосьмилетнюю даму. Ему шестьдесят два года. У него сейчас очень сильный негатив по отношению ко мне.

Выход может быть только один. Вам нужно изменить свое отношение к ситуации и с интересом посмотреть на своего мужа. Может быть, вам стоит гордиться им? Надо же, человеку шестьдесят два года, а он еще способен влюбляться! Поскольку он влюбляется в молодых и, видимо, рассчитывает на взаимность, значит, у него очень приличное состояние здоровья и внешних данных. И вы должны быть горды тем, что, прожив с вами достаточно большое количество лет, он остался таким здоровым и способным на сильные чувства. Он — предмет вашей гордости! И может быть, стоит у него поучиться такому отношению к жизни, когда человеку все равно, сколько лет ему и его любимой женщине, лишь бы им было хорошо. Может быть, ему было бы и с вами хорошо, но, скорее всего, вы психологически уже чувствуете себя человеком пожилым, жизнь которого закончена и которому осталось только сидеть на лавочке и нянчить внуков.

Ведь ничто не старит людей более, чем их собственные убеждения! Многие родители после рождения одного или двух детей считают, что их собственная жизнь почти закончилась, и начинают жить интересами детей. Общественное мнение тоже навязывает нам стереотип, что прожил лет шестьдесят или семьдесят — и пора на кладбище, нечего небо коптить. А ведь Природа заложила в человеке ресурсы на 120—150 лет жизни! А мы используем его только на 30—50%, досрочно изнашивая организм в бесконечных переживаниях и «заказывая» себе жизнь длиной в 60—70 лет. Похоже, этот стереотип, что после 60 лет можно только греться на лавочке и ждать окончания земного пути, очень силен у вас. И вы искренне недоумеваете, как можно в 62 года в кого-то влюбиться! Купить костыли или инвалидную коляску — это понятно, это нормально. А вот влюбиться в таком возрасте в молодую может только сумасшедший!

Но ваш муж сохранил молодость духа, и он дает вам урок, что годы не имеют никакого отношения к возрасту человека. Шестьдесят два года — это не возраст, это только расцвет жизни. Известно множество случаев, когда люди женятся и заводят детей в восемьдесят, в девяносто или даже в сто лет. И живут счастливо!

И только наша идея о том, что с наступлением 70 или 80 лет пора помирать, нас, собственно, и загоняет в могилу. Мы формируем свою жизнь своими мыслями, и наш возраст мы опять же заказываем себе сами. Обычно это совсем небольшой возраст по сравнению с заложенным потенциалом.

А вот ваш муж выше этого. Может быть, вам тоже есть смысл отказаться от стереотипов и почувствовать себя молодой и здоровой? Это вполне в ваших силах. И тогда вы поймете, стоит ли вам продолжать жить с прежним мужем или пришла пора подумать о новом.

Это как вариант. А можно просто ощутить себя женщиной, достойной любви, достойной внимания. И тогда ваш муж поймет, как он ошибался, потому что найдется три, пять или десять мужчин, которые будут с радостью предлагать вам руку и сердце, будут ухаживать за вами. Вам нужно лишь создать ситуацию, когда это реализуется. А это реализуется тогда, когда вы почувствуете себя достойной любви, достойной внимания, когда вы поймете, что вы красивы, энергичны и заслуживаете многого.

А как это сделать — посмотрите на вашего мужа, его поведение является примером для вас. Так что проваливаться в негатив, в бесконечное пережевывание мыслей о том, что вот «седина в бороду, бес в ребро» — это совершенно бесперспективный путь, который приведет к накоплению у вас негативных переживаний и к ухудшению здоровья, может быть, к развалу семьи. Поучитесь у него, как можно радоваться жизни! И тогда окажется, что ваша жизнь с ним будет продолжаться еще много лет, поскольку вы получите вторую молодость.

6.6. С вашей методикой я познакомилась примерно два года назад, работает четко. У меня стало намного меньше проблем. Спасибо вам. Помогите, пожалуйста, разобраться с основной. Я замужем два года. Мы с моим мужем Алексеем живем очень хорошо, но существует третий, Александр. С ним мы оба знакомы. С мужем у нас отношения ровные и теплые. Я его люблю, но спокойно. К Александру испытываю страсть, которая длится шесть лет. Думаю, что у нас с ним кармический узел. Мы сближаемся, как асимптоты, но никогда до конца так и не подходим друг к другу. Помогите мне выйти из создавшейся ситуации.

Как видим, здесь имеется ситуация любовного треугольника: я живу с одним, но люблю другого. Почему так происходит? В качестве объяснения предполагается, что имеет место кармический узел, поэтому меня к нему тянет?

На самом деле причины, по которым одного человека может тянуть к другому, могут быть самыми разными. И далеко не всегда это бывает кармический узел. Но вы можете сделать это сами, если рассмотрите следующие обстоятельства.

Возможно, ваш муж — человек хороший, спокойный, но, как говорится, звезд с неба не хватает. Он ровный, надежный, он вас обеспечивает. Но ваша инстинктивная, природная сущность тянет вас к более успешному мужчине. А с точки зрения инстинкта таким может оказаться как раз Александр. Возможно, он более эмоциональный, более раскованный, более яркий в вашем восприятии человек, чем ваш муж. И вы неосознанно хотели бы с ним жить. Ваш инстинкт выбирает именно его.

Но сам Александр, видимо, не может сделать выбор в пользу вас в силу моральных или каких-то еще соображений. Может быть, в силу того, что вы уже замужем, а может быть, он просто не хочет ни на ком жениться или что-то подобное. Такова реальность, но ваш инстинкт толкает к нему, потому что он более яркая личность. Ваш инстинкт полагает, что его потомство может быть более надежным. Но инстинкт слеп и оценивает человека только по внешним признакам, то есть в действительности он может оказаться совсем не успешным и ненадежным.

Что здесь можно сделать? Попробуйте включить механизмы оценки, анализа ситуации. Попробуйте оценить, чем отличается Александр от вашего мужа, по каким показателям он превосходит его. И если окажется, что вас притягивает его яркость, раскованность, неординарность, игнорирование каких-то общественных устоев, то, скорее всего, это чисто **животное, инстинктивное влечение.** Врожденный инстинкт управляет вами, потому что он оценил вашего Александра как человека успешного, способного дать более надежное потомство. Вы должны понять, что в данном случае вами управляет слепой животный инстинкт. Может быть, вам станет обидно, и вы справитесь с ним усилием воли. Или, наоборот, вы можете поддаться своему инстинкту, но делайте это с удовольствием, валите все на него (то есть на инстинкт)! В общем, любой выбор хорош, лишь бы он вывел вас из переживаний.

Кроме того, скорее всего, **вы сами заказали себе эту страсть.** Это именно то, чего вы хотите на самом деле. Возможно, что, пожив вместе со своим мужем спокойной, ровной жизнью, в какой-то момент времени вы решили, что это — не жизнь. Жизнь — это только когда страсти кипят, любовь ослепительна, кровь бурлит и адреналин выплескивается через край. Вот это настоящая жизнь!

Возможно, в какой-то момент времени вы подсознательно очень сильно этого захотели, и тогда Высшие силы дали вам эту самую страсть по отношению к третьему человеку. То есть страсть к Александру — это ваш неосознаваемый заказ, и теперь вы пользуетесь его плодами. Нехватка адреналина в ровной размеренной жизни привела к появлению героя, который вам его обеспечил. Но плоды оказались чересчур терпкими. Вам хочется уже прекратить ими пользоваться, но вы не знаете, как это сделать.

Это совсем несложно. Если корни ситуации именно таковы, то нужно просто очень искренне попросить:

«Господи, сделай так, чтобы я разлюбила Александра. Сделай так, чтобы наша связь разорвалась». Тогда новый заказ будет реализован и страстная любовь уйдет из вашей жизни. Чем породили, тем и убивайте. Но вот вопрос: действительно ли вы хотите этого? Подумайте, что стоит вам об этом хорошо попросить и это вас покинет. Уйдет из вашей жизни все, что связано с Александром. Действительно ли вы этого хотите? Не станет ли ваша жизнь пустой и пресной после ухода из нее страстной любви?

Это была вторая вероятная причина появления вашей страсти. Но возможно, вы не найдете никаких объективных оснований для того, чтобы испытывать страсть к Александру. Может быть, он ничем не отличается или не имеет никаких преимуществ перед вашим мужем. Вот тогда действительно может быть, что это уже не первая ваша совместная жизнь. И возможно, что в прошлой жизни у вас были какие-то отношения, в результате которых **завязался кармический узел**. Может быть, вы были матерью, а он был ребенком, и у вас был затяжной конфликт. Возможно, у вас была очень сильная любовь, которая закончилась трагически, то есть вы не сумели по каким-то причинам пожить вместе и всю жизнь горевали по этому поводу. Возможно, кто-то из вас отверг другого, и он обиделся на всю жизнь. Может быть, вы были мужем и женой, испытывающим далеко не светлые чувства друг к другу, и вы вынуждены встретиться снова в этой жизни, чтобы пройти через прощение. Или, наоборот, вы очень любили друг друга, но неожиданная смерть одного из вас разорвала эту любовь.

Чтобы найти корни этого кармического узла, нужно использовать приемы реинкарнационной терапии (реинкарнационную медитацию или регрессивный гипноз) для того, чтобы вы сами увидели, в каких отношениях находились ваши души в прошлой жизни. Может быть, у вас действительно есть кармический узел.

Всю необходимую информацию **вы можете получить сами** — через сон. Попробуйте запросить у Высших сил перед сном эту информацию: «Почему меня тянет к Александру, ведь я не нахожу никаких объективных преимуществ его перед моим мужем. Я не понимаю своей внутренней тяги, дайте мне, пожалуйста, информацию о причинах моей страсти».

Если вы повторите свой запрос 15—20 раз перед сном, то, скорее всего, вы получите полноценный ответ. Вы увидите ситуацию, которая имела место в прошлой жизни и стала источником вашей страсти. Этот способ получения нужной информации неплохо срабатывает, просто нужно быть более настойчивым. Получив информацию о причинах возникновения кармического узла, несколько раз **мысленно перекодируйте информацию, приделайте к вашей трагедии благополучный конец.** И тогда узел развяжется.

Кроме того, кармический узел развязывается через полное прощение. То есть нужно достаточно долго повторять медитацию прощения по отношению к Александру. В медитации нужно сказать, что «я прошу прощения за ошибки, совершенные мною не только в этой жизни. Я прошу прощения за мое осуждение, за мое недовольство ситуацией, за мои претензии, которые я испытывала к нему не только в этой жизни, но и **во всех моих предыдущих жизнях».** И тогда, возможно, данный узел развяжется и Александр навсегда исчезнет из вашей жизни. Но нужно ли вам это, хотите ли вы этого в действительности? В общем, постарайтесь быть разумным существом и не делайте поступков, о которых вы потом будете сожалеть.

6.7. Жена называет меня козлом. Надо ли воспринимать ее такой, ибо не я ее создал, и радоваться, что она не бьет посуду и прочее?

Это довольно распространенная ситуация, когда в семье собираются два человека с разным уровнем воспитания. То есть Жизнь соединяет мягкого, деликатного, доброго и спокойного мужа и жену, которая воспитывалась в семье, где любая мысль тут же облекалась в не очень литературные слова, и без всякой цензуры они громко и эмоционально высказывались. И ваша жена поступает именно так, поскольку и не подозревает, что между людьми могут существовать какие-то другие отношения.

Видимо, избыточно деликатный муж чем-то не устраивает жену. Возможно, он зарабатывает меньше денег, чем должен, по ее мнению. Может быть, он не честолюбив и не стремится занять какое-то теплое место под солнцем, чем очень расстраивает свою жену. В общем, он далек от ее идеала, и она использует все известные ей слова для того, чтобы охарактеризовать его. В частности, она использует слово «козел» и, наверное, еще какие-то, не менее выразительные.

Что делать мужу в такой ситуации? Нужно ли воспринимать ее такой, какая она есть, ибо «не я ее создал»? А что вы можете еще поделать в этой ситуации?

Наверняка вы не раз пытались обратиться к ее разуму, образумить, отучить говорить обидные слова. Наверняка вы пытались с ней конфликтовать, пытались ее перекричать, пытались ее испугать или еще как-то образумить. Но вряд ли у вас что-то получилось. Поскольку в ее системе ценностей весь этот словесный мусор, вся словесная шелуха не имеет никакого значения. Она исходит из известного принципа, что «брань на заборе не виснет». То есть сказал и забыл, стоит ли цепляться за слова? В ее системе ценностей слова не имеют веса, а имеет значение что-то другое — деньги, положение в обществе и т. п.

Подобного типа люди обычно вспыльчивы, но отходчивы. Но от этого ваша жизнь не становится более комфортной, поскольку в моменты своих вспышек она громко и эмоционально высказывает о вас все свои незамысловатые мысли (извините за тавтологию).

Что же делать в этой ситуации?

Выхода опять же два. Один выход — остаться, другой выход — уйти. Но в любом случае изменить ее не удастся. Можно только смириться с ее особенностью и перестать переживать по этому поводу. А дальше можно принимать какое-то решение.

Посмотрите, чем она вас устраивает, — возможно, она хорошая домохозяйка и мать, хорошая сексуальная партнерша (если слово «козел» не звучит в постели), у вас есть общее имущество, которое вам жалко терять, у вас есть дети и т. д. В общем, есть много плюсов, которые вас удерживают возле нее.

Затем посмотрите на ее минусы — это ее вспыльчивость и такой странный, не совсем литературный запас слов, который она никогда не изменит. То есть у нее есть плюсы и минусы. Вы, как разумный человек, **просчитываете плюсы и минусы и принимаете решение.**

Если вы видите, что плюсов много и при разводе вы потеряете гораздо больше, чем приобретете, то стоит ли суетиться? Сейчас жена хоть крикливая, но все-таки есть, всегда под боком, это достаточно удобно. И если вы решаете остаться, вот тут нужно применить прием «ежик событий» и понять, что **действительно хорошо** то, что она не бьет посуду, не лезет драться, не вызывает милицию, не сажает вас в тюрьму, а всего лишь называет вас козлом. То есть она, в принципе, совсем неплохой человек, только в детстве не получила достаточного воспитания и эту модель отношений между людьми перенесла в свою жизнь. Такой она и останется до конца своих дней, ну и что из этого? Подумаешь, назовет вас еще пару раз козлом, ведь вам не привыкать?

Зато у нее есть много хорошего, что вас вполне устраивает. То есть вы прокручиваете по «ежику событий» все варианты ухудшения ситуации в случае ваших дальнейших переживаний и понимаете, что ваша жена далеко не самый худший вариант из всех возможных. Поскольку на нее можно найти десять тысяч жен, значительно более худших, которые что только со своими мужьями не делали. А ваша — всего лишь использует словесную брань, хотя могла бы развернуться и покруче. И тогда вы спокойно принимаете все ее слова, что бы она ни говорила — пускай себе самоутверждается, как может. Вы заранее много-много раз читаете медитацию прощения по отношению к ней, и вас совершенно не волнуют ее слова. Направляясь домой, вы несколько раз прочитываете на нее медитацию прощения и заранее позволяете ей быть любой. Придя домой, вы смотрите на нее, как на большую и слегка больную девочку (больную, видимо, на голову), которая не получила в детстве приличного воспитания и, видимо, уже до старости его не получит. Что поделаешь, в этой жизни, видимо, у нее с этим сложности. Вы ей сочувствуете, но сделать ничего не можете. Вы, как взрослый человек, просто не реагируете на ее детские выпады.

Такая позиция позволит вам спокойно относиться к ней и пользоваться тем хорошим, что она вам дает. А тот негатив, который вас сейчас задевает, будет проходить мимо вас, вы просто не будете обращать на него внимания.

Это один выход. Второй выход состоит в разрыве, но он имеет смысл только в ситуации, когда вы понимаете, что до конца дней она не изменится и по каждому поводу будет открывать рот и высказывать все свои неблагостные суждения. И что, скорее всего, каждый раз это будет вас задевать. Только в таком случае есть смысл подумать о том, чтобы разойтись. Но разойтись нужно опять же не в обиде, не в претензии, не озлобившись на жену и на весь женский род. А через прощение, через понимание того, что **не зря она возникла в вашей жизни**. Видимо, она должна была указать вам на вашу **идеализацию отношений**, и она очень успешно сделала это. И вы **искренне** благодарны ей за это.

Вы благодарите Высшие силы за преподнесенный урок и мысленно говорите, что в следующий раз готовы принять жену еще более странную, нежели эта. Но если можно, то пусть у нее будет такое же отношение к жизни, как и у вас. И тогда Бог вам даст нормальную женщину, которая не будет разрушать вашу идеализацию отношений (а будет разрушать какую-либо другую идеализацию, если она у вас осталась).

Если же вы разойдетесь с криком, со скандалом, с оскорблениями, с претензиями, то она реализует все то зло, которое в ней заложено. Она отлучит вас от ребенка, она постарается отнять у вас все материальные ресурсы, которые были накоплены совместно, и сделает еще массу нехороших (с вашей точки зрения) дел.

Самое печальное здесь то, что ваша следующая жена, скорее всего, будет не лучше прежней. И если эта вас только обзывает, то следующая, если даже не будет вас обзывать (вы можете выбрать ее именно за это), но она будет наставлять вам рога. И если вы начнете что-нибудь доказывать ей в порыве ревности, то, пожалуй, она может посадить вас в тюрьму или сделать еще какие-нибудь очень неприятные вещи. И тогда вы будете вспоминать свою первую жену, крикливую, но безобидную, просто как подарок судьбы. Но, извините, вы сами отказались от этого подарка.

Вот такие выводы вытекают из вашей ситуации. К сожалению, вы попали в не очень хорошую ситуацию, тем самым Жизнь дает вам урок, и вы должны этот урок усвоить с благодарностью. А уже жить вам с этой женщиной или не жить, это вы решайте сами. Высшим силам все равно, где вы живете, — в этой семье или в другой, лишь бы вы усвоили те уроки, которые они вам дают. Вы должны понять свою систему ценностей через эти уроки, поблагодарить Высшие силы и не накапливать переживаний по этому поводу. Если у вас так получится, то это как раз будет означать, что вы усвоили урок. А с кем именно вы будете жить, им совершенно все равно, лишь бы жили и радовались жизни. Чего мы вам и желаем.

6.8. Как найти общий язык с мужем, который вашу методику и многие другие подобные воспринимает как грех и шарлатанство? Любое воспоминание о ваших лекциях, тренингах вызывает агрессию, скандал, а ведь мне, прежде всего, хочется поделиться впечатлением именно с любимым человеком.

Причина того, что муж не воспринимает все ваши духовные искания, очевидна — вы стоите на разных ступеньках лестницы духовного развития. Раз вы знакомы с нашей методикой и другими подобными, то, видимо, вы уже стоите на седьмой ступеньке лестницы под названием «Искатель». Вам интересны духовные поиски, вас волнует, что и как устроено в Тонком мире, каково предназначение человека и разные другие философские вопросы.

Ваш муж, скорее всего, убежденный «Реалист» и стоит на второй ступеньке лестницы духовного развития. Он живет вполне земными интересами и все эти духовные поиски воспринимает как шарлатанство. Не осуждайте его, он имеет на это право. Просто его душа, видимо, прожила не столько инкарнаций, как ваша, а значительно меньше. Ваша, может быть, имеет на Земле уже восемь—десять инкарнаций, а его душа — только две-три. И поэтому она еще не доросла до понимания того, что человек должен заниматься не только земными, материальными делами, но и своим духовным развитием. Это специфика души вашего мужа, но это не недостаток. Такова особенность его мировосприятия, и все ваши попытки достучаться до него, объяснить ему что-то будут встречать как раз такую странную реакцию.

Вы же по этому поводу будете переживать в силу того, что не будете понимать, как можно не воспринимать таких очевидных вещей, как можно относиться к ним так негативно, неужели это возможно.

Ваши переживания будут говорить о том, что у вас присутствует **идеализация разумности поведения людей**. Вы считаете, что если у вас есть какая-то полезная информация, то люди должны ее услышать и использовать. А если они не хотят ее слышать и упираются в своих заблуждениях, то у вас это вызывает раздражение, недоумение, претензии к этим людям. А с какой стати? Почему вы не позволяете им жить в мире своих идей? Это только вы придумали людей разумных, которые адекватно реагируют на любую положительную информацию. Реальные люди чаще всего далеки от этого.

Поэтому вам нужно понять, что на самом деле люди разные, и большинство из них в своей основе безумны. Вы безумны в своем стремлении наставить на путь истинный своего мужа. С вашей точки зрения, ваш муж безумен только потому, что не хочет слушать ваших советов и поэтому погрязает в своих проблемах. И вы хотели бы его переделать, но, к сожалению, это мало кому удается, особенно через осуждение.

Поэтому примите, что в основной массе люди в чем-то безумны, особенно с точки зрения друг друга, но это вовсе не повод для переживаний. Не существует абсолютной разумности, есть только общепринятая, усредненная реакция на ту или иную ситуацию. Но эта стандартная реакция очень сильно зависит от страны, религии, стереотипов поведения ваших знакомых и много другого (в одних странах на похоронах плачут, в других — танцуют; в одних странах цвет скорби — черный, в других — белый и т. д.). Поэтому **ваша идея о том, что люди разумны, — это не более чем идея, и вы должны это понять.** Вы должны допустить, что люди могут руководствоваться в своей жизни самыми разными убеждениями, они имеют на это право. И все ваши попытки достучаться, докричаться до них могут восприниматься ими крайне отрицательно, и в этом нет ничего плохого. Так устроен наш мир. Каждый живет в мире своих идей и убеждений. В итоге коммунисты живут в одном мире, демократы — в другом, либералы — в третьем, религиозные деятели — в четвертом, хотя все они живут в одном месте. Каждый создает собственный мир своими мыслями и убеждениями, и мало кто хочет понимать других людей.

Поэтому будьте более гибкой. Позвольте вашему мужу оставаться на своей ступеньке — ему там хорошо, комфортно. Не тащите его на ступеньку Искателя, он еще не дорос до этого. Не осуждайте его за глупость, ибо этим самым вы накапливаете в свой «сосуд кармы» дополнительные грехи, а зачем вам это нужно? Просто позвольте ему жить своей жизнью, как человеку, душа которого еще не дозрела до понимания истин, и сделайте все, чтобы **он поменьше знал о ваших духовных исканиях.** Пожалейте его, то есть не заставляйте его переживать лишний раз. Если это возможно, не рассказывайте ему о том, где вы были и что нового узнали, — он все равно этого не услышит и только будет нервничать.

В общем, найдите свой путь саморазвития, который не будет приводить к накоплению негатива у вашего мужа. А иначе получится, что ваши духовные поиски приносят объективный вред другому человеку (у него заполняется «сосуд кармы»). Этого нужно постараться избежать.

Естественно, нужно избежать новых накоплений и в вашем собственном сосуде — за счет осуждения мужа, который не понимает ваших светлых духовных исканий. И за счет самоосуждения по поводу, что вы чего-то не рассказали или утаили от него. Позвольте ему остаться духовно неразвитым, он имеет на это право. Это его выбор, ему хорошо и комфортно в той среде, в которой он живет, и не нужно пытаться изменить его жизнь.

6.9. Как объяснить безответную любовь?

А почему вообще любовь должна быть ответной? Это не более чем ваша фантазия, ваши ожидания и ваше видение мира.

Ведь что такое любовь?

Любовь — это необъяснимое разумом чувство тяги к какому-то человеку. Мне нравится этот человек. Мне нравится, как он дышит, как он разговаривает, как он ходит.

Вы чувствуете возбуждение, у вас бурлят внутренние энергии, вы ощущаете себя хорошо, вы влюблены. Вам хорошо, так радуйтесь этому!

Почему вы требуете от него ответных чувств? Вы исходите из логики, что, раз вы любите его, значит, и он должен полюбить вас. А с какой стати он должен это делать? Почему вы решили, что так должно происходить? Ведь у него свой мир, свои идеалы, свои ожидания, свои «воспитательные» процессы, в конце концов. Может быть, он должен влюбиться в того, кто будет его кармическим «воспитателем». А являетесь ли вы с вашей слепой любовью его «воспитателем»? Скорее всего, нет, и поэтому он не обращает на вас никакого внимания. Это одна из возможных причин.

Во-вторых, его сердце может быть занято другим человеком, или он чрезмерно увлечен работой и ему нет дела до ваших эмоций. Ведь от того, что вы в кого-то влюбились, ничего в мире не изменилось. Ваша влюбленность — это ваши собственные чувства, и почему от них что-то должно меняться в окружающем мире? У вас есть ожидания, что в ответ на ваши чувства другой должен тоже вас полюбить? Но это не более чем ваши претензии к миру.

Если вы вспомните свое прошлое, то наверняка там были юноши, которые были к вам неравнодушны. Но они вас не интересовали, и вы спокойно проходили мимо них, невзирая на их страдания. Сейчас вы сами попали в такую же ситуацию, которая в очередной раз подтверждает тезис о том, что никто никому ничем не обязан.

Ведь если бы на каждую любовь нужно было бы отвечать взаимностью, то представьте себе жизнь известных певцов, киноактеров, политиков и других популярных личностей. В них влюбляются десятки, тысячи женщин, и даже мужчин. И что, они должны в ответ влюбляться в каждого? Здоровья не хватит. Они могут влюбиться только в одну женщину, а не в те тысячи поклонниц, которые любят их.

Если исходить из вашей логики, то все эти тысячи поклонниц тоже должны требовать, чтобы их кумир влюбился именно в них (интересно, в кого именно). Вы можете представить себе мужчину, который отвечает на чувства сразу множества женщин? Наверное, можете. Но вряд ли назовете его приличным словом. Так что поймите, что ваши претензии на взаимность — это не более чем требование, чтобы была реализована именно ваша модель жизни, и ничья больше. Но ведь у вашего избранника тоже наверняка есть свои приоритеты, свои видения любимой женщины. Может быть, он любит худеньких, а вы полная. Или, наоборот, он любит полных, а вы худенькая. Или его идеал женщины — высокая, а вы не такая.

Так что поймите, что только от того, что вы в кого-то влюбились, ничего в мире не изменилось. Но это не значит, что другой человек не может вас полюбить. Он может полюбить, но это нужно сформировать, то есть не впадать в переживания, а предпринять целенаправленные усилия по достижению своей цели. Ваша цель будет достигнута, если вы сумеете обратить на себя внимание любимого и сделать так, чтобы вы стали для него единственной и желанной. Но здесь уже нужна не Методика формирования событий, а нужны вполне осознанные и целенаправленные шаги по показу себя с лучшей стороны. И тогда у вас есть шанс, что ваш любимый выделит именно вас среди других женщин.

Если же все сведется к бесконечным переживаниям по поводу, что я его люблю, а он меня не любит, почему жизнь такая несправедливая, то результат будет нулевой. Вы только добавите в свой «накопитель переживаний» вполне приличное количество негатива по отношению к жизни, к вашему любимому человеку, к себе.

На почве неразделенной любви часто возникает **идеализация своего (не)совершенства**: «Наверное, я недостойна любви. Наверное, я плохая, некрасивая, неумная, я недостойна любви хорошего человека (и т. д. и т. п.)». Такие мысли приводят к глубокой депрессии, из которой потом очень нелегко выбраться. А все потому, что вас одолела фантазия, что на ваши чувства обязательно должен быть отклик. А с какой стати? У вас просто наступило любовное оглупление, и вы потеряли способность реально оценивать окружающий мир.

Вспомните, как вы сами реагировали на претензии к вам окружающих людей. Что вы делали, когда ваша мама предъявляла к вам какие-то требования: «Почему ты учишься не так хорошо, как нужно (как я хотела бы)? Почему ты дружишь не с тем человеком, с которым я рекомендовала? Почему ты не слушаешься меня?» и т. д. Как вы реагировали на ее претензии? Вы спешили перекраивать свою жизнь в соответствии с ее ожиданиями и требованиями? Вряд ли. Скорее всего, вы посылали ее куда подальше и говорили: «Не лезь в мою жизнь, не вмешивайся. Я сама решаю, как мне жить, я сама все знаю». Вы не терпели чужого вмешательства и вряд ли горели желанием менять свою жизнь под требования окружающих.

Почему же вы теперь требуете, чтобы тот человек, которого вы с какой-то стати (которую вряд ли сможете объяснить) вдруг полюбили, изменил свою жизнь и полюбил именно вас? Вы не желаете меняться под требования окружающих, а он должен?

Так что поймите, что ваши страдания — это переживания по поводу того, что в жизни все не так, как вам хочется.

Поскольку имеются длительные негативные переживания, то, с нашей точки зрения, это идеализация. Скорее всего, это **идеализация отношений между людьми**. То есть у вас имеются ожидания того, что если один человек (то есть вы) в другого влюбляется, то другой сразу же, невзирая ни на что, должен тут же влюбляться в него. Причем по отношению к себе вы вряд ли такую модель взаимоотношений приняли ли бы за нормальную. Вряд ли вам захотелось бы поневоле влюбляться в того, кому вы понравились. Но по отношению к другому человеку у вас достаточно жесткая установка: я его люблю, так почему же он меня не любит, как это можно объяснить?

Что можно посоветовать в этой ситуации?

Можно сказать, что та модель взаимоотношений, которую вы держите у себя в голове, эта модель под названием «любовь есть обмен». Ваши мысли имеют примерно следующий вид: «Если я дарю тебе любовь, то и ты в ответ мне тоже должен дать любовь. На мою любовь **ты должен мне дать любовь**. А если ты мне не даешь в ответ любовь, то ты нехороший, или я плохая, или жизнь плохая, неправильная». В общем, вы погружаетесь в переживания, поскольку не принимаете того мира, в котором нет нужного вам обмена, обмена любовью.

Как можно выбраться из этой ситуации?

Попробуйте перейти от «любви-обмена» к «любви-дарению». Вы дарите свою любовь любимому человеку **и ничего не требуете взамен**. Вы благодарите Жизнь за то, что она дала вам такое прекрасное чувство, как любовь. Вы благодарны ей за то, что она дала вам человека, достойного вашей любви, — это тоже большое благо. Ведь многие люди, женщины и мужчины, ищут, в кого бы им влюбиться. У них нет ни одного субъекта, в которого можно было бы влюбиться, достойного их любви. Они, может быть, и хотели бы испытать взрыв страстей. А не могут. А у вас есть такой человек, вам Жизнь его дала. То есть вы уже два раза выиграли, но хотите еще третий выигрыш получить — чтобы еще и он вас полюбил. Но для этого выигрыша вы, видимо, очков недобрали.

Поэтому радуйтесь тому, что вы имеете, и дарите свою любовь безвозмездно, дарите свою любовь любимому человеку, окружающим. То есть **радуйтесь внутри себя тем ощущениям, которые вы испытываете** при виде любимого человека, при воспоминаниях о нем, при представлениях его, и дарите ему любовь без всяких претензий. Это не значит, что нужно дарить ему ваше тело, деньги или что-то еще. Просто дарите ему хорошие, теплые ощущения, дарите ваше восхищение им, ваше великолепное ощущение от того, что он существует, что он есть в этом мире. Вы знаете, что он находится где-то на земном шаре, и вы испытываете от этого восторг, вы испытываете от этого блаженство, у вас сердце замирает, и вы дарите этому человеку любовь, ничего не требуя взамен. Тогда из мира негативных переживаний вы перейдете в состояние благодарности миру за то, что он дал вам такое прекрасное чувство. Вы получаете от него максимум удовольствия, удовлетворения, вы дарите этому человеку свою безвозмездную любовь и ничего не требуете взамен.

Если он как-то обратит на вас внимание и испытает к вам какие-то чувства, то это будет замечательно. Но, в принципе, вы этого не требуете. Конечно, вы будете не против, вы будете даже очень рады, если Жизнь вам это подарит. Но вы на этом не настаиваете в силу того, что понимаете: это не более чем ваши ожидания, ваши претензии к миру, к жизни.

Если вы научитесь воспринимать жизнь именно так, если вы перейдете от любви-обмена к любви-дарению, то легко и с чувством радости сможете выбраться из этой ситуации. И не будете бесконечно мучиться мыслями по поводу того, что вы его любите, а он вас нет. Успехов вам на этом пути.

6.10. Как избавиться от ревности?

Это довольно сложный вопрос, поскольку ревность — это чувство, которое, как и любовь, существует вне разума, вне логики, вне осмысления. Скорее всего, это есть проявление наших врожденных инстинктов. Наверное, это следы наших хвостатых предков, из которых Бог сделал человека, вселив в них разум и душу и избавив их от шерсти. Но, поскольку мы ушли не очень далеко от обезьян или каких-то еще диких предков, то в нас бывают сильны чувства, характерные для животных. Собственно, именно ревность как чувство собственности на своего сексуального партнера очень редко встречается у животных. Но у них очень сильно чувство собственности по отношению к пище (попробуйте отобрать кусок у дикой собаки) или к своему месту в иерархии. В случае посягательств на эту собственность возникает совершенно дикая вспышка ярости. А ведь что такое ревность?

Ревность — это вспышка раздражения, обиды или гнева, вызванная тем, что кто-то посягает на мою собственность. Кто-то хочет воспользоваться тем, что принадлежит мне, и я не могу допустить этого, поскольку это будет говорить о моей слабости. Мне невыносимо, если любимый человек, принадлежащий мне, вдруг пытается уйти на сторону или кто-то на него смотрит. То есть получается, что моя собственность может быть похищена, может быть как-то использована помимо меня. И здесь уже даже самый воспитанный и, казалось бы, развитый человек может испытывать неконтролируемые вспышки дикой ревности, которые полностью подавляют его способность логически осмысливать ситуацию и принимать осознанные решения.

Ревность — это сильная эмоциональная вспышка, затмевающая сознание, которое отступает перед сильной эмоцией. И корни этой неконтролируемой эмоции лежат в нашем прошлом, в нашем происхождении. Какие же можно дать рекомендации людям, которыми управляют животные инстинкты?

Если вас захлестывает приступ ревности, то нужно осознать, что ваша животная сущность управляет вами. То есть вы, вроде бы разумное существо, боже-ственное создание, вдруг становитесь просто животным. У вас вылезают наружу все дикие инстинкты. И хорошо, что не вылезают когти и хвост. Хотя, если вы позволите этому чувству вами полностью управлять, то могут и вылезти.

Поймите это — и тогда, может быть, вам станет обидно, что вы попадаете в зависимость от этих самых древних инстинктов. И вы не позволите им управлять вами. **Подавить ревность можно только силой воли и осознанным пониманием того, что никто никому не принадлежит.** Что каждый человек имеет право на свою жизнь, на выбор, и ваш любимый не становится вашей собственностью только от того, что вы его любите. Он тоже человек, у него своя бессмертная душа, он тоже получает свои уроки от Жизни и имеет право на какой-то свой выбор.

Чтобы облегчить управление своими эмоциями, вспомните **жизненную позицию «Жизнь есть цирк».** Когда вы впали в ревность, то сразу стали клоуном, который выкидывает свои коленца на арене жизни. Придумайте себе смешную надпись на тот дурацкий колпак, который надет в этот момент на вашу голову. Что-то вроде: «Отелло из Мухоморска» или «Оскорбленная невинность». Возможно, вы сами станете себе смешны, и это остудит ваш разгоряченный приступом ревности мозг.

Конечно, рассуждать так отвлеченно несложно, когда у вас все благополучно. И очень сложно думать так, когда любишь человека, а он ведет себя не в соответствии с вашими ожиданиями. Понятно, что любовь уже отняла разум, так что остались только сильные эмоции.

Но если вы разумный человек или хотя бы претендуете на это звание, то вы **сумеете своим разумом, своей волей обуздать свои дикие инстинкты.** Если же у вас инстинкты сильнее разума и воли, ну что поделаешь. Видимо, вы человек с очень высокой примативностью, и ваша животная сущность сильнее вашей человеческой сущности.

Полюбите себя таким, каков вы есть. Не осуждайте себя за это, поскольку от вас не зависит. Это зависит от того, **сколько инкарнаций прожила ваша душа.** Возможно, что она молода и не успела накопить соответствующую мудрость, не успела накопить опыт управления своими врожденными инстинктами. Хотя, если вы научитесь делать это в этой жизни, то есть усилием воли научитесь обуздывать свои приступы ревности, то **вы сделаете очень большой шаг на пути к духовному развитию, духовному совершенству.** Возможно даже, что этим вы ускорите свой духовный рост сразу на несколько ступенек.

Иначе для того, чтобы избавиться от ревности, вам придется рождаться и иметь любимых, которые будут провоцировать вас на эти переживания. Так будет продолжаться до тех пор, пока вы сами сознательно от нее не откажетесь.

Чем раньше вы это сделаете, тем меньше усилий придется Жизни прилагать для того, чтобы ваша душа осознала, что **ревность — это свидетельство незрелости вашей души.** Пора бы, в общем-то, перевести ее в зрелое состояние.

6.11. Мой муж много пьет, у него нет работы. Все его идеи приводят к долгам. Я стараюсь молиться и принимать его таким, какой он есть. Но ситуация только ухудшается. Когда я прошу Бога наставить меня на истинный путь, в тот же день отношения с мужем ухудшаются, он даже ударил меня. Как мне быть?

Итак, что мы имеем с мужем: он много пьет, у него нет работы, но есть идеи, которые приводят его к долгам. Похоже, у него типичная **идеализация своих способностей.** Он имеет претензии к жизни, он мечтает быстро разбогатеть, то есть уверен, что какая-то идея **принесет сразу большое количество денег.** Небольшие деньги его, видимо, не интересуют, он не унижается до их зарабатывания. Но Жизнь разрушает его претензии на быстрое обогащение. Он не принимает жизнь в таком варианте и закрывается от нее через пьянство.

Теперь посмотрим, что мы имеем с вами. Муж пьет и сидит на вашем иждивении, а вы стараетесь молиться и принимать его таким, какой он есть, то есть пытаетесь не испытывать к нему претензий.

Это достойное занятие, это милосердно, хотя и очень сложно. Если вы хотите сохранить вашу семейную жизнь, то, в общем-то, эта позиция позволит вам жить вместе еще долго. Скорее всего, ваши отношения при этом останутся без изменений.

Но видимо, вас эта ситуация не очень устраивает, поэтому что вы просите Бога наставить вас на истинный путь. При этом вы **нечетко формулируете свою просьбу** — чем именно Бог должен вам помочь. Поэтому Он волен предпринимать любые действия, которые, с Его точки зрения, будут направлены на исправление ситуации. И действительно, Он их предпринимает, но вы этого не видите.

Видимо, вы изрядно устали от этой жизни. Действительно, кто может быть доволен жизнью, когда муж пьет и создает новые долги? Вам хочется нормальной, спокойной семейной жизни, успешного и трезвого мужа. Подсознательно вы, наверное, именно за этим обращались к Богу. Скорее всего, вы хотели спросить у Бога — что нужно сделать, чтобы мой муж перестал пить и начал зарабатывать деньги? Но в реальности вы сформулировали вопрос по-другому. Вы сказали: наставить меня на истинный путь. Или, что скорее всего, ваше обращение к Богу можно сформулировать так: «Господи, переделай этого несовершенного человека!» Поскольку истинное желание и сформулированный заказ сильно отличаются, то и ответ вы получили совсем не такой, какой ожидали.

Самый простой вариант достижения комфортной жизни — это уйти от мужа. И собственно, Бог вас к этому и подталкивает. Скорее всего, именно с его ведома ситуация сложилась так, чтобы ваш муж вас ударил. Для вас это еще одно напоминание о том, что **та жизнь, которую вы имеете, — это ваш добровольный выбор**. Никто не держит вас рядом с этим мужчиной. Вы же видите, что он неудачник, он погряз в своих переживаниях, его «сосуд кармы» переполнен и Жизнь разрушает его идеализацию способностей. Он не принимает эти уроки и закрывается от реальности через пьянство. Понятно, что при таком поведении чем дальше, тем будет хуже. Скорее всего, он сопьется окончательно, будет сидеть на вашей шее и обременять вас новыми долгами. Зачем вам это нужно? Вы хотите жить и радоваться жизни? Ну и живите, но почему вы должны жить только вместе с ним?

Если совместная жизнь есть ваш осознанный добровольный выбор, тогда не ропщите, тогда принимайте все, как есть, без переживаний. Но хотелось бы, чтобы при этом выборе **вы осознавали, зачем вы его сделали,** зачем вы несете этот крест. Может быть, вы рассчитываете, что вам что-то когда-то за него зачтется в плюс? Сомнительно. Скорее всего, это зачтется как ваша странная прихоть. Или вы ждете, что этот человек изменится? Неужели ваш многолетний опыт совместной жизни не показал, что изменений к лучшему нет и не предвидится, особенно при вашем недовольстве его поведением.

Так что обострение ситуации происходит именно потому, что вам подсказывают: если хотите жить нормально, так и живите, кто вам мешает? Вы сделали все, что возможно. Теперь вы имеете полное моральное право отойти в сторону. Пусть ваш муж пьет и решает свои проблемы сам, а вы имеете право на спокойную жизнь. Мир велик и огромен, в нем живут миллиарды людей. А вы из всего этого выбрали именно то место, где человек с девяноста процентами в «сосуде кармы» изливает на вас свои неприятности. Но это же вы сами добровольно выбрали это место! Никто вас туда не заталкивал (когда-то вас соединила любовь, но она давно прошла), никто вас там не держит, никаких обязательств перед миром или кем-то еще у вас нет. Вы вполне можете жить спокойной, комфортной, радостной жизнью, если позволите это себе.

Собственно, именно об этом напоминают вам Высшие силы тем, что каждый раз после ваших просьб к

Богу ситуация ухудшается. Вас выталкивают из этой ситуации, и наша формула «я принимаю таким, как он есть» вовсе не означает, что вы должны терпеть до последнего, пока он вас там не убьет. С какой стати? Отойдите, **но сделайте это без переживаний, без осуждения вашего мужа, без чувства вины перед ним.** А просто с пониманием того, что ваш муж заблудился, он не хочет никого слушать, не хочет понимать, что у него идеализация способностей. Но это его выбор, и он имеет на него право! Так что позвольте ему жить своей жизнью. А вы без переживаний отойдите в сторону и получите то, чего вы достойны. Именно такое поведение будет означать то, что вы принимаете мир (в том числе своего мужа) таким, каков он есть. Вы его не переделываете и не переживаете, когда он не совпадает с вашими ожиданиями.

Тогда у вас все будет благополучно. Если вы попросите Бога, чтобы он дал вам другого мужа, материальную поддержку либо еще что-то, то вам все будет дано. Вы имеете право на любую жизнь. И если вы выбрали жизнь с пьющим мужем и неудачником, то это не более чем ваш добровольный выбор. Никто вас за него не осуждает, но никто вас за него и не хвалит. Никто вас не заставляет жить такой жизнью.

Вы это должны понять, и непонятная ситуация является подсказкой о том, что вы можете изменить свою жизнь к лучшему в любой момент.

6.12. Что можно сделать в моей ситуации? Все это длится уже двадцать лет. Муж через две недели после свадьбы попал в аварию, получил тяжелую черепно-мозговую травму. Как личность он изменился в худшую сторону. Стал пить, меня избивать, оскорблять. То есть появились садистские наклонности. Я старалась его лечить, не расстраивать, выполняла все его требования, боясь его побоев. Только стало лучше, как приехала его мать, стала пытаться нас выгнать из квартиры, доводить сына с тем, чтобы потом его посадить, и т. д. Сейчас она от нас ушла, но муж спился окончательно. Мать свою он ненавидит. Самое плохое, что я могу понять мужа, но теперь он для меня стал совсем чужим. Он постоянно требует от меня любви, чтобы я сидела с ним рядом, когда он пьяный, все убирала, подавала. Не дает ничего делать, постоянно щиплет до синяков, кусает до крови. Я ничего не могу с собой поделать и даю бурную реакцию, хотя и знаю, что делать это нельзя.

Здесь мы опять имеем ситуацию, когда очень добрая, заботливая, милосердная женщина сталкивается с мужчиной, который бьет, оскорбляет ее, пробует на ней свои садистские наклонности. А она все это терпит уже двадцать лет.

О чем это говорит? О том, что у нее есть **идеализация отношений между людьми**. Идея о том, что нужно все терпеть, нужно быть очень доброй и милосердной, нужно заботиться о другом человеке, как бы он над тобой ни издевался. Что можно свою жизнь отдать другому человеку, даже если он вас ненавидит и издевается над вами. Отказаться от своей жизни ради того, чтобы кому-то другому было хорошо.

Все это действительно замечательные человеческие качества. Но когда они в избыточной мере собираются в одном человеке, то Жизнь начинает разрушать его ценности. Она все время заботится о муже, но ее двадцатилетний опыт показывает, что он от этого лучше не стал. Он все равно пьет, все равно злобствует и издевается над нею. То есть к чему эти страдания? К чему вот это милосердие? Какой результат они дали? За двадцать лет никаких положительных изменений у мужа не произошло. Он не изменился к лучшему, а, наоборот, стал чужим и еще более худшим.

Тогда зачем нужны были эти жертвы? Почему автор письма **отказался от своей жизни**, отказался от своей любви, возможно от семьи, хорошей семейной жизни ради того, чтобы ухаживать за своим больным мужем.

Конечно, здесь сразу возникает этический и моральный аспект милосердия. Что же теперь, нужно бросить больного человека, отправить его в больницу?

Ведь это неправильно, это не по-христиански, нужно терпеть — такова общепринятая логика милосердия. К сожалению, так легко рассуждать со стороны. Но вот каков результат следования этим общепринятым нормам поведения? Сверхмилосердный человек говорит, что он двадцать лет терпел, а что он за это имеет? Одни синяки, оскорбления и ничего больше. Неужели у нее такая карма, неужели у нее такая доля, только терпеть и мучиться? Да вовсе нет.

С нашей точки зрения, это **не более чем добровольный выбор**. Кто заставлял вас двадцать лет терпеть садистские наклонности своего мужа? Почему, когда он в очередной раз сделал что-то плохое по отношению к вам, вы не пригрозили ему тем, что уйдете? Почему, в конце концов, вы не ушли от него? Вам так нравится быть жертвой? Если вы очень милосердны, то могли бы уйти только на месяц, чтобы он понял, как он от вас зависим, что без вас ему будет плохо. И тогда, вернувшись, вы сумели бы как-то наладить в своей семье более-менее человеческие отношения.

Но вы патологически добры и не можете позволить себе самую малую жесткость по отношению к своему мучителю. Ваша идеализация отношений в форме патологической доброты привела к тому, что Жизнь столкнула вас с человеком, имеющим противоположную точку зрения на жизнь и на взаимоотношения между людьми. Как помните, так работает первый способ кармического «воспитания» — сверхмилосердный человек сталкивается со своей противоположностью, с садистом. И оба они дают друг другу уроки.

Но вы не сделали никаких выводов, ничему не научились у своего мужа за двадцать лет. Хотя **могли бы научиться тому, что думать нужно не только о других людях, но и немножко о себе**. И что если вы хотите жить нормальной жизнью, то вы должны для этого сделать какие-то шаги. Что **доброта тоже должна защищать себя**. Добрый человек не должен становиться урной, в которую плюет каждый, кому не лень. **Добрый человек тоже имеет право на хорошую, спокойную жизнь. Но за эту жизнь он должен немножко побо-**

роться. То есть ему нужно стать чуть-чуть менее добрым, более равновесным, поучиться думать о себе у тех, кто его окружает. И тогда оказывается, что можно и мужа призвать к порядку, чтобы он знал свое место, особенно если он инвалид. А если он не инвалид, а просто садист, так кто заставляет вас двадцать лет жить рядом с ним и мучиться?

Это ваш добровольный выбор, и вы не делаете никаких выводов из тех уроков, которые дает вам Жизнь. А она дает вам простой урок. Мы уже не один раз говорили о том, что **за свою жизнь нужно бороться.** Без злости, без осуждения нужно чему-то поучиться у тех, кто отравляет вашу жизнь. Если вы патологически добрый человек, значит, поучитесь немножко быть эгоистом. **Научитесь немножко думать о себе,** поскольку ваша жизнь ничем не хуже, чем жизнь вашего мужа. Даже наоборот, она должна быть лучше, поскольку вы более его достойны милосердия, достойны внимания, достойны доброты. Поэтому обратите все свои замечательные качества в том числе и на себя.

Почему вы обращаете все свое внимание и милосердие на других людей? Вы тоже достойны этого. В любой момент вы можете иметь ту жизнь, которую хотите — мирную, спокойную, в окружении прекрасных людей. Но для этого **нужно сделать лишь шаг в сторону, отойти и изменить тот выбор,** который вы не меняете в течение уже двадцати лет.

Это и есть наша единственная рекомендация. Ваша жизнь — это ваш добровольный выбор. Если вам нравится быть жертвой — будьте ей. И пока вы от этой роли не откажетесь, ничего не изменится. Пока вы не сделаете шаги к той жизни, которую вы держите в мечтах, ничего не будет меняться. Поэтому вы должны немножко измениться внутренне, стать здоровым эгоистом, на один процент. И вы тут же поймете, что достойны всех тех светлых чувств, которые тратили на других. Вы достойны сами получить их, поэтому обратите хотя бы часть их на себя, **полюбите себя как совершенное создание Творца!** И тогда у вас все будет замечательно. Успехов вам, если вы поняли, о чем здесь сказано.

6.13. Двадцать лет прожили с мужем, завели двоих детей, а он ушел к другой женщине. Как заставить себя забыть эту ситуацию, что надо для этого делать? Работа, общение с друзьями, воспитание детей полностью не отвлекает от этой ситуации. Будет ли он счастлив в той новой семье?

Как забыть травмирующую ситуацию, если мысли постоянно возвращаются к ней? Есть только один путь — через полное прощение обидевшего вас человека. Мы для этого предлагаем использовать медитацию прощения. Но поскольку у вас обида очень велика, то вам нужно читать медитацию прощения не менее часов тридцати. Если будете делать это всего лишь один час в день в течение месяца, то вы отпустите этого человека и поймете, что есть определенные плюсы даже в том, что он от вас ушел.

К тому же вам необходимо отказаться от мысли, что ваш муж вам чего-то должен. Например, должен жить рядом с вами всю свою жизнь только потому, что у вас совместные дети.

Будет ли он счастлив в той новой семье? Это зависит от того, как он ушел. Если ушел через переживания, через конфликт, через недовольство, то, видимо, в следующей семье он получит очередные уроки, которые вы не успели ему дать, или те, которые он у вас не усвоил.

Если же он ушел спокойно, без претензий и обид, то тогда он может быть вполне счастлив в новой семье. Конечно, и там Жизнь будет давать ему какие-то уроки. И если он их примет и поймет, почему они возникнут и чему учат, то он будет счастлив. Если же он начнет переживать, то, видимо, у него ситуация повторится.

На этом мы заканчиваем наши рассуждения на эту волнующую тему и переходим к следующей, касающейся взаимоотношений между родителями и детьми.

Глава 7

ДЕТИ И РОДИТЕЛИ. КТО ПРАВ, КТО ВИНОВАТ?

В этой главе мы рассмотрим конфликтные ситуации между детьми и родителями, независимо от их возрастов. Обычными источниками проблем являются попытки родителей сделать своих детей таким, какими они должны быть в соответствии с их ожиданиями. А дети, естественно, сопротивляются давлению родителей, и все вместе испытывают множество острых ощущений.

Другой вариант проблем — недовольство детей своими родителями. Возможно, родители действительно слишком много ругаются, выпивают и ведут себя еще как-то неподобающе — с точки зрения детей. В итоге дети, осуждая поведение своих родителей, по третьему принципу кармического «воспитания» начинают вести себя столь же нехорошо. И сами не понимают, почему их жизнь, вопреки их желаниям, во многом повторяет жизнь родителей.

Итак, рассмотрим конкретные ситуации.

7.1. Любимые и родные люди предъявляют ко мне сильные претензии. Моя реакция — отдалиться от них. Но я их люблю. Полюбить их с претензиями?

Вряд ли вы сможете полюбить их с претензиями, поскольку они будут высказывать вам всякие неприятные слова, всячески цеплять и задевать вас. И скорее всего, будут провоцировать вас на вспышки раздражения либо каких-то еще не очень теплых чувств.

И в этой обстановке полюбить ваших родственников будет достаточно сложно.

Мы рекомендуем поступить проще. Примите их с их системами ценностей, с их убеждениями и претензиями. Ведь что такое претензии?

Претензия — это заявление о том, что ты не соответствуешь моим ожиданиям, ты должен быть другим. Например, ты должна быть более послушной, если ты — девушка. Ты должна приходить домой вовремя, ты должна лучше учиться, ты не должна так одеваться, ты не должна дружить с этим человеком, ты еще что-то там должна. И все это предъявляется не со зла, а от искреннего желания сделать вас лучше. Только вам все их добрые намерения встают поперек горла.

Поэтому можно сказать, что претензия — это высказанная в резкой форме мысль о том, что ты не соответствуешь моим ожиданиям, ты иная, нежели я хочу тебя видеть.

Что можно сделать, когда родственники предъявляют к вам много подобных требований?

Один из путей — это **отдалиться от них**, то есть переместиться территориально в другое место, где они не смогут так часто высказывать свое недовольство тем, что вы не соответствуете их ожиданиям.

Девушки в подобных ситуациях традиционно выходят замуж за первого встречного, лишь бы уйти из дома. Юноши просто уходят учиться или работать куда-то в другой город, в другую местность, чтобы быть подальше от своих избыточно заботливых родителей.

Территориальное отдаление снижает уровень, но не снимает полностью претензий. Вы можете находиться далеко, но при этом в голове у вас будут непрерывно крутиться мысли о том, почему они такие, почему они так поступили, почему они не понимают моих устремлений. В общем, телом вы отдалились, но умом, душой вы остались вместе с ними. Вы продолжаете с ними мысленно препираться, доказывать им свою правоту. В результате идет постоянное заполнение вашего «сосуда кармы» и Жизнь вынуждена будет применить к вам «воспитательные» процессы. Например, подсунуть вам еще кого-то, кто повторит те же претензии, что предъявляли ваши родители. К примеру, вы вышли замуж, стремясь уйти из-под непрерывной опеки матери. Но в новой семье муж (или его мать) еще больше контролируют вас, вызывая хронический дискомфорт.

То есть территориальное отдаление решает эту проблему только частично. И у вас может возникнуть дополнительный дискомфорт оттого, что вам не хочется жить вдалеке от своих родных.

Поэтому более правильный выход — это **просто понять, что эти люди и их мысли есть плоды своего времени.** Их система ценностей, их ожидания — это их видение **лучшего варианта** вашей жизни. И, предъявляя к вам претензии, они не хотят сделать вам хуже, они **хотят сделать вам лучше.** Просто они считают, что если вы будете вовремя приходить, или вы не будете дружить с таким-то человеком, или вы будете лучше учиться, то ваша жизнь будет лучше. Они искренне заботятся о вас, они искренне пытаются сделать вашу жизнь лучше. Но делают это как умеют, то есть через претензии. При этом они реализуют свое видение того, как должна складываться ваша жизнь.

Изменить их видение жизни вы не можете, чтобы вы ни говорили, как бы вы ни ругались, ни раздражались, ни посылали их подальше. Вы не сможете изменить их систему ценностей! Поэтому вам остается один выход: понять, что они есть плоды своего времени, своего воспитания, своего жизненного опыта. Они исходят из тех обстоятельств жизни, в которых они жили, росли и воспитывались. Изменить это невозможно, это было, это в них заложено, они такие есть.

Поэтому **не стоит пытаться заменить мысли в их голове,** это бесполезно. Тем более, что, когда вы раздражаетесь, когда пытаетесь им что-то доказать, фактически, **вы пытаетесь изменить их систему ценностей,** их опыт. Вы тоже пытаетесь их переделать, то есть влезть им в голову и заменить там их систему ценностей на более удобную вам.

Это невозможно. Можно только понять, что они такие странные, поскольку исходят из своего прошлого, из своего опыта. Сейчас времена изменились, жизнь изменилась, но они не отследили этих изменений, они живут в своем прошлом. Вы не можете изменить этого, можно только посочувствовать им: «Ну что поделаешь, бедненькие, видимо, вам доживать с этим. Я вам позволяю поучать меня, я вас не осуждаю за это, раз уж так получилось. Наверное, я тоже в старости буду упираться и отстаивать те идеалы, которые я накоплю в течение жизни. Мои дети и внуки тоже могут меня посылать, когда я буду навязывать им свое видение их жизни. Поэтому я не осуждаю вас и позволяю вам жить с вашими идеями. Я не пытаюсь вас переубедить, я и не пытаюсь вас переделать. Я просто принимаю вас со всеми вашими заморочками. Говорите что хотите, вылезайте со своими комментариями, со своими претензиями, со своим недовольством! По мере возможности я буду даже вам подыгрывать, я буду кивать, я буду говорить: да-да, извините, так получилось. Может быть, в какой-то момент я расскажу вам какую-то сказочку — ложь во благо, о том, что вот я была в приятном вам месте. Это я сделаю вместо того, чтобы сказать, где я была в действительности, лишь бы вы не расстраивались, лишь бы ваша нервная система не приходила в упадок, лишь бы вы жили подольше. Я ведь люблю вас и хочу, чтобы у вас все было хорошо и чтобы вы жили и радовались жизни! А если я доставляю вам большое огорчение, то я постараюсь сделать так, чтобы этих огорчений у вас было меньше.

Это не значит, что я буду подстраивать свою жизнь под ваши ожидания, с какой стати. Но на внешнем фоне я хотя бы постараюсь, насколько смогу, удовлетворять ваши требования».

Именно такое отношение, спокойное, доброжелательное, сочувственное, поможет вам жить с ними и сохранять внутреннее спокойствие. Исходите из того, что они — это большие дети со своими заморочками, которые за что-то борются, что-то отстаивают. Изменить их вы не можете, поэтому вы будете им понемногу подыгрывать.

Такая позиция позволит вам спокойно относиться к ним, и возможно, у вас усилится любовь к ним. Поскольку, сняв претензии к ним, вы поймете, что они не такие уж плохие. Они о вас заботятся, они страдают из-за вас, они думают о вас. То есть они достойны вашего самого теплого отношения. Может быть, вы назовете это чувство любовью.

7.2. Мы с мамой давно уже молимся, чтобы наш папа изменился и стал другим человеком, а он становится все хуже и хуже. Что делать?

Видимо, этот вопрос задает ребенок, который вместе с мамой (или с ее подачи) придумал себе некий образ папы: доброго, заботливого, щедрого, внимательного и еще какого-нибудь замечательного. А реальный папа не соответствует этим ожиданиям. И видимо, мама уже много лет молилась Богу, чтобы Бог переделал папу и сделал его таким, каким бы она хотела его видеть. Но у нее ничего не получилось. Теперь она привлекла к этому занятию своего ребенка, и они на пару молятся: «Господи, измени то, что ты сделал (видимо, по ошибке)».

Каков будет результат этим молитв? Изменится ли папа?

Конечно нет. В данном случае имеет место типичный кармический «воспитательный» процесс.

У мамы есть некий идеал, некие ожидания, каким должен быть ее муж. Соответственно, ее муж разрушает ее ожидания. Она не принимает его в новом обличье, она его осуждает. Возможно, она его выгнала из дома, или он сам ушел, устав от бесконечных претензий. Возможно, она просто испытывает к нему длительные претензии, но брак сохраняется — из вопроса непонятна текущая ситуация.

Но это не важно, поскольку жена (и ребенок) совершенно не готовы принять своего мужа со всеми его недостатками, они хотят его переделать. И действительно, иногда жене удается с помощью криков, угроз, оскорблений или принуждения заставить мужа поступать так, как ей хочется. И муж с внутренним протестом, недовольством, под страхом будет вести себя так, как ему приказывают. Но при первой же возможности он постарается вырваться из-под такого гнета или даже отомстить своей мучительнице.

Более слабые женщины, у кого не хватает здоровья использовать этот путь для переделки своего мужа, пытаются привлекать для этой цели Бога. Этот путь избрали мать и дочь. Они обращаются к Богу с просьбой, чтобы он переделал то, что сделал неправильно. То есть Бог создал моего мужа неправильно и переделай его, пожалуйста, так, чтобы он был таким, каким я хочу его видеть.

Понятно, что результат этих обращений будет не очень хорошим. Чтобы результат был положительным, им нужно понять, что такой папа появился не просто так в их жизни, что он является разрушителем их идеалов. Поэтому маме и ребенку для начала нужно понять, **чем именно их папа их не устраивает,** какую модель семейной жизни они себе придумали и борются за нее. А затем нужно простить папу и позволить ему быть таким, каков он есть в реальности. Это удастся сделать только после того, как вы поймете свою систему ценностей, откажетесь рассматривать ее как единственно возможную и поблагодарите Бога за то, что он дал вам такого папу. Ведь он мог не дать никакого и тогда ситуация была бы много хуже.

В общем, пока мама и дочь будут сосредоточены над тем, что наш папа не такой, каким он должен быть, ситуация не будет меняться. А папа будет становиться все хуже и хуже по мере накопления переживаний в «сосудах кармы» мамы и ребенка.

Это совершенно типичный кармический «воспитательный» процесс, и работать нужно не над переделкой папы, а над изменением своей собственной системы ценностей, как ни огорчительно это звучит.

7.3. Правда ли, что дети повторяют судьбу своих родителей?

Нет, неправда. С одной стороны, народная мудрость говорит, что «яблоко от яблони недалеко падает», то есть дети повторяют многие элементы поведения своих родителей. Это вполне понятно, поскольку ребенок сначала наблюдает, как складываются отношения в семье своих родителей, и на этой основе строит свою модель семейной жизни. А затем пытается эту модель отношений применить в своей семье. В этом дети повторяют судьбу родителей, поскольку копируют их модель поведения. Так бывает довольно часто, поэтому несложно **прогнозировать модель поведения и идеализации** у ребенка, зная, как жили его родители.

Но человек есть существо в некотором смысле разумное. И он может в какой-то момент осознать, что **если я жду от мира того-то и того-то, то мир вовсе не обязан мне это давать.** Поэтому бороться за свои идеалы — это бессмысленное занятие, поскольку это означает, что я не принимаю объективную реальность такой, какая она есть.

Поэтому **человек может изменить свою судьбу в любой момент.** Конечно, если это человек мыслящий, если он не будет слепо биться за те убеждения и идеалы, которые он вынес из своего детства. **Если он будет строить свою жизнь вполне сознательно, то тогда он не будет повторять судьбу своих родителей,** если не захочет. Если же человек будет отстаивать те модели отношений, которые он увидел в детстве, то тогда его реальная жизнь будет повторять судьбу его родителей. Но это не обязательно, это его добровольный выбор, неосознаваемый добровольный выбор.

Вы можете сделать иной выбор, и ваша жизнь будет такой, какой вы ее закажете.

7.4. Моей дочери пятнадцать лет, учится в восьмом классе. Но уж очень флегматичная ко всему. Абсолютно пассивная к учебе, к чтению, к труду. Как ее заинтересовать? Я за нее очень много думаю и переживаю.

Это частая ситуация, когда мама очень активна, подвижна и желает, чтобы ее дочь была точно такой же. Она не представляет себе, что нормальный человек может быть пассивным, флегматичным. Что человек может долго обдумывать какие-то решения, принимать их не сразу. Для нее это неприемлемо. Она живет другой жизнью, и, скорее всего, именно поэтому у нее появился флегматичный ребенок.

По второму способу разрушения наших идеализаций (сведение вместе людей с разными системами ценностей) у матери-холерика с большой вероятностью рождается ребенок-флегматик. И это часто является причиной переживаний для матери, потому что этот замедленный образ жизни, этот способ существования людей для нее кажется чуждым.

Судя по словам «я много думаю и переживаю», мама уже придумала для своей дочери жизнь, которой она должна жить: как она должна добиваться успеха в жизни, как она должна карабкаться по всем ступеням жизненного успеха. А дочь в этом не участвует. Дочь пассивна к учебе, к чтению, к труду, чем приводит свою мать в бешенство.

Причем, если поговорить с дочерью, обычно это оказывается замечательный, толковый ребенок. Но с точки зрения матери, ее дочь избыточно пассивна, избыточно флегматична. В общем, она не соответствует ее ожиданиям.

Но это проблема матери, а не ребенка. Ребенок таков, каков он есть, и изменить свой темперамент в угоду матери он не может, даже при всем желании. Может быть, он действительно флегматик. Но скорее всего, это просто **защитная реакция на бесконечную суету и претензии со стороны матери**, на ее быстро меняющиеся и шумные пожелания, требования и еще какие-то условия. Если ребенок будет стараться соответствовать всем требованиям своей матери, то у него не будет никакой личной жизни. Поэтому он просто блокирует все усилия матери, ее суету и бесконечные хлопоты, он старается жить своей жизнью. Отсюда возникает впечатление его флегматичности. На самом деле, если подойти к нему без предубеждения, то окажется, что это нормально развитый, успешный ребенок, который просто блокируется от своей суетливой матери.

Это проблема матери. Ей нужно успокоиться и понять, что ребенок совершенно не обязан соответствовать ее ожиданиям. Он не обязан быть таким, как она его себе представляет. Он не обязан быть таким шустрым, как она себе вообразила. Он имеет право на личную жизнь и свой собственный выбор. И пока она с этим не смирится, у нее будут проблемы, а у ребенка их может не быть. Во всяком случае, ребенок не будет воспринимать свою жизнь как проблему, хотя мать будет воспринимать его как человека с какими-то недостатками. Но это не более чем ее фантазии.

В общем, работать в первую очередь нужно матери над собой, а не над ребенком. Но согласится ли она на это?

7.5. Мы живем с сыном. Ему двадцать два года. Он три года один месяц работает, шесть месяцев отдыхает. Сидит дома, не работает. Как мне сделать, чтобы он осознал, что нужно работать?

Здесь мы сталкиваемся с очевидной идеализацией образа жизни у матери.

Мать, видимо, всю жизнь трудилась, скорее всего, это был тяжелый и малооплачиваемый труд. Она не знает другой жизни. Она считает, что человек, родившись, должен идти работать. С утра идти куда-то — к станку, в офис, в контору, на завод. До вечера отработать там, потом вернуться домой. Завтра опять на работу и домой и т. д. Иной жизни она себе просто не представляет. И когда она видит, что ее сын месяц работает, а шесть месяцев отдыхает, то для нее это совершенно непонятная жизнь, бессмысленная жизнь. Человек должен работать. Суть его жизни в том, чтобы бесконечно трудиться, что-то производить. А когда человек только и делает, что отдыхает, — это не человек вовсе, непонятно даже, что это такое. Как можно так жить? Она переживает по этому поводу, она осуждает стиль жизни своего сына. Не понимая, что, чем больше она переживает, тем сильнее блокирует ему возможность найти хорошую, спокойную работу.

Это кармический «воспитательный» процесс для матери. Ребенок, скорее всего, не переживает, он просто радуется жизни. А источник существования у него есть — это мать, которая его кормит. И возможно, он даже не требует у нее денег, обходится минимумом. Просто **он не хочет жить той жизнью, которую видит у своей матери.** Он видит, что она всю жизнь ходила на работу с утра до вечера, всю жизнь посвятила труду. А результат — никакой. Нет здоровья, возможно, нет хорошего уровня обеспеченности, ничего нет. И он выбирает себе другую жизнь, он ищет другую жизнь. Для нее это неприемлемо, она не может себе представить, что жизнь может быть иной.

Хотя если посмотреть вокруг, то в мире очень много людей живут не работая с утра до вечера. Кто-то работает по ночам, кто-то работает от случая к случаю, кто-то работает только на выездах. Это обычно люди творческих профессий либо люди, добившиеся успеха и позволяющие себе не зарабатывать деньги ежедневным трудом. Либо уровень их дохода позволяет им не заниматься ежедневным трудом с утра до вечера.

Но это очень сложно осознать матери. Она тревожится, она переживает. И в итоге ее сын не может ни на чем остановиться.

Что же можно порекомендовать матери? Ей нужно понять, что ее сын имеет право на такую жизнь. Что, может быть, в ближайшие десять лет он не найдет себе работу по душе. Он не хочет работать ради денег, он хочет работать ради удовольствия, а заодно получать деньги. Это самый лучший выбор, но его трудно реализовать, и люди ищут это годами. Поэтому матери нужно принять своего ребенка таким, каков он есть. Ей нужно понять, что и в таком образе жизни есть что-то положительное, и успокоиться. И как только она успокоится, то, скорее всего, он определится со своей работой. Если даже он не определится через месяц или три, то это не повод для переживаний, он имеет на это право. Он ищет то место, где вместе с деньгами он будет получать удовольствие от работы.

Он имеет на это право, и нельзя лишать его подобного выбора, не нужно пытаться его переделать.

Ведь в самом вопросе заключена просьба помочь переделать сына, помочь сделать так, чтобы он осознал, что нужно работать с утра до вечера. Вопрос состоит в том, **как его переделать**, как сделать его таким, чтобы он соответствовал моим ожиданиям. Ответ: никак. Чем больше усилий вы к этому прилагаете, тем хуже все будет получаться. Успокойтесь и поймите, что не все люди живут той жизнью, которую вы себе представляете как нормальную. Люди имеют право и на другую жизнь, хотя она вам может казаться странной. Но это не более чем разрушение вашей идеи о том, как должна складываться жизнь любого человека, в том числе вашего сына.

7.6. Помогите с формулировкой. У меня беда: я осуждала родителей любимой внучки, то есть моего сына и его жену. Моя агрессия росла как грибы, хотя я училась снимать агрессию к невестке. У нее ко мне тоже росла агрессия, и вот настал миг, когда эта агрессия с ее стороны после выпивки моего сына вылилась против меня так, что я больше не могу общаться с любимой внучкой. Четыре года я болею без нее. Я работаю над собой, но хочу изменить ситуацию. Как быть?

В данном случае автор вопроса имеет большой набор идеалов и изо всех сил бьется за них. Она знает, как родители (то есть ее сын и ее невестка) должны относиться к ребенку, как они должны его воспитывать. А они, видимо, относятся к ребенку не в соответствии с ее ожиданиями, и она без конца поучает их, вызывая их встречное недовольство, которое со временем переросло в то, что она называет агрессией.

Мы не знаем, какую модель отношений она отстаивает, да это и не имеет особого значения. Возможно, она считает, что родители чересчур сухи и слишком заняты делами, не уделяют ребенку достаточного внимания. Может быть, они слишком строги, или, наоборот, чересчур добрые, или еще какие-то. В общем, они не такие, какими должны быть.

В результате она активно осуждала родителей своей внучки, то есть своего собственного сына и свою невестку. В итоге этих конфликтов ее «сосуд кармы» заполнился процентов до 80—85 и жизнь повернулась так, что сын и невестка перестали пускать бабушку к внучке. То есть у нее оказалась потерянной возможность контакта и влияния на внучку и ее родителей, что составляло главную ценность в ее жизни.

Что же получилось в результате? Оказывается, жизнь течет сама по себе, независимо от наших переживаний. Внучка живет с родителями, ее сын с невесткой тоже существуют вполне благополучно. Только бабушка никак не может принять жизнь в этих изменившихся обстоятельствах! И все потому, что **родители неправильно воспитывают своего ребенка!** Она знает, как нужно воспитывать ребенка, как с ним обходиться, а ее собственный сын не знает! Разве это жизнь!

Совершенно очевидно, что у бабушки имеется **идеализация семейной жизни и идеализация отношений между людьми**, две совершенно очевидные идеализации, которые привели к вполне закономерному результату. Наверное, открыт и клапан **идеализация контроля окружающего мира.** Она бесцеремонно вмешивалась в чужую жизнь и в итоге получила то, что имеет сейчас.

Интересна последняя фраза в вопросе: «Я работаю над собой... хочу изменить ситуацию». То есть, невзирая на все молитвы, я все-таки хочу сделать из моего сына человека, который будет правильно вести себя с ребенком. Я все-таки хочу сделать из моей невестки человека, который будет относиться ко мне и ребенку так, как я считаю необходимым. То есть я все равно добьюсь своего, пусть даже мне для этого придется привлечь Высшие силы! Я все равно сделаю так, чтобы они исправились.

Но, как обычно это бывает в жизни, никто не обязан подстраиваться под наши ожидания. Никто не обязан менять свою жизнь в соответствии с теми идеалами, которые имеются у нас в голове. Соответственно, чем больше бабушка переживает, тем хуже складывается ситуация и тем хуже ее здоровье, тем хуже ее отношения с сыном и внучкой.

Она не принимает своего сына, не признает его права иметь свою точку зрения на воспитание ребенка. Хотя, возможно, ее сын воспитывает своего ребенка по-иному только потому, что в детстве натерпелся от своей матери и не хочет, чтобы это же повторилось с его ребенком.

Понятно, что чем больше бабушка будет упорствовать в отстаивании своих идеалов, тем все хуже будет складываться. Она уже четыре года не видит внучки, а сколько таких лет у нее впереди!

Единственный выход из этой тупиковой ситуации — это понять, что ее сын и его жена имеют право на свою модель семейной жизни и воспитания ребенка. Имеет право на существование не только та модель воспитания, которой придерживается бабушка, но и многие другие. И что душа ребенка не случайно пришла в семью к таким родителям. Душе ребенка зачем-то нужно было пройти через эту ситуацию. Бабушка этого не понимает и сражается за свои идеалы. А пора бы подумать о собственной душе и стать немного более мягкой, не накапливать новых грехов.

Для этого ей нужно почистить накопленные переживания, например, с помощью медитации прощения и пересмотреть свои ожидания по отношению к близким людям. Тогда ситуация может измениться. Без этого ситуация, к сожалению, будет всегда оставаться такой и будет только ухудшаться. Содержание записки подтверждает это.

Причем, что интересно, все эти страсти, похоже, не имеют под собой особых оснований. Если бы родители издевались над ребенком, избивали его, морили бы голодом, то, наверное, бабушка об этом бы написала. Но об этом не говорится ни слова. Поэтому, видимо, все эти страсти — не более чем борьба амбиций. В рамках нашей методики — идеализаций.

7.7. Как помочь сыну, чтобы он захотел учиться, чтобы у него появился интерес к учебе?

Здесь опять мы сталкиваемся с ситуацией, когда у родителей есть некий идеал того, как должна складываться жизнь их сына. Сын должен хорошо учиться, должен хорошо закончить школу, потом поступить в институт, закончить его и занять престижное место. А потом уже пускай живет как хочет, но вот до того времени, когда он добьется успеха в жизни, мы должны ему помогать. И если он с этого пути сбивается, это становится поводом для бесконечных переживаний. То есть на самом начальном этапе ребенок **должен хотеть учиться.** А если это связано с большими переживаниями родителей, то имеет место **идеализация образа жизни и идеализация образования,** имеющиеся у родителей. Они переживают, что ребенок не соответствует их ожиданиям, у него нет явного интереса к учебе. А ребенок живет своей жизнью. Может быть, ему интересней спорт или путешествия, может быть, он увлекся компьютером или ему вообще ничего не интересно. Может быть, он сидит и медитирует, раздумывая о смысле жизни, даже неосознанно не желая соответствовать тем требованиям, которые предъявляют ему родители.

Скорее всего, жизнь его родителей не очень успешна, и они очень хотят, чтобы ребенок не повторил их ошибки. А ребенок видит, что, хотя его родители хорошо учились в школе и получили высшее образование, но результат всех этих усилий огорчительный. И он делает вывод: «С какой это стати я должен повторять их путь? Я пойду по своему пути, я попробую построить жизнь по-своему и не собираюсь идти той дорогой, на которую заталкивают меня родители. Это стандартный путь, но он не гарантирует успеха. Мои родители прошли по нему, но результат всех усилий не сделал их счастливыми. Этого нет, и я на множестве примеров вижу, что люди с высшим и престижным образованием не удовлетворены жизнью и все у них не так, как им хочется. Поэтому почему я должен повторять их ошибки? Я буду искать свой путь жизни».

Так или примерно так может рассуждать ребенок. Он видит проблемных людей, имеющих высшее образование, и их опыт не вдохновляет его, он не испытывает тяги к учебе. Возможно, он видит людей, не имеющих особого образования, но живущих интересной и вполне устраивающей их жизнью. Ему нравится такая жизнь без особых затрат времени и усилий на образование, но для родителей это неприемлемо. У них есть идеальная модель жизни ребенка, они всеми силами пытаются затолкать его в эту колею. Результат их усилий довольно огорчительный.

Что можно им посоветовать? Для начала им нужно успокоиться и принять жизнь такой, какая она есть, — с ребенком, который не испытывает особой тяги к учебе. Затем рекомендуется прокрутить данную ситуацию по «ежику событий» и понять, что если ребенок не хочет учиться, то это не самое худшее в этой жизни. Жизнь очень многообразна, и вариантов ухудшения ситуации может быть очень много. Так что лучше позволить ему учиться не так хорошо, как бы вы хотели.

Возможно, после этого что-то изменится, может быть, и нет. Но это не повод для переживаний, а всего лишь повод для размышлений о том, что через вашего ребенка Жизнь разрушает вашу идеализацию образования и образа жизни. Успокойтесь и позвольте ему жить своей жизнью. Если ему нужно будет образование, он сможет получить его в двадцать, тридцать, сорок и пятьдесят лет.

Однако все эти рассуждения вовсе не значат, что мы рекомендуем махнуть рукой на образование ребенка и ничем не помогать ему. Конечно, нужно ему помогать, подталкивать, может быть, настаивать на чем-то. Но это не должно быть идеализацией и не должно приводить к вашим длительным, негативным переживаниям. Успехов вам на этом пути.

7.8. Как положительно влиять на судьбу своих детей? Как оказать помощь в выборе профессии? Для меня это очень важно.

Здесь мы вновь сталкиваемся с ситуацией, когда родители **уже придумали** для своих детей ту жизнь, которой они должны жить. А дети по той или иной причине сходят с этого пути. Пытаются отстаивать какие-то свои идеалы, какие-то свои принципы. Это вызывает бесконечные переживания родителей, которые уже наметили, как в данном случае, профессию для своего ребенка. Скорее всего, ребенок выберет совсем не то, что хотят родители.

Если же родители силой толкают на этот путь, то очень мала вероятность того, что ребенок примет эту жизнь и будет ею доволен.

Мне часто приходится сталкиваться с ситуациями, когда волевые родители заставляли детей поступать в престижные институты. Закончив, сами устраивали их на высокооплачиваемые и престижные, с их точки зрения, работы, а ребенку было это чуждо, он не желает заниматься этим делом. В результате он либо бросает свою престижную работу, либо тихо ненавидит ее и заливает свою ненависть алкоголем.

Приведем пример подобного развития событий. Мама — адвокат, юрист, преподаватель престижного вуза, а дочь имеет тягу к животным. После школы ребенок хочет поступать в ветеринарный институт, но мать говорит, что никогда не бывать такому, чтобы ее дочь стала ветеринаром.

Она устраивает дочь в престижный институт. Ребенок действительно отучился в институте, а потом принес диплом, отдал матери и сказал: «На, это твой диплом, мне он не нужен». Мать, женщина очень волевая, устроила ее работать в очень престижное место. Но дочь вскоре бросает эту работу, мать устраивает ее на другое место, она снова бросает, и так много раз. В результате девушка спилась, связалась с очень сомнительными компаниями. Ей была очень чужда, очень противна та жизнь, в которую затолкала ее мать. Сегодня мать это поняла, но прошло уже двадцать лет и вернуться к стартовым позициям, чтобы позволить ребенку жить и радоваться жизни, будучи даже ветеринаром, она уже не может. Потому что спившаяся девушка уже потеряла всякий интерес к жизни, и она уже не помнит о том, что когда-то любила животных. В общем, жизнь ее совершенно поломана. И поломана волевыми усилиями матери, которая очень хотела, чтобы жизнь ее ребенка была успешной — с ее точки зрения.

Поэтому, конечно, оказывать помощь ребенку нужно. Нужно с ним разговаривать, нужно обращаться к его разуму и доказывать правильность ваших позиций. Нужно позволить ему попробовать себя в разных сферах деятельности, для этого существуют различные клубы, кружки, где он может испытать себя в разных ипостасях. Но придумывать ему какую-то одну жизнь и силой заталкивать ребенка туда, — это самое худшее, что можно сделать. В итоге либо ребенок будет пассивен, он не бросит навязанную вами работу, но жизнь не будет доставлять ему удовольствия, поскольку он с удовольствием занялся бы чем-то иным, но ему не позволили сделать этот выбор. Возможно даже, что он начнет пить и бросит все. Либо он, в конце концов, бросит ту работу, которую ему навязали родители, и вернется к тому, к чему тянется его душа.

Поэтому будет значительно лучше, если уже на стадии обучения в школе родители поймут, к чему тянется душа их ребенка, и помогут ему сделать так, чтобы он занимался этим любимым делом. Их коррекция должна состоять в том, что они должны научить ребенка сделать так, чтобы любимое дело давало не только моральное удовлетворение, но и материальный доход.

То есть если у ребенка есть явно выраженная тяга к чему-то, то лучше позволить ему сделать выбор самому. Позвольте ему, пусть даже он ошибется, но это будет его ошибка, и если он опомнится через какое-то время, то тогда вы поможете ему сделать другой выбор. Но если вы силой будете заталкивать туда, куда вы считаете нужным, результат, скорее всего, будет очень негативным. Подумайте об этом.

Если же у ребенка нет никакой тяги к чему-либо, то вы можете давать ему свои рекомендации, но окончательное решение должно приниматься вами совместно. Тогда ребенок никогда не предъявит вам претензий в том, что вы сломали ему жизнь. И это никогда не станет источником конфликтов между вами.

7.9. У меня проблемы. Моя мама идеализирует мое совершенство. Можно ли каким-нибудь образом повлиять на ее идеализацию, если она не хочет ничего слушать?

Как видим, это обращение уже с другой стороны, со стороны «объекта воспитания», то есть ребенка. Мама придумала своей дочери жизнь, в которой она очень успешна, у нее все получается. Она идеализирует совершенство дочери и поневоле требует от нее, чтобы у нее все было лучше всех.

Если ребенок будет принимать все восторги матери всерьез и будет стараться всегда «быть на высоте», чтобы не разочаровать маму, то очень возможно **возникновение так называемого «комплекса отличника»** у ребенка. Этот комплекс возникает у детей, которые хотят всегда и везде быть первыми. А если у них это не получается, они погружаются в переживания по поводу своего несовершенства. Им кажется, что они всегда и везде должны быть идеальны. Понятно, что никто не может быть первым во всем, поэтому оснований для недовольства собой появляется более чем достаточно. В нашей методике такое хроническое недовольство собой квалифицируется как **идеализация своего совершенства**. А источником идеализации была мама, которая бесконечно много хвалила и восторгалась своей дочерью в детстве.

Но в нашем случае, похоже, дело обстоит не так. Ребенок не хочет подстраиваться под восторги матери, он хочет пожить сам, своей жизнью. Но ей это непозволительно, мать всячески будет добиваться, чтобы дочь была лучше всех. Поэтому дочь спрашивает, как можно образумить свою мать.

Конечно, если невозможно изменить ребенка, то еще более невозможно изменить родителей, которые уперлись в какую-то идею. Что же делать ребенку, как выживать в этой ситуации непрерывного давления со стороны матери?

Выход здесь такой. Ребенку нужно позволить матери иметь идею, что ее дочь лучше всех. Ей нужно снять осуждение матери и прекратить попытки доказать ей свою позицию, особенно через конфликт, через крик, через ссоры. После этого можно попробовать обратиться к разуму матери, но вполне возможно, что она окажется глуха к словам ребенка.

После этого ребенку можно просто построить свою жизнь так, чтобы жизнь его радовала, чтобы он получил то, что хотел. Если родителей это не будет устраивать, это их проблема. Это их идеализация, и если они сами не хотят от нее отказываться, то со стороны что-либо с ними сделать невозможно.

Поэтому ребенок должен допустить, что родители должны получить свою порцию переживаний. Это их выбор, это их жизнь, и они получают от Жизни свои уроки. И он в общем-то должен относиться к этому более спокойно.

И совершенно не обязательно, чтобы ребенок подстраивал свою жизнь под требования родителей только для того, чтобы они были более спокойны. Нет, душа ребенка пришла в этот мир со своими задачами, своим предназначением. Родители дали ему тело и помогут прожить первые восемнадцать—двадцать лет, но дальше ребенок будет жить своей жизнью, и он не обязан отвечать всем требованиям родителей. Поэтому уже сейчас ему нужно научиться прощать их претензии к себе, научиться принимать их во всем их несовершенстве. Но беспрекословно следовать их указаниям и требованиям — это прямой путь к тому, чтобы попасть в дискомфортную ситуацию самому. И к тому, что жизнь станет совершенно неприятной и будет испорчена надолго, а то и навсегда.

Чтобы она не была испорчена, попробуйте пожить своей жизнью, невзирая на то, что ваши родители настаивают на чем-то ином.

Но это вовсе не означает, что мы рекомендуем ребенку посылать своих родителей подальше, считая все их требования идеализациями. Разумное решение лежит где-то посередине. Конечно, **ребенок должен слушать своих родителей**. Но если он видит, что родители своими требованиями делают его жизнь совсем невыносимой, то он может принять меры к защите своих интересов, но без гнева и обиды на родителей. Он может попробовать доказать им свою правоту либо просто тем или иным способом отстаивать свои интересы.

7.10. Что можно сделать с сыном тридцати семи лет, отвергающим мать, не желающим разделить с ней жилье, хотя мать старается делать для него только хорошее?

Скорее всего, в данном случае у матери имеется типичная **идеализация контроля окружающего мира**. Она тотально опекает своего ребенка, хотя ему уже тридцать семь лет. Она все время старается сделать для него что-то хорошее. Но ему хочется пожить своей жизнью. Годы идут, а, находясь под тотальной опекой своих родителей, сын не может самореализоваться. Он не может почувствовать себя хозяином, творцом своей жизни. Потому что все его шаги, все его поступки обсуждаются и контролируются матерью, она постоянно в них вмешивается, пусть даже с самыми добрыми намерениями. Сыну все это ужасно надоело, ему хочется избавиться от этой навязчивой опеки. Поэтому он хочет получить свое жилье, пожить отдельно, пожить своей жизнью.

Он имеет на это полное право. Матери нужно осознать, что эта ее тотальная забота о ребенке есть **идеализация контроля окружающего мира**, дополненная **идеализацией образа жизни своего сына**. Именно поэтому он пытается с ней разделиться и уйти из-под ее контроля. В этом он видит единственный выход. Именно поэтому он пытается жить своей жизнью, и жизнью совсем не такой, как навязывает ему мать. Тем самым он разрушает идеализацию матери, он дает ей урок, который она не хочет усваивать. Она ходит и везде пытается узнать, что ей нужно сделать, чтобы сын наконец-то ее послушался. Что можно ей посоветовать?

Единственное, что можно сделать, — это **перестать тотально опекать и контролировать своего сына**, позволить ему жить своей жизнью. А в освободившееся время подумать о себе. Ведь ваша жизнь ничем не хуже жизни вашего сына, и ваша душа тоже пришла в этот мир радоваться, обучаться, получать духовное развитие. А вы посвятили всю свою жизнь сыну, тем самым отказавшись от своей жизни. Это не очень хорошо, поэтому вам можно порекомендовать **начать думать и о себе**. Внешне это будет выглядеть как более эгоистичная жизнь, в которой вы думаете больше о себе, позволив сыну жить своей жизнью. Но сыну уже тридцать семь лет, уже пора, наверное, оставить его в покое и позволить ему самому распоряжаться своей жизнью. Если вы это не примете, то он силой все равно этого добьется. Не надо доводить это дело до конфликта. В итоге затяжного конфликта заполнятся его и ваш «сосуды кармы», и Жизнь будет вынуждена применить к вам более суровые «воспитательные» процессы. Вряд ли вам стоит продолжать инициировать их возникновение.

7.11. Сына уволили с работы. Целый месяц он спит днем, гуляет ночью, дома ничего не делает и не ищет работу. На все мои попытки узнать, почему он даже не ищет работу, получаю один ответ — не лезь в мою жизнь. Я не хочу вмешиваться, при этом оставлять его без еды равносильно тому, чтобы выворачивать себе руки. Он много денег у меня не просит, только на сигареты. Если я начинаю ворчать, он меня обрезает: «Ты либо даешь, либо не даешь, только не бубни». Как себя вести?

Понятно, что у матери имеется идеализация образа жизни. То есть у нее существует устойчивая идея о том, что мужчина должен ходить на работу, должен зарабатывать деньги. Ночью спать, днем трудиться, гулять, видимо, по вечерам. Или не гулять вообще. Ей сложно представить себе, что кто-то (тем более ее сын!) может жить иной жизнью, поэтому она ворчит и достаточно сильно переживает, что у него жизнь не складывается. Ребенок, похоже, доволен жизнью, поскольку он сумел вырваться из того жизненного стереотипа, в котором существует большинство людей: работа — дом, работа — дом, работа — дом. Он попробовал иной жизни, когда днем спишь, ночью что-то делаешь. Ему это понравилось, он пробует, он ищет для себя другую жизнь. Возможно, он найдет работу, не требующую ежедневного восьми- девятичасового пребывания на рабочем месте. То есть он ищет другую жизнь, но для матери это неприемлемо. Она переживает, ворчит. Она не представляет себе, как так можно жить.

Поскольку у матери есть идеализация образа жизни, сын вынужден ее разрушать. Поэтому у матери остается один выбор — успокоиться, принять, что не все люди обязаны работать с утра до вечера. Существует и другая жизнь, и, может быть, ее ребенку суждено пожить иной жизнью. Нужно порадоваться за него, нужно позволить ему сделать жизнь такой, какой он хочет. Пусть он поищет, пусть на это уйдет несколько месяцев. Тем более, что особых материальных претензий у него нет. Он ничего не требует от матери.

Кроме того, судя по его фразе: «Ты либо даешь, либо не даешь, только не бубни», у него имеется **идеализация своих способностей**. Возможно, он потерял работу именно из-за того, что был недоволен своим положением, имел претензии к окружающим, которые его не ценили. И сейчас он проходит свои кармические уроки, а поведение матери мешает ему получить эти уроки полноценно.

Значит, нужно позволить ребенку пожить той жизнью, какой он хочет. Конечно, нужно ему советовать, подсказывать, какое-то время помогать. Но в целом это не повод для переживаний. Миллионы людей живут без того, чтобы ходить каждый день на работу. И ничего, живут, и многие из них радуются жизни. Может быть, у вашего сына будет именно такая жизнь.

Поэтому главная задача матери состоит в том, чтобы успокоиться и понять, что сын может не найти работы еще месяц, два, год, пять лет. Но что тут поделаешь, если жизнь так складывается? Вы можете его кормить, можете его не кормить, в конце концов, это ваш выбор.

Если не будете кормить, скорее всего, он начнет предпринимать какие-то шаги к зарабатыванию денег. Но если вы перестанете его кормить через озлобленность, недовольство, через попытку навязать ему какой-то образ жизни, то результат будет не очень хороший.

Если же жизнь сложится так, что у вас просто не будет денег, чтобы кормить его, то он поневоле вынужден будет суетиться и искать источники существования. Конечно, хотелось бы, чтобы до этого не дошло. Хотя может дойти, если вы будете кормить его и ругать себя и его за это. Поэтому поживите спокойней, порадуйтесь жизни. Порадуйтесь тому, что у вас есть возможность прокормить вашего сына, поблагодарите Высшие силы за эту возможность. Порадуйтесь, что ваш ребенок хотя бы днем имеет возможность поспать и иногда погулять, поскольку многие дети этой возможности не имеют.

Если вы снимете к нему претензии, то, скорее всего, ситуация вскоре выровняется. Но даже если она не выровняется, это тоже не повод для переживаний, потому что он имеет право на свою жизнь. И эта жизнь может быть совсем не такой, какой вы бы ее хотели видеть. Ну что поделаешь, у него своя душа, свой жизненный путь, своя жизненная программа. Вы ее не знаете, и его программа, скорее всего, не будет соответствовать тому идеалу, который вы придумали для него. Это ваша проблема, это ваша избыточно-значимая идея, поработайте с ней. Ну а сыну, конечно, нужно помогать без осуждения и делать все, чтобы его жизнь наладилась.

7.12. Как избавиться от идеализации ребенка, чтобы не мешать жить ему и себе?

Мы предлагаем три способа отказа от идеализации. Можно попробовать любой из них.

Первый способ — это волевое усилие. Его рекомендуется применять, когда вы осознаете, что ваша бесконечная забота о ребенке мешает ему жить, что ваша тотальная опека делает его несамостоятельным, зависимым от вас. И что вы можете так опекать его до двадцати или двадцати пяти лет, а потом выпустить его в жизнь. Казалось бы, вы обеспечили ему хорошую, спокойную юность и дальше у него все должно быть так же. Но обычно выходит совсем не так. Оказывается, что ваш ребенок не научился принимать самостоятельных решений, не умеет отстаивать свои права, не умеет выживать и преуспевать в той жесткой среде, в которой живут люди. И хорошо, если его возьмет под свое крыло властная и самостоятельная жена, которая будет продолжать заботиться о нем. Вероятнее всего, что он займет какую-нибудь должность служащего и будет постоянно недоволен жизнью, потому что достигать своих целей он не умеет. Не умеет потому, что с детства не научился отстаивать свои позиции, добиваться своего, поскольку ему это не было нужно. Его тотально опекала мама, она все делала за него, и в итоге ребенок получился очень домашний. А домашний ребенок, к сожалению, не боец.

Если, конечно, вы можете обеспечить ему жизнь до пенсии, если у вас достаточно денег и вы можете устроить его руководителем собственного предприятия, то тогда это хорошо. Тогда вы можете тотально опекать своего ребенка. Но это редкий случай.

В основном, конечно, родители опекают ребенка, чтобы его детство прошло хорошо и радостно. Они исходят из понятной логики, что жизнь жестока и ты еще успеешь набороться, сейчас пока отдыхай. На самом деле учиться преодолевать трудности и добиваться своих целей нужно с самого детства. Если ты не имеешь такого навыка, то потом у тебя мало что получится.

То есть если вы осознаете, что чересчур тотально опекаете ребенка, что видите в нем идеал и не можете на него нарадоваться и тем самым внушаете ему идею собственной исключительности, то **нужно остановить себя усилием воли**. Поскольку вы прививаете ему идеализацию собственного совершенства и **идеализацию способностей**, от которых у него в будущем возникнут несомненные проблемы.

То есть, осознав ошибочность своего поведения, вы должны решить, что ребенок должен сам научиться выживать, должен научиться сам принимать решения и отстаивать их. И вы будете усилием воли тормозить себя, когда вам в очередной раз захочется либо сказать ему какие-то восторженные слова, либо влезть в его жизнь и проконтролировать, куда он пошел, что он делал и т. д.

То есть попробовать любыми усилиями заставить себя не вмешиваться тотально в его жизнь, не мешать ему, с тем чтобы он учился самореализовываться. Это не значит, что вы должны стать черствой и перестать обращать внимание на ребенка, вовсе нет. Просто нужно больше с ним советоваться и иногда даже позволять ему настоять на своем, пусть даже ошибочном мнении. Настояв на своем и получив пару шишек в результате исполнения своих требований, он начнет прислушиваться к вашим рекомендациям, советоваться с вами. В общем, станет более осознанным и самостоятельным.

Это первый способ. Второй способ борьбы с идеализациями — это сделать то, что вы считаете для себя недопустимым.

Как это может выразиться в отношениях с ребенком?

Если вы его тотально опекаете, значит, вы не можете оставить его в какой-нибудь сложной ситуации. Вы не можете позволить ему одному вечером добираться домой либо послать его куда-то с неопределенным заданием.

Чтобы применить второй способ, вы сознательно должны это сделать, хотя бы раз-два, и не иметь при этом страшных душевных судорог. Вы должны поставить его в ситуацию испытания, когда он сам должен найти выход. И при этом вы должны не вмешиваться, не опекать.

Например, он вошел в конфликт с кем-то из своих одноклассников в школе. Попробуйте не вмешиваться, а сказать, чтобы он сам разбирался с этой проблемой. Сделайте так, хотя ваша душа будет против этого протестовать, вас будет сжигать желание пойти и всех отругать, разобраться с преподавателями, с воспитателями, с обидчиками вашего ребенка. А вы скажите — нет, сам разбирайся, это твое дело, ты заварил кашу, ты ее и расхлебывай.

Он может приходить домой с подбитым глазом, а вы не вмешивайтесь. Понятно, что это очень тяжело, но если вы через это пройдете и он достойно выберется из этой ситуации, то вы поймете, что он достаточно самостоятельный человек и не очень нуждается в вашей опеке.

То есть второй способ — это сделать то, что вы считаете для себя недопустимым.

Третий способ — это **использование аффирмации для изменения внутренних программ.** В рассматриваемом случае аффирмация может иметь вид: «Мой ребенок — самостоятельная личность, я позволяю ему жить своей жизнью. Моя жизнь не менее ценна, чем жизнь ребенка, и я живу в том числе ради себя. Мой ребенок — нормальный человек, и я позволяю ему жить той жизнью, которую он выберет сам. Я вижу не только достоинства, но и недостатки моего ребенка. Он самостоятельный человек, я позволяю ему жить так, как он хочет. Я больше занимаюсь собой. Я тоже божественное создание и достойна любви и почитания. Я не могу отказываться от своей жизни ради моего ребенка. Я живу своей жизнью, и даю моему ребенку самостоятельность и возможность самому строить свою жизнь так, как он хочет».

Вы составляете примерно такие или похожие аффирмации, учитывающие вашу специфику взаимоотношений с ребенком, и много-много раз их повторяете. И каждый раз, глядя на него, вы должны повторять, повторять и повторять эту аффирмацию. В конце концов, она должна несколько охладить ваш пыл по отношению к своему ребенку.

Выберите то, что вам больше подходит, и попробуйте строить отношения с ребенком по-новому.

7.13. У моей свекрови избыточная идеализация высшего образования. Она считает, что ее внук обязательно должен получить престижную профессию. Как мне реагировать?

Реагировать, естественно, положительно. Это нормально, когда родители или бабушки и дедушки меч-

214

тают, чтобы их внуки прожили лучшей жизнью, чем они сами. Это неплохо. Другое дело, что на этой почве иногда возникает куча переживаний. Она появляется, когда бабушки и дедушки не могут себе представить, что жизнь их внука сложится как-то иначе, нежели так, как они себе это представляют.

Если они не могут себе представить иной жизни, то тогда внуки вынуждены будут разрушать идеализации своих бабушек и дедушек. Если же родители тоже к этому подключаются и очень сильно тревожатся о будущем своего сына, разделяя взгляды уже своих родителей, то тогда внуки просто вынуждены будут разрушать идеализации бабушки, дедушки и своих родителей.

Если же бабушки и дедушки тревожатся, а родители относятся к этому спокойно, предполагая, что **ребенок тоже имеет право на выбор**, то ситуация может быть вполне благополучной. Если родители рассуждают примерно так: «Хотелось бы, чтобы наш ребенок получил престижное образование. Но если ты сделаешь другой выбор, мы будем его уважать. Мы готовы помочь тебе на том пути, который ты выберешь сам, лишь бы тебе было хорошо». При таком отношении родителей и детей проблем, скорее всего, не возникнет (конечно, речь идет о возрасте не менее 10—12 лет). Влияние разумных родителей окажется более значимым, чем идеи бабушек и дедушек. Конечно, родители тоже попадут в разряд «безумных», с точки зрения бабушки и дедушки, но они должны принять это без переживаний.

Поскольку родители позволили ребенку самому думать о своем будущем, то тогда бабушки и дедушки, очень тревожащиеся о своих внуках, получат кармический «воспитательный» процесс по полной программе. То есть их внук, скорее всего, выберет себе какую-нибудь самую непрестижную (с их точки зрения) профессию. Он сделает именно такой выбор, даже не осознавая, почему он это сделал и доставил тем самым неограниченные переживания своим бабушкам и дедушкам.

Они не позволяют людям жить своей жизнью, и в результате мир поворачивается к ним совсем не той стороной, которой они ожидали. Но это их проблема. А у ребенка может быть вполне счастливая жизнь, только без престижного образования и престижной (с их точки зрения) работы. И все потому, что само по себе престижное образование ни в коем случае не является гарантией будущей успешности. Имеется масса людей, получивших самое престижное образование, но крайне неудовлетворенных своей жизнью. И наоборот, масса людей с самым простым образованием живут очень успешно и счастливо. Поскольку само по себе образование никогда никого не сделало счастливей.

7.14. Как можно заставить мужа понять, что у зятя и у нашей дочери своя жизнь? Муж очень негативно относится к ним. Мы с ним любим друг друга, но наша семейная жизнь на грани распада.

В данном случае мы имеем ситуацию, когда дочь с зятем живет «неправильной» жизнью, вызывающей раздражение отца. Отец постоянно вылезает с комментариями и поучениями, дочь на это не очень хорошо реагирует, а мать, скорее всего, встает на защиту дочери. В результате у нее возникает конфликт с мужем, который вмешивается в жизнь дочери и зятя.

В итоге может распасться семья матери и отца. Что можно сказать о матери и причинах ее проблем?

У нее имеется типичная **идеализация отношений между людьми.** Она считает, что отец не должен вмешиваться в жизнь дочери и зятя, как бы ни была организована их жизнь. Что он должен смириться с тем, что есть. Что не должен отстаивать свои идеи, тем более, видимо, в какой-то не очень добродушной форме. Она пытается ему это доказать, а он не слышит ее и упорствует в своих заблуждениях.

Отсюда вытекает, что у нее есть и вторая идеализация — идеализация разумности поведения людей. Она пытается что-то объяснить и доказать своему мужу, а он не слышит очевидных вещей. Он не понимает, что люди имеют право на свою жизнь, и пытается настоять на своем. Он не слушает никаких доводов, он ведет себя как безумец. В результате семейная жизнь матери и отца находится на грани распада.

Что можно посоветовать матери в такой ситуации? Прежде всего успокоиться и понять, что ее муж до конца своих дней не изменится. Все ее попытки доказать ему что-то обречены на провал, он будет упорствовать до конца, каким бы он ни был. Видимо, он человек твердых принципов, твердых убеждений, и будет биться за них до конца. А вы пытаетесь его изменить и внушить ему новый взгляд на мир. Зачем? Пусть он живет в придуманном им мире, пусть он ругает свою дочь, пусть он ругает своего зятя. Это его выбор, он имеет на это право. И изменить его невозможно, можно только принять его во всем его безумстве. Чтобы сделать это без переживаний, почитайте медитацию прощения на него часов шесть—десять. Примите, что он останется таким безумным и упрямым до конца дней своих, он всегда будет иметь претензии к дочери и зятю. Ну и пусть, позвольте жить ему своей жизнью в мире своих идеалов, не пытайтесь изменить его. Изменить его нельзя, можно только смириться с ним и **найти какой-то способ совместного проживания**, позволяющий не накапливать новых переживаний. Ведь если человек психически болен, то он может делать почти все, что ему придет в голову, и мы не будем его осуждать за это — как можно осуждать больного? Так же и вы примите, что ваш муж слегка болен, и перестаньте переживать по поводу его безумств.

Чтобы вообще избавиться от переживаний (и идеализации разумности заодно), считайте, что ваш муж, очевидно, безумен, дочь безумна по-своему, зять тоже не подарок, да и вы тоже с немалым приветом (если бы вы были нормальны, разве вы довели бы ситуацию до развода?). В общем, все мы живем в очень странном мире, где каждый руководствуется своими идеями и борется за них, не жалея живота своего. Понятно, что в таком мире взывать к разуму, пытаться что-то объяснить или о чем-то договориться с людьми очень сложно. И чем больше усилий и желания в это вкладываем, тем хуже у нас все получается. И это не только у вас. Так бывает у всех людей, имеющих идеализацию разумности.

Так что успокойтесь, почитайте медитацию прощения на мужа, на себя, на жизнь. Если вы все еще любите своего мужа, то простите его упрямство, его попытку отстоять свои идеалы и спокойно относитесь к нему. Например, как к большому капризному ребенку. Это **большой и сумасбродный ребенок**, который что-то вбил себе в голову и изо всех сил за это борется.

Вы уже поняли, что капризного ребенка невозможно переделать. Его можно только потихоньку уговорить, либо блокировать ему возможность проявлять свои капризы, либо совсем не обращать внимания на его выверты. Попробуйте любую из этих стратегий, и ваша жизнь исправится. А если вы будете сильно переживать по поводу капризов ребенка, то вы уже сами, оказывается, не очень-то разумны. А ведь это именно то, на что вы претендуете, задав этот вопрос. Так что успокойтесь и примите жизнь во всем ее странном многообразии.

7.15. Как выйти из ситуации, когда мама постоянно поучает свою дочь, которой сорок один год, поучает свою внучку, своего мужа и других людей? Если мы не обращаем внимания и стараемся увидеть что-то хорошее, то мама, наоборот, все переводит в негатив, тем самым нас раздражает, лишая нас радости.

Как видно, у вашей мамы проявлен **контроль окружающего мира**. Именно поэтому дочь, которая больше сорока лет, все еще ребенок для нее. Она без конца поучает дочь, вмешивается в ее жизнь, дает ей команды, как ей жить.

Соответственно дочь, являясь взрослым человеком, раздражается и считает, что она сама уже вполне способна принять какие-то решения и что желательно, чтобы мама не влезала в ее жизнь. А мама продолжает это делать, вызывая раздражение дочери. Параллельно бабушка вмешивается в жизнь внучки, тоже вызывая ее постоянное раздражение.

(Нужно сказать, что это не самый запущенный случай. Нам встречалась семья, в которой мама в возрасте восьмидесяти восьми лет не могла доверить своей дочери сходить в магазин за продуктами: все-то она сделает не так. А дочери было уже семьдесят лет!)

О чем говорит эта ситуация? Только о том, что у мамы и у внучки имеется **идеализация разумности поведения людей**. С их точки зрения, бабушка является безумным человеком, который без конца влезает с поучениями, хотя ее об этом не просят. И хотя ее практически посылают подальше, она все равно пытается контролировать жизнь своей дочери и внучки.

С точки зрения дочери и внучки, поведение бабушки безумно. Но это не более чем их идеализации разумности, поскольку бабушка легко может обосновать необходимость своего контроля. В рамках ее логики ее поведение является полностью оправданным.

Как же перестать переживать в этой непростой ситуации? Мы уже говорили, что для этого нужно **сменить базовую парадигму**. То есть нужно исходить из того, что все люди — существа безумные, и тогда поведение мамы станет выглядеть вполне нормальным. Не нужно исходить из ложной предпосылки, что ваша мама — это нормальный человек. Исходите из реальности, которая состоит в том, то ваша мама — это человек с явными психическими отклонениями от стандартов.

Ну а раз она больной человек, так почему вы на нее раздражаетесь? Как она может испортить вам настроение? Больной человек может быть капризен, он требует внимания, требует бесконечного терпения. На больного никто никогда не обижается.

Кроме того, поймите, что **она не зря появилась в вашей жизни**. Она является хорошим диагностом, и нужно быть благодарной ей за это. В частности, она разрушает вашу идеализацию разумности поведения людей и идеализацию отношений между людьми. Именно поэтому она скандалит и вмешивается в вашу жизнь.

И на энергетическом уровне ситуация тоже вполне понятна. У вашей мамы из-за длительных переживаний «сосуд кармы» переполнен и заблокированы нормальные источники получения жизненных сил. Поэтому она получает их от окружающих людей. Для этого она провоцирует вас на всплески негативных эмоций, и через них она получает жизненную подпитку. Она вампирит ваши жизненные силы, говоря по-простому.

Так что если вы перестанете эмоционально реагировать на выпады своей мамы, то, видимо, эта пожилая женщина переключится на другого человека. Так произойдет, если вы признаете свои идеализации, поработаете с медитацией прощения и поймете, что ваша мама имеет право на такое поведение. Будьте уверены, что она не изменится до конца своих дней, и **вы ничего не сможете с этим сделать**. Она всегда будет вести себя именно так, и ее поведение обусловлено ее опытом, ее отношением к жизни и потребностью в том, чтобы кто-то ее энергетически подпитывал.

Если вы перестанете на нее реагировать, то, скорее всего, ваша мама тогда переключится на внучку и начнет доставать ее своими придирками, поучениями, оскорблениями. Тогда уже нервничать будет внучка.

Если и внучка откажется от своих ожиданий, что бабушка должна быть более разумна и не должна вмешиваться в ее жизнь, и позволит бабушке вести себя так, как хочет, то бабушка начнет искать следующего энергодонора. Возможно, им станет ваш муж, соседи по лестничной площадке или какие-то другие жильцы подъезда. В общем, она быстро найдет тех людей, которых сможет довести до состояния белого каления и эмоционального взрыва.

На самом деле вы должны быть ей благодарны, потому что она является вашим кармическим «воспитателем» и диагностом, поскольку она указывает вам на ваши идеализации. То есть фактически, не осознавая того, **она заботится о вашей духовности**, поскольку одной из задач человека является отказ от имеющихся идеализаций. Попробуйте быть ей за это благодарной.

7.16. Свекор третирует свекровь, достает всех домашних, цепляется без оснований, раздувает скандал на пустом месте. Все уже просто молчат, но он все равно зацепит. Никогда не признает себя виновным. На работе он нормальный человек. Что с ним сделать, лечить бесполезно, а все остальное противозаконно?

Конечно, нанять киллера и разом избавиться от надоевшего свекра — это радикальный метод, но он, как вы правильно отметили, противозаконный и в общем-то далеко не гуманный.

С точки зрения нашей более гуманной теории, выход здесь только один.

Во-первых, нужно понять, что **человек скандалит не просто так, а он что-то от вас хочет.** Скорее всего, он хочет получить от вас порцию уважения и внимания, которое он, наверное, не может получить на работе. И хотя с внешней стороны на работе он нормальный человек, но наверняка какие-то его идеи не реализуются и он не получает требуемой доли уважения.

Уважение в данном случае можно рассматривать как жизненную энергию внимания. Он получает ее от вас, провоцируя вас на переживания, на вспышки гнева или раздражения. Он вынуждает вас обращать на него внимание.

Вы говорите, что «все просто молчат, но он все равно зацепит». Это говорит о том, что **он является хорошим диагностом в вашей семье,** просто такой свой домашний лекарь, **духовный лекарь.** Но вы его не воспринимаете в этом качестве, а ошибочно воспринимаете в качестве склочника.

На самом деле **нужно быть ему благодарным за то, что он указывает вам на ваши идеализации.** Поскольку, если бы у вас не было идеализаций, он никогда бы вас не «достал» и вы никогда бы не взорвались.

То есть выход из этой ситуации такой. Нужно поработать с медитацией прощения на него и начать отслеживать те ситуации, когда он все-таки достанет вас. Сначала вы взорветесь, понервничаете, покричите. А потом, через некоторое время, мысленно вернитесь к этому событию и проанализируйте, почему он именно вас достал, чем он вас достал, какую вашу модель отношений он разрушил. И тогда вы будете ему благодарны, потому что **он указал вам на очередную идеализацию.** До тех пор, пока вы будете взрываться, он будет вас диагностировать, он будет указывать вам на вашу систему ценностей. За это нужно быть ему благодарным и **мысленно посылать ему энергии, которых ему не хватает.**

Это могут быть положительные энергии, хотя он может быть к ним не готов. В таком случае вам придется дарить ему энергии эмоциональных всплесков, но и здесь есть неплохой выход. Когда вы взрываетесь, не говорите: «Да чтоб ты провалился!» А говорите: «Ах, чтоб тебе было хорошо! Чтоб у тебя деньги были! Здоровья тебе и просветления!» Заготовьте заранее несколько таких фраз и в моменты эмоциональных вспышек повторяйте их. Тем самым вы дадите этому человеку ту порцию жизненных сил, которую он не сумел получить в виде уважения и требует от вас через скандал.

С другой стороны, говоря ему хорошие слова, вы не будете накапливать переживания в свой «сосуд кармы», поскольку вы будете это делать хоть и эмоционально, но с положительным настроем. В результате жизнь будет у вас хоть и веселая, но безвредная.

Видимо, выход может быть только таким, поскольку применять радикальные способы вряд ли возможно. Он не зря появился в вашей семье, и нужно быть благодарным за то, что у вас есть такой человек. Он указывает вам на вашу систему избыточных ценностей, на то, с чем вы должны поработать. Будьте ему благодарны за это.

7.17. Что делать, если родная сестра унижает и ненавидит. Постоянно наговаривает на меня родным и своим друзьям, скандалит?

Видимо, у вас имеется типичная **идеализация отношений между людьми.** У вас существует модель отношений между родственниками, в которой сестры должны помогать друг другу, доверять друг другу тайны, никогда не должны делать друг другу гадости и т. д. Это модель благополучных, хороших взаимоотношений между близкими родственниками. И других отношений вы в своей жизни не принимаете.

Соответственно, в порядке кармического «воспитания» ваша сестра предъявляет вам совсем другую модель взаимоотношений: она наговаривает на вас, скандалит и делает другие гадости. И вам кажется, что это самая ужасная сестра в мире. Вы возмущаетесь праведным гневом и восклицаете: «Как можно?!»

Но на самом деле это не более чем ваши идеи, потому что есть сестры, которые судятся друг с другом, сажают друг друга в тюрьму, отбирают друг у друга любимых или мужей, травят друг друга, продают в рабство, в публичный дом или еще куда-то. В общем, бывают самые разные сестры, и из всего этого многообразия мерзких сестер ваша — просто ангел. И ваше недовольство ею — это не более чем борьба за некий идеал сестры, который вы придумали сами.

Поэтому порадуйтесь, что ваша сестра не делает всех тех гадостей, которые мы перечислили выше, а всего лишь ходит и наговаривает на вас родным. Ну и что, что наговаривает? Может быть, она других слов-то и не знает. Или таким странным образом она пробует обратить на себя ваше внимание. А может, она чувствует себя неполноценной рядом с вами и ревнует?

Так что у вас есть всего один выход. Простите ее за это, примите ее во всем ее несовершенстве. Поработайте с медитацией прощения на нее и каждый раз, когда она будет делать что-то плохое, скажите: «Ну что же, я так рада, ведь ты могла сделать что-то значительно более худшее, а ты не сделала. Я тебе так благодарна за это. Так что если тебе этого хочется, то говори гадости обо мне, но не делай чего-то более худшего. А если ты сделаешь что-то похуже, то, видимо, зачем-то тебе это нужно. Это тоже не повод для осуждения тебя, а всего лишь основание для того, чтобы с интересом рассматривать, что ты можешь еще выкинуть».

Как видите, мы применили прием «ежик событий» для обесценивания ситуации, которая кажется вам самой ужасной.

С помощью этого приема легко можно понять, что ситуация может быть в десятки раз хуже. Если это произойдет, тогда то, что вам кажется сейчас совершенно непереносимым, окажется очень желанным. Поэтому не стоит придавать избыточного значения ее недостаткам, они не так велики. Хочет ваша сестра ругаться, хочет скандалить, хочет наговаривать на вас — позвольте ей это делать, будьте выше этого, отстранитесь от этого. Почитайте на нее медитацию прощения — и ситуация разрядится. Чтобы она ни делала, вас это не будет совершенно волновать. Она живет своей жизнью, вы живете своей, и ваши жизни не пересекаются.

На этом мы заканчиваем рассмотрение проблем взаимоотношений между родителями и детьми и переходим к следующей теме, касающейся нашего здоровья.

Глава 8

ПЬЯНСТВО, НАРКОМАНИЯ, БОЛЕЗНИ — ЗАЧЕМ ОНИ НАМ?

В этой главе мы рассмотрим вопросы, касающиеся здоровья человека. Всем хочется быть здоровыми, но мало у кого это получается. Болезни, пьянство, наркомания — неминуемые спутники людей в третьем тысячелетии. Раз они есть, значит, люди зачем-то сами их привлекли в свою жизнь. Чему-то они нас учат, о чем-то напоминают, от чего-то защищают. Наша технология Разумной жизни говорит о том, что каждый человек имеет в своей жизни только то, что создал он сам. Другое дело, что иногда он занимается этим разрушительным созиданием по глупости, иногда — по незнанию, иногда и с понятными целями, но без учета последствий. Поэтому, чтобы начать жить Разумной жизнью, нужно научиться понимать, как вы сами создали это неприятное событие в своей жизни. Пора становиться разумным, осознанным человеком. И наша методика — один из инструментов на этом пути.

В частности, она говорит, что причин нездоровья может быть множество. Болезнь может использоваться как кармический «воспитательный» процесс для изменения системы ценностей человека. Человек сам может «заказать» себе болезнь, даже не догадываясь об этом. Болезнь может явиться следствием самых разных причин.

Давайте посмотрим, как работают идеи Разумной жизни в конкретных ситуациях.

8.1. Во мне сидит страх, что у меня неизлечимая болезнь. К врачам не иду, боюсь. Что делать? Работает ли в этом случае система заказа? Как его правильно сформулировать?

Одно из базовых положений нашей методики говорит, что **мы формируем свою жизнь своими мыслями и поступками.** Соответственно если у вас в голове непрерывно сидит мысль о том, что вы неизлечимо больны, то рано или поздно это событие должно реализоваться. Вы просто заказываете его себе, «проплачивая» свой заказ длительными переживаниями.

Что можно сделать в этой ситуации?

Нужно научиться контролировать те мысли, которые крутятся у вас в голове. Нужно **вытеснить негативные мысли,** которые прочно поселились там, и **заменить их на позитивные.** Для этого нужно составить себе положительную аффирмацию и постоянно повторять ее.

Как только вы поймали себя на мысли, что вы опять чего-то боитесь, то тут же спокойно начинайте повторять положительную аффирмацию: «Я абсолютно здоровый человек, у меня все в порядке. С каждым вздохом, с каждым шагом я наполняюсь здоровьем все больше и больше. Я абсолютно здоров, я радуюсь жизни, я радуюсь солнцу, я радуюсь людям, я дарю людям здоровье! Здоровье переполняет меня, оно изливается из меня, и люди чувствуют это. Они радуются за меня, и я радуюсь за них. Я абсолютно здоровый, веселый, счастливый человек!»

Такую аффирмацию, либо с добавлением в нее более близких вам слов и фраз, нужно всегда держать наготове. Для этого можно, например, написать ее на листочках и развесить в разных местах, чтобы они почаще попадались вам на глаза. И нужно постоянно ее повторять. Тем самым со временем вы вытесните все свои негативные мысли и начнете мыслить только позитивно. Соответственно, никаких болезней вы себе не закажете.

Конечно, вы должны работать не только ментально, то есть мыслями. Нужно одновременно **заботиться и о физическом теле,** то есть делать хотя бы элементарную зарядку, не простужаться, не переедать, не перепивать и не издеваться над своим организмом еще каким-либо способом. Тогда у вас будет все в порядке в голове и в теле, и вы спокойно проживете лет до ста пятидесяти, а то и больше — пока не надоест.

8.2. Если заболевает ребенок, он что, накопил много негативных переживаний?

Большинство детей рождается с небольшим заполнением сосуда. Если ребенок родился вполне здоровым, в полной и благополучной семье, то заполнение «сосуда кармы» у него составляет от 8 до 15% максимум. А если вы помните, кармические заболевания начинаются при заполнении сосуда на 70—80% или более. Поэтому при заполнении «сосуда кармы» в 10—20%, которое обычно имеют дети, **никаких кармических «воспитательных» процессов в виде заболевания быть не может.** Заболевания вызываются совсем другими причинами.

Наиболее часто заболевание возникает потому, что **ребенок неосознанно сам заказывает себе болезнь,** поскольку чего-то хочет получить от родителей.

Возможно, вашему **ребенку не хватает родительского тепла** и внимания. Если родители очень заняты на работе, с утра до вечера поглощены собой, делами, хлопотами по дому и мало внимания обращают на ребенка, то он начинает принимать свои меры воздействия на суетных родителей. Ребенок, не получающий достаточного тепла и заботы от родителей, интуитивно находит способ, как притянуть внимание своей мамы, например. Для этого нужно всего лишь заболеть. Ребенок становится болезненным, и мама начинает все время хлопотать возле него. Он достиг своей цели, хотя и таким странным способом.

Ребенок может заболеть для того, чтобы **заставить родителей выполнить свое желание.** Например, он хочет получить игрушку, а родители говорят, что для этого он должен что-то делать — ходить в детский сад, хорошо учиться или что-то еще. В общем, они хотят, чтобы ребенок заслужил ее, а ему хочется получить игрушку, и побыстрее. Он начинает искать пути, как бы заставить родителей сделать то, что ему нужно. А кто ищет, тот всегда найдет. Ребенок заболевает, и когда он слабый, больной, лежащий в ознобе на кровати, просит: «Мама, не могла бы ты мне такую игрушку подарить?» — то необходимый результат получается очень быстро. Мама бежит и покупает игрушку — лишь бы ребенок не переживал, лишь у него все было хорошо. Тем самым он достиг своей цели. Это вторая распространенная причина, по которой болеют дети.

Третья возможная причина — **через болезнь он может защищаться от того, чего ему не хочется.** Например, у ребенка есть враг в детском саду, который его бьет и угрожает ему. Либо в школе есть нелюбимая учительница, есть контрольные работы или еще что-то неприятное. Ребенку страшно не хочется идти туда, но как не пойдешь, для этого нужны серьезные основания. И он начинает искать эти основания. Тут организм сам приходит на помощь страстному желанию ребенка не ходить туда, куда он не хочет. У него повышается температура, в результате чего появляются все основания лечь в кровать и не ходить в то место, которое ему неприятно.

Это достаточно частая ситуация, когда болезнь возникает как **следствие эмоционального внутреннего заказа:** я не хочу идти в какое-то место и мне нужно для этого объективное обоснование. В итоге появляется болезнь, которая и есть это самое искомое обоснование.

Наверное, можно найти еще несколько причин, по которым ребенок может сам заказать себе болезнь.

Кроме того, заболевание часто является **следствием неправильного обращения с физическим телом.** Защитные ресурсы детского организма не велики, поэтому дети острее реагируют на тепловые, температурные и прочие перегрузки. Организм не выдерживает перегрузок, и ребенок заболевает.

Поэтому родители должны отслеживать, чтобы ребенок одевался адекватно погоде, не ходил с мокрыми ногами, был всегда сыт, ел и пил нормальную пищу, и тогда все будет более-менее в порядке.

Заболевание детей почти никакого отношения к заполнению «сосуда кармы» не имеет.

Кармические «воспитательные» процессы в виде заболеваний могут появиться только в возрасте шестнадцати—восемнадцати лет. И то, если только у ребенка очень сильна гордыня, очень сильны внутренние амбиции и он конфликтует со своим окружением, постоянно кому-то чего-то доказывает. Но так бывает очень редко.

Например, нам встречалась ситуация, когда парень в восемнадцать лет заболел онкологическим заболеванием, поскольку у него была очень сильная гордыня. Он всем доказывал, что он выдающийся ученик. Понятно, что учителя пытались всячески вернуть его «с небес на землю» и, в конце концов, вышибли его из школы. В итоге всех этих событий он заболел. Это произошло потому, что он несколько лет находился в хроническом затяжном стрессе.

Но все это имело место в возрасте семнадцати—восемнадцати лет. Если ребенку пять, семь или десять лет, то подобные процессы, на наш взгляд, невозможны.

8.3. Обязательно ли сын принимает карму отца, если тот умирает от рака в раннем возрасте, в сорок пять лет?

Нет, совершенно не обязательно. Сын живет своей жизнью, у него своя душа, своя жизненная программа. Рак — заболевание, которое часто имеет кармические корни, но далеко не всегда. Причиной онкологического заболевания может стать длительное проживание в геопатогенной зоне или на месте массового захоронения людей, получение большой порции радиоактивного облучения, питание канцерогенными продуктами, проживание в зоне химического завода, где приходится дышать выбросами вредных производств, и многое другое. Физическое тело не выдерживает вредных перегрузок и заболевает. Так что причин заболевания раком может быть множество, и далеко не все они связаны с кармой. А если это так, то сыну нечего и перенимать от отца.

Конечно, нужно подумать о том, почему заболевший человек (в нашем примере — отец) оказался в такой вредной для жизни зоне, почему ангел-хранитель не вывел его оттуда. Скорее всего, он посылал свои предупреждения об опасности, но человек не делал соответствующих выводов. Скорее всего, он считал, что опасность не велика и он с ней легко справится. Понятно, что это **идеализация своих способностей**, которая таким косвенным образом привела к тяжелому заболеванию и смерти. Сын может заболеть, если только он постоянно находится рядом с отцом и подвергается тем же вредным воздействиям.

Если же причиной смерти отца было переполнение его «сосуда кармы» негативными переживаниями, то ситуация несколько сложнее.

Сын может взять на себя часть идей, которыми руководствовался отец, и тогда ему грозит тот же исход, что и у отца. Например, отец был убежденный коммунист и не принял реальную ситуацию, в которой наша страна пошла по пути капитализма. Он начал переживать, нервничать без конца, осуждать все происходящее вокруг. Его «сосуд кармы» переполнился переживаниями, и он умер.

Либо он просто не вписался в перестройку, даже если работал инженером, конструктором или шахтером. А в новой ситуации, где пропала необходимость в людях его профессии, он не сумел найти себя. Он не смог пойти и просто работать за деньги (например, торговать на рынке), потому что всегда работал за идею. Не вписавшись в изменившийся мир, он погрузился в осуждение реальности, его «сосуд кармы» переполнился, и он умер. Должен ли сын повторить его судьбу?

С какой стати?

Если **сын нормально относится к жизни, если он адаптивен**, если он с удивлением смотрел на отца и периодически пытался воззвать к его разуму, обращаясь со словами типа: «Папа, что же ты переживаешь-то, ведь мир изменился и никогда не будет уже таким, как ты хочешь. Хочешь ты или не хочешь, переживаешь ты или не переживаешь, все равно мир никогда не вернется в прошлое. Успокойся, поживи для себя, найди себе занятие по душе», то все будет в порядке. Сын будет жить своей жизнью, и его проблемы будут вызваны только теми ошибочными убеждениями, которые он сам создаст себе.

Если отец не слышал обращений сына и предпочел смерть той реальности, которая его не устраивала, — это был добровольный выбор отца. Сын от него совершенно не зависит и может жить в этом мире хорошо, комфортно. Он может быть материально и духовно благополучен, успех находится в его руках (точнее, в голове).

Если же отец сумел внушить сыну свои идеи и сын стал их разделять, стал ими руководствоваться и вместе с отцом тоже ругал политиков, власть, капиталистов, то тогда **сын добровольно выбрал для себя систему ценностей отца.** Ту систему ценностей, которая привела отца к заболеванию и досрочной смерти. Если сын будет ее жестко придерживаться, то, возможно, он повторит судьбу отца. Внешне это может выглядеть как рок или семейная карма. На деле все зависит только от того, какой добровольный выбор сделает сын.

Если сын выберет себе другие идеалы, нежели его отец, тогда его жизнь будет вполне благополучна.

Так что сын совершенно не обязан принимать на себя карму отца.

8.4. Муж пьет, я хочу, чтобы он не пил. Значит, я должна делать вид, что не замечаю его состояния, и не переживать. Трудно совместить желаемое и действительное. Себя, что ли, обманывать?

Вы совершенно правильно заметили, что если будете только делать вид, что не замечаете его состояния, а внутри себя будете возмущаться этим, то результат таких действий будет нулевой. Эффекта никакого не последует.

Мы предлагаем иной подход. Вам нужно осознать, почему такой человек появился в вашей жизни, почему **именно ваш муж** пьет. Ведь вокруг наверняка есть множество семей, где мужья не пьют или пьют в той мере, которая считается допустимой. Ничего в этом мире просто так не происходит, и именно вы чем-то привлекли в свою жизнь пьющего мужчину.

Постарайтесь понять, почему именно возле вас появился этот человек. Почему он пьет, что не устраивает его в этой жизни? От чего он защищается с помощью алкоголя? Может быть, его не устраивает та модель семьи, которую он имеет. Может быть, вы захватили дома власть и унижаете его без конца. А он хотел бы быть главой семьи, и желанная ему модель семейной жизни не реализуется, он не получает в должной мере внимания и уважения.

Может быть, у него есть идеализация своих способностей, у мужчин она встречается очень часто. Но ему не удается реализовать способности, ему не удается достичь успеха в жизни, того успеха, на который он рассчитывает, и тогда он закрывается от жизни через алкоголь.

Может быть, у него есть любимое дело, явные устремления, а он не может их реализовать в силу того, что в данном месте нет возможности заниматься этим делом. Например, он талантливый конструктор, но конструкторы никому не нужны, нужны одни торговцы. Это его не устраивает, он запивает и т. д.

То есть нужно понять, что лежит в основе пьянства вашего мужа. А это не просто, тем более если вы привыкли его осуждать, смотреть на него, как на пьяную скотину, достойную только презрения. Конечно, теперь вам трудно разглядеть в нем человека. Но поймите, что это не только его проблема, что он пьет. Это и ваша проблема. Он сделал свой выбор и выпивает. Это вас не устраивает его выбор, он сам им вполне доволен. В итоге он получает удовольствие от жизни, а вы — нет.

Ваша проблема состоит в том, что вы его непрерывно осуждаете, и в том, что он появился в вашей жизни и появился возле вас. Значит, он дает вам какой-то урок. И вы должны понять, какой урок он вам дает.

Если вы сумеете сменить ваше отношение к нему, то есть вместо отношения: «Мой муж — это тот, кого я должна переделать, сделать из него человека» на отношение: «Мой пьющий муж — это тот, кто дает мне урок», то тогда **вам некогда будет его осуждать**. Вы просто будете с интересом прислушиваться к тому, что он говорит в трезвом и в пьяном виде. Только так вы сможете понять, что же за этим стоит, каковы его идеалы, каковы у него ценности, и вам некогда будет его осуждать.

А пока вы не видите в нем личности, пока вы не видите в нем человека, а видите только пьяную скотину, то, соответственно, он вам совершенно неинтересен. Это всего лишь субъект, которым нужно заниматься, которого нужно ругать, воспитывать, кричать, бить, с тем чтобы **он стал вести себя так, как вы хотите**.

Пока у вас будет такая позиция, результат будет нулевой. И вам невозможно будет принять его таким, каков он есть.

Если вы займете **позицию исследователя** на два-три месяца, будете пытаться понять, в чем там причина скрытая или явная пьянства мужа, то вам некогда будет переживать. Вы должны обдумывать, каким путем вы сможете разрушить ту самую ценность, которая так важна вашему мужу и от которой он закрывается через алкоголь. Вы постоянно будете раздумывать об этом, на это уйдет несколько месяцев, полгода. И вам полгода некогда будет его ругать, потому что это объект для исследований.

Конечно, такая программа непроста, далеко не каждая женщина сможет это выполнить. Но если вы просто будете делать вид, что не замечаете его, а при этом внутри себя будете осуждать (вот опять этот козел пришел пьяный, а я вроде «по Свияшу» его не ругаю, а он все равно продолжает), то результата не будет.

Для того чтобы что-то изменилось, должны измениться в первую очередь вы.

Это сложно, но попробуйте.

Если в результате своих размышлений вы придете к выводу, что он патологически болен, что нет ни одной разумной причины для того, чтобы он пил, а он все равно пьет, то тогда посмотрите, зачем вы живете рядом с ним.

Что вы от этого имеете, какие плюсы получаете, какие минусы. Это же ваш добровольный выбор. Если он оскорбляет, мучает вас, отравляет вам жизнь, то зачем вы живете этой жизнью? Никто вас не заставляет, вы сами создаете свою жизнь своими убеждениями.

Наверное, вас держит возле него убеждение: «Пусть муж хоть пьющий, но будет. Это лучше, чем совсем никакого». Вы боитесь неизвестного будущего, значит, у вас есть **идеализация контроля окружающего мира**. Вы сами выбрали эту жизнь — значит, радуйтесь ей, ведь для вас пьющий муж лучше, чем никакой. А многие сделали другой выбор, они ходят и радуются жизни, и никто их не оскорбляет.

Вывод из этих рассуждений прост. Прежде всего нужно перестать переживать. Вы сами выбрали такую жизнь, так не ругайте ее. Затем нужно проанализировать ситуацию и понять, почему этот человек появился в вашей жизни. Нужно сделать соответствующие выводы, а потом принять решение, будете ли вы и дальше жить с этим человеком или нет.

Если вы решите, что не будете больше жить с ним, поскольку вы усвоили все уроки, которые он мог вам дать, то дальше можете идти по жизни спокойно. Если вы усвоили урок, то Жизнь вам даст следующего мужчину, который уже не будет давать вам уроки через пьянство. Конечно, так будет только в том случае, если вы действительно усвоили то, что дает вам нынешний муж, и благодарны ему за это.

Это вполне возможно. Если у вас хватает сил терпеть и бороться с мужем, то хватит сил и пересмотреть свою позицию.

8.5. Если в семье алкоголик, например сын, как с этими трудностями бороться без насилия?

Мы совсем не говорим, что нужно отказываться от борьбы. Мы говорим всего лишь, что в то время, когда вы стремитесь к своим целям, а они могут проявляться в виде борьбы с пьющим сыном, то постарайтесь **испытывать как можно меньше негативных пережива-**

ний. Постарайтесь понять, чем руководствуется этот человек, с которым вы боретесь. Он может воровать, может приходить домой пьяным, может дебоширить и делать еще что-то неприятное. Нужно ли это терпеть? Конечно нет! Вы должны принимать все меры, чтобы **обеспечить себе нормальную жизнь**, как-то призвать его к порядку. Но при этом вместо осуждения постарайтесь понять, почему человек так себя ведет, что он этим добивается. Может быть, ему не хватает вашего внимания или уважения.

Ведь чем пьющая компания мужчин отличается от семьи? Тем, что в семье часто **отсутствует уважение друг к другу**, поскольку жена оценивает мужа по неким **значимым для нее** критериям: сколько он зарабатывает, как он выглядит, как он разговаривает, какой он семьянин, соответствует ли он ее ожиданиям. И часто оказывается, что он не вытягивает на приличный уровень по этим ожиданиям, то есть он недостоин ее уважения. Но именно так и должно быть, поскольку, по первому правилу кармического «воспитания», при наличии идеализаций Жизнь соединяет вместе людей, которые разрушают значимые идеи друг друга.

А любому человеку хочется получать уважение, признание. Поэтому у слишком привередливой жены муж идет за уважением в пьющую компанию. А там никого не интересует то, что очень значимо для жены. Там существуют совсем другие критерии для оценки друг друга: сколько ты можешь выпить, принес ли ты рубль (или десятку) на приобретение выпивки, как ты играешь в домино. И все друг друга уважают, то есть **обмениваются положительными энергиями.**

Не зря же получил такую широкую известность базовый тезис пьющих людей: «Ты меня уважаешь?» Он является одним из ключевых моментов, объясняющих, почему пьющие мужчины кучкуются, — потому что **в группе себе подобных они получают взаимное уважение.** Это есть среда, где всем участникам очень мало интересно, кем ты работаешь, сколько ты зарабатываешь, какая у тебя должность, какие у тебя отношения в семье. Это никого не интересует. Интересует, сколько ты выпил и как ты себя чувствуешь после этого. Все, на все остальные темы есть некое табу. Остальные темы могут обсуждаться только мимоходом. Полноценно обсуждается только одна алкогольная тема, общая тема, и каждый в этой теме **чувствует себя достаточно успешным.** Потому что на работе человек может мало зарабатывать или у него непрестижная работа, да и дома его никто не уважает. В общем, жизнь не сложилась, рассказывать о ней нечего. Он попадает в пьющую компанию, и там он получает свою порцию уважения.

Если бы он получал эту порцию уважения дома, то, скорее всего, ему не нужно было бы идти в эту компанию. Поэтому, возвращаясь к сыну, который пьет, **нужно понять, от чего защищается через пьянство ваш сын.** То есть нужно попробовать подойти к нему, как к существу, которое неосознанно что-то ищет, за что-то борется, что-то пытается получить. Скорее всего, пьющий сын защищается от нашего жестокого мира, в котором нужно достигать чего-то, а у него не получается. Он слишком слаб, у него не хватает воли, он не может быстро достичь своих целей — иметь много денег, уважение, признание, красивую жизнь. Он не может это иметь и хорошо это осознает. Поэтому реальный мир его не устраивает, и он закрывается от него через алкоголь.

Вы начинаете с ним бороться, вы начинаете его осуждать, кричать, ругать, пытаетесь его кодировать — в общем, добавляете ему неприятностей к тем, что он уже имеет. Вы добавляете ему идею о том, что он существо неполноценное, бездарное, которое нужно лечить. А он именно от этого закрывается через алкоголь. Так что он начинает усиленно закрываться и от вас с вашими напоминаниями о его несовершенстве.

До тех пор, пока он дома не получает уважения, поддержки, понимания, пока он видит, что к нему не относятся как к личности, а относятся как к объекту, с которым нужно работать, который нужно переделывать, он будет сопротивляться. Он не хочет, чтобы его переделывали. Он хочет, чтобы его уважали без каких-то условий. Если вы сумеете так построить свои отношения с ним, то ему незачем будет ходить в компанию алкоголиков.

В общем, боритесь за сына (или с ним, как хотите), но не накапливайте при этом негативных переживаний и не будьте им недовольны.

8.6. Каков ваш взгляд на наркоманию? Что, по-вашему, является причиной наркомании? Есть ли путь избавления? Как можно помочь наркоману?

Как нам представляется, наркомания и алкоголизм имеют одинаковые корни. Принимая наркотическое вещество, будь водка или какое-то более сильное снадобье, у **человека меняется состояние сознания**. Он переходит в другой мир, в котором все хорошо, в котором у него нет проблем. То есть в том реальном мире, в котором он живет, его что-то не устраивает, какие-то важные для него ожидания не реализуются.

Возможно, он не получает ожидаемого признания или не может реализовать свои замыслы. Он не может получить тот уровень материальных благ, которые хотел бы иметь. Он не может быстро занять высокое положение в обществе. У него нет способностей, чтобы стать выдающимся человеком, и это его не устраивает.

То есть у человека есть набор очень значимых ожиданий по отношению к себе, окружающим людям и ситуациям. Выражаясь языком нашей методики, у него есть набор идеализаций. Обычно это **идеализация своих способностей**, проявляемая в виде претензий типа: «Я достоин лучшей жизни!», а это не получается. Кроме того, обычно имеется комплект и других идеализаций.

Чтобы достичь желаемого, нужно прикладывать слишком много усилий, и даже при этом результат вовсе не гарантирован. Поэтому слабый человек ищет более быстрый путь к состоянию удовлетворенности собой. Он принимает наркотики и оказывается в другом мире: эйфорическом, расслабленном. Если наркотики галлюциногенные, то можно просто улететь в какое-то блаженное состояние спокойствия, где вам не к чему стремиться, поскольку и так все хорошо и замечательно.

Алкоголь и наркотики — это способ защиты от «неправильного» мира, в котором человека что-то не устраивает. Стандартные внутренние программы: «Меня не уважают, меня не признают, я — никто, мне нечем заняться, я не получаю то, что хочу. Поэтому я ухожу из этого жестокого мира в мир иллюзорный, в котором все хорошо». К сожалению, уйти на время в этот иллюзорный мир обычно не удается. Чувствительность организма к наркотикам после каждого приема снижается — так организм защищается от этого вредного вмешательства в его нормальное функционирование. Значит, в каждый последующий сеанс нужно увеличивать дозу наркотика, чтобы получить те же ощущения. Вместо легкого путешествия в иллюзорный мир, получается потребность в приеме все больших наркотических доз. Можно ли избавиться от этой зависимости?

Существует множество подходов к избавлению от наркотической зависимости. Можно оборвать связь с помощью гипноза или программирования, можно привить организму аллергическую реакцию на наркотики и т. д. К сожалению, универсального способа избавления от наркотиков, как и универсального лекарства от всех болезней, не существует. Есть множество способов, и нужно искать, какой из них подойдет именно вам.

Наша технология Разумной жизни — это ментальная методика, использующая потенциальную возможность жить осознанно. Мы не используем сторонние воздействия — таблетки или другие примочки, гипноз, кодирование и т. д. Мы исходим из того, что в каждом человеке Творцом заложена возможность решить все свои проблемы.

Мы предлагаем путь к осознанной жизни через разрушение тех идеалов, которые приводят человека к недовольству окружающим миром, от которого он закрывается через наркотики. Мы считаем, что человеку незачем будет уходить из нашего мира, если он поймет, что здесь не все так уж плохо. Не нужно унижать его, относясь к нему как к больному. Само слово «наркоман» несет в себе оттенок презрения, оно воспринимается как синоним слов «больной», «неполноценный», требующий переделки.

На наш взгляд, здесь нужен более тонкий подход: разговоры по душам, обсуждение чьих-то чужих ситуаций или путей возможного достижения успеха. Нужно постараться понять, что об этом думает собеседник (человек, принимающий наркотики), как он к этому относится, как он на это реагирует. И если вам удастся выйти на такое доверительное общение, то вы сможете прощупать и выявить его систему ценностей. А затем можно будет применить какие-то шаги к доказательству того, что **все, что он поставил перед собой, — это достижимо.** Нужно только этого захотеть и приложить немного усилий, не впадая в переживания при любом сбое. То есть доказать ему, что любые цели достижимы, но нужны небольшие усилия. И показать разрушительность того пути, который он выбрал.

Так что лучшим инструментом для возвращения кого-то из мира наркотического забытья может стать ваша убежденность в том, что и наш мир полон чудес. И что он выбрал далеко не самый лучший путь, тупиковый путь, гибельный путь.

Например, попробуйте пересказать ему идеи Методики формирования событий. Если у вас очень напряженные отношения, незаметно подбросьте ему книгу «Как формировать события своей жизни с помощью силы мысли». Я получил несколько писем, где люди с благодарностью рассказывают о том, что дали своему (или чужому) ребенку эту книгу, и тот перестал принимать наркотики.

Почему так произошло? Потому что ребенок понял, что и в нашем мире существует реальный инструмент быстрого достижения того, чего ты хочешь. А если есть инструмент, то зачем уходить из нашего мира в мир иллюзорный? Нужно просто взять этот инструмент и воспользоваться им. Попробуйте, может быть, и вашему ребенку это поможет. Но, как минимум, на первом этапе обязательно нужно перестать его осуж-

дать. Нужно начать рассматривать его не как больного, а как немножко заблудившегося человека, который
избрал неправильный способ психологической защиты. Он не достоин осуждения, он достоин понимания.

Конечно, если вы сами не верите в возможность достижения любых поставленных целей или не можете
отказаться от осуждения наркомана, то, скорее всего,
у вас ничего не получится.

8.7. Как жить с алкоголиком? Срок двадцать лет. Можно ли применить вашу методику?

В этом вопросе особенно хорошо второе предложение: срок (как в тюрьме) двадцать лет.

То есть вы сами себе назначили срок, и вы его отбываете. Спрашивается, а зачем?

Если вернуться к базовому тезису нашей методики
о том, что каждый человек **создает свою жизнь своими мыслями**, то что же получается? У вас такая жизнь,
которая вас не устраивает. Вы мужа называете алко-
голиком, значит, вы его презираете, смотрите на него
свысока. Вы считаете, что он неполноценный человек.
Может быть, он даже не человек в вашем понимании.
Тем не менее вы с ним живете двадцать лет, и все двадцать лет он отравляет вам жизнь. Отсюда возникает
простой вопрос: а зачем вы с ним живете? Трудно за-
подозрить, что вы — мазохистка и страдания достав-
ляют вам удовольствие. Значит, здесь что-то другое,
попроще.

Какими идеями вы руководствовались при таком
странном выборе? Идеями, что нельзя разводиться,
что бы ни происходило? Или надеждой, что все нала-
дится и он перестанет пить, нужно только приложить
еще немного усилий? Или рассуждениями о том, что
хоть плохонький муж, но все-таки есть, а вдруг никакого не будет?

В общем, какая-то внутренняя ваша программа привела к тому, что вы сами назначили себе этот самый
срок. И вы его отбываете, и, наверное, будете отбывать еще много лет, пока будете жить вместе.

Это ваш добровольный выбор, никто вас не заставляет жить вместе с ним, никто вас не заставляет мучиться, если он вас не устраивает. Может быть, он и пьет оттого, что чувствует, что **он тоже отбывает с вами срок.** Самое обидное, что срок-то он получил практически ни за что. Родился, дорос до двадцати лет и получил сразу же двадцатилетний срок пребывания в одной комнате (камере) со своей женой.

Поэтому посмотрите, нужно ли вам жить с ним дальше. Посмотрите, почему он пьет, чем не устраивает его жизнь. Чем не устраивает его семейная жизнь, где лежат корни его пьянства. Это непросто, это требует определенной аналитической работы. Если вы не сможете это сделать, то просто посмотрите на себя и спросите себя: «А почему я, отбыв уже один двадцатилетний срок, должна отбывать следующий? Неужели я в этой жизни не заслужила ничего лучшего?» И попробуйте принять нужное вам решение.

Станьте разумной. Осознайте, что та жизнь, которой живете, — это ваш добровольный выбор. Никто вас не заставляет отбывать срок, никто вас не заключал в каземат, не сажал за решетку. Вы сами себя посадили, мучаетесь и спрашиваете, поможет ли вам методика. Причем **вы спрашиваете не о том, поможет ли наша методика сделать вашу жизнь счастливее,** вовсе нет. Вы спрашиваете о другом. В вашем вопросе заложен скрытый смысл: «Поможет ли ваша методика переделать моего мужа, сделать из него человека? Я двадцать лет пыталась из него сделать человека, все перепробовала, ничего не получилось. Может быть, хоть ваша методика поможет сделать из него человека?»

Отвечаем на истинный вопрос: не поможет. Она может **помочь вам выйти из мира переживаний.** Она может помочь вам жить комфортной, радостной, счастливой жизнью, если вы этого пожелаете. Если же вы выберете путь продолжения борьбы за переделку другого человека, то мы ничем полезны быть не можем. Наша методика не направлена на переделку других людей. Она направлена на то, чтобы ваша жизнь стала комфортнее.

Подумайте об этом.

8.8. Мой муж алкоголик. Если я расслаблюсь, нарколог не понадобится? Или мне с ним развестись?

Если вы с ним разведетесь в данный момент, то с очень большой вероятностью можно предсказать, что следующий ваш мужчина тоже будет пить. Так произойдет в силу того, что вы накопили достаточно большое количество осуждения по отношению к пьющему мужу и, видимо, ко всем пьющим людям как к неполноценной части человечества. Чтобы разрушить эту вашу идею, вы в следующий раз опять встретите такого же. Жизнь будет подсказывать вам, что «не беритесь судить, какими должны быть люди. Пьют они — это их выбор, это их жизнь, и не вам судить, как они должны жить».

Теперь что касается развода. Разводиться можно, уходить можно, нет проблем. Единственное, что **нужно уходить в состоянии полного прощения** того человека, от которого вы уходите. Прежде чем совершать такой серьезный шаг, нужно провести медитацию прощения на него десять—пятнадцать часов. Вы должны медитировать до тех пор, пока не войдете в состояние **полного внутреннего прощения**. То есть это должно быть такое состояние, при котором вы смотрите на него и чувствуете к нему только легкое сочувствие. Вместо осуждения вы должны ощутить к нему некоторое сочувствие: «Эх, бедняга, как тебя корежит, до чего ж ты дошел. Вроде бы с виду ты существо разумное... Но я тебя не осуждаю, ты сам выбрал такую жизнь, так и оставайся с ней».

Если вы войдете в такое состояние, то тогда вы можете спокойно разводиться, потому что вы усвоили урок, который вам дала Жизнь. Естественно, при этом вы должны понять, почему он появился в вашей жизни. Может быть, у вас пили родители и вы с детства ненавидели пьющих, поэтому вам достался пьющий муж. Тем самым Жизнь дала вам понять, что пьющий мужчина — это часть мира, это не повод для осуждения.

Возможно, что если вы снимете осуждение и другими глазами посмотрите на своего мужа, то он и пить перестанет. И тогда у вас не будет необходимости разводиться. Может быть, он пьет-то только потому, что вы не признаете в нем личность, не признаете в нем человека, достойного уважения. Он не получает в доме внимания, тепла, признания, и поэтому может требовать этого в агрессивной форме. Просто так агрессивность ему проявлять сложно, для этого нужно подкрепиться стаканчиком водочки.

Если он получит уважение, понимание, признание, то, может быть, ему и не захочется пить. А если он будет по-прежнему пить, поскольку причина его недовольства миром лежит где-то вне дома, тогда вы вполне можете развестись. Но, повторяем, **разводиться можно только после того, как вы полностью простили и сняли претензии к пьющему мужу.**

Тогда ваша жизнь в дальнейшем будет вполне благополучной.

8.9. Мой сын болен, артрит, тридцать восемь лет. Я потеряла покой, плачу, нервничаю, так как от лечения он отказался полностью. Что мне делать?

Это типичная ситуация, когда **мать отказывается от своей жизни и начинает жить жизнью других людей**, в частности своих детей. У сына артрит, а она плачет и нервничает, хотя он к этому относится спокойно. Наверное, он ищет пути излечения либо считает, что это ерунда, что он сам с этим справится. А мать накапливает переживания, потому что своей жизни у нее нет, вся ее жизнь в сыне, и она **осуждает его за неразумный поступок.** Наверняка она постоянно пытается что-то с ним сделать, навязать ему какого-то лекаря или лекарство, а он от всего отказывается.

Что можно порекомендовать матери в такой ситуации?

Вам нужно успокоиться. От того, что вы нервничаете, переживаете и хлопочете, ничего абсолютно не меняется. Кроме того, что вы заполняете свой «сосуд кармы» и изнашиваете свою нервную систему. Скорее всего, это долго продолжаться не сможет, у вас возникнут проблемы со своим здоровьем. В итоге, вместо одного больного, будет двое больных.

Тем самым будет заблокирована ваша возможность бегать и что-то делать. Сейчас, поскольку вы еще имеете возможность плакать и нервничать, видимо, вы еще достаточно здоровы. Но у вас в голове засела идея, что вы сейчас побежите и исправите все проблемы у своего сына.

А что тогда остается ему? **Вы не позволяете ему жить своей жизнью**, постоянно вмешиваясь в его дела и пробуя сделать его жить такой, как вам хочется. Например, вы хотите, чтобы он был здоров, но у вас ничего не получается. Ваши переживания говорят о том, что у вас имеется **очевидная идеализация контроля окружающего мира**.

Извините, но он взрослый человек, ему тридцать восемь лет, и он имеет право выбора. Он имеет право выбрать себе болезнь, имеет право своим путем идти к лечению или вовсе не лечиться. Может быть, он просто ищет свой способ избавления от заболевания, который ему поможет. Либо болезнь просто не достала его в достаточной мере, и он не хочет ничего делать. Но вам, контролерше, это невыносимо. Вы не можете допустить, чтобы кто-то принял неправильное (с вашей точки зрения) решение.

Кроме того, вы изрядно **идеализируете свои способности**, считая, что сможете легко исправить ситуацию. Вы готовы побежать и закрыть своей грудью амбразуру, лишь бы с вашим ребенком все было хорошо. Но амбразуры нет, и вы не знаете, куда вам бежать. А бежать никуда не нужно, нужно успокоиться и принять жизнь, в которой у вашего сына артрит. Нужно порадоваться, что у него всего лишь артрит, а не СПИД или рак. А если вы не успокоитесь и будете продолжать переживать, то скоро наступит кармический «воспитательный» процесс, который будет состоять в том, что у вас будет отнята возможность помочь сыну. Вы заболеете и, беспомощная, сядете своему больному сыну на шею. Представьте, как вы будете себя ощущать в этой ситуации. Все ваши нынешние переживания покажутся цветочками по сравнению с ними. Не доводите ситуацию до такого состояния, успокойтесь, начните жить для себя. И все у вас обоих будет замечательно.

Аффирмация, которую можно рекомендовать вам для изменения отношения к ситуации: «Я позволяю людям принимать те решения, которые они хотят, пусть даже ошибочные. Я не осуждаю их за это. Я пытаюсь им подсказать, но они имеют право на любой выбор, и я позволяю им делать этот выбор. Рано или поздно они найдут правильное решение. Я живу своей жизнью и радуюсь своей жизни. Каждый имеет ту жизнь, которую заслуживает. Жизнь справедлива».

Мой сын может ошибаться, и он имеет на это право. Я не переживаю по этому поводу. Я лишь с интересом наблюдаю, как это происходит. Я пытаюсь ему помочь, я пытаюсь ему подсказать. Но если он не принимает мои советы, я не впадаю по этому поводу в переживания. Я радуюсь жизни, я люблю жизнь, я люблю людей, все в этом мире устроено прекрасно».

Повторяя много раз примерно такие слова, вы внутренне успокоитесь и поймете, что ваш сын имеет право на ошибку, но это будет его личный опыт. Через некоторое время эта ошибка обнаружится и он найдет способ, чтобы избавиться от своего заболевания. А вы к тому времени станете вполне благостным человеком. Успехов вам на этом пути.

8.10. У меня ребенок инвалид детства. Как мне узнать, что я избыточно идеализирую в этом случае? Как мне помочь ребенку?

Мы уже рассказывали, что наличие врожденного заболевания свидетельствует о том, что душа человека **должна в этой жизни пройти сильные испытания**. В частности, испытания, связанные с ограничениями подвижности либо какими-то другими трудностями. И она при этом **должна не озлобиться**, не накопить новых переживаний, тогда ее задача будет исполнена. По врожденным заболеваниям можно сказать, что у этой души в прошлой жизни были достаточно большие проблемы.

То есть дети с врожденными заболеваниями — это дети с большой зрелой кармой.

Можно ли излечить врожденное заболевание? Такие случаи почти неизвестны. Наверное, так бывает, но очень редко. Душа грешника должна получить тот урок, который она заслужила. Какое-то облегчение могут дать медицинские процедуры, специальные упражнения и т. д. Но случаи полного излечения инвалидов детства, скорее, редкое исключение.

Это одна часть вопроса. То есть душа ребенка заслужила это страдание, и она свое получит.

Вторая часть вопроса состоит в том, почему именно в семье данных родителей появился ребенок-инвалид?

Это тоже интересный вопрос. Его можно сформулировать иным образом: **какой урок дает ребенок-инвалид своим родителям?** К сожалению, однозначного ответа на него не существует, поэтому невозможно обоснованно и четко сказать, что рождение ребенка дает им такой-то урок.

Нужно смотреть, **какой дискомфорт, какую дисгармонию он вносит в вашу жизнь.** Какие неприятности он вам доставляет, какие ваши ожидания он разрушает.

Мы исходим из того, что рождение ребенка-инвалида — это, конечно, не случайность. И если он родился в вашей семье, значит, этим самым он вынужден дать вам урок. Чаще всего это **урок разрушения идеализации семейной благополучной жизни.**

Вы ожидали, что у вас родится хорошенький, умненький, красивенький ребенок. Вы еще до рождения его придумали. Каким он будет. Иной жизни вы себе не представляли, а реальность обернулась таким жестоким образом.

И тогда вы понимаете, что ваш идеал, ваши ожидания благополучной семейной жизни оказываются разрушенными. И на много лет вперед ваша жизнь предопределена, потому что вы должны ухаживать за своим больным ребенком.

Урок, конечно, тяжелый и, на ваш человеческий взгляд, незаслуженный. Но нам сложно судить о той высшей логике, из которой исходят те, кто дает нам те или иные уроки.

Возможно, что ребенок-инвалид дает своим родителям урок разрушения их **идеализации независимости** или **идеализации образа жизни.** Так может быть, если мать или отец — суперделовые люди, занятые в бизнесе, науке или творчестве. Все мысли и все их дела там. И вдруг рождается такой ребенок, который ограничивает их свободу, ограничивает их передвижение, ограничивает их свободное время. Для них это крайне дискомфортно, потому что жизнь остановилась. Вот если был бы ребенок здоровый, то жизнь бы шла нормально, своим чередом. А поскольку больной ребенок требует постоянного внимания и заботы, то в общем-то **это не жизнь.** Нам приходилось встречаться с подобным отношением родителей к своему существованию вместе с больным ребенком.

В общем, нужно смотреть, **какую вашу систему ценностей разрушает ребенок** таким вот достаточно жестоким, на ваш взгляд, образом.

Главным индикатором в этой самодиагностике должны явиться ваши негативные переживания. А наводящим вопросом может быть такой: «Какой образ жизни, какую сферу моей жизни разрушает больной ребенок? Что изменилось бы, если бы был он здоровым? Какой аспект моей жизни изменился именно из-за того, что он больной? То есть, какие мои ожидания, какую мою модель жизни он разрушил?»

Если вы попробуете честно ответить на эти вопросы, то, скорее всего, получите ответ, почему именно в вашей семье появился вот такой ребенок.

Нам известны случаи, когда появление болезненного, ослабленного ребенка (не инвалида) происходило в следующих случаях. Женщина рожала его с установкой: «Я хочу, чтобы рядом со мной был кто-то, кто никогда меня не покинет, кому я буду очень нужна, кто будет от меня зависеть». И рождается такой ребенок, который действительно нуждается в матери

247

двадцать четыре часа в сутки, привязывает ее к себе, полностью зависит от нее и всегда рядом с ней, она не может его оставить ни на час. Таковы последствия ошибочного, некорректного заказа матери. Ей таким образом дается урок: ребенка нельзя рассматривать только как полигон для удовлетворения собственных амбиций.

8.11. Как вы относитесь к абортам? Два года назад священник сказал мне, что это смертный грех, и все это время меня гложет чувство вины. Можно ли с этим что-то поделать?

Мы не разделяем идею о том, что душа ребенка появляется в момент зачатия. Согласно многим восточным учениям, душа заселяется в тело младенца только после его выхода из тела матери. Первый крик младенца как раз и означает, что душа заняла свое место и требует внимания.

Скорее всего, в момент зачатия начинается только процесс подбора той души, которая согласится родиться в теле младенца. Она присматривается к родителям и примерно представляет себе, что ее ждет в будущем, какие уроки она сможет получить именно в этой семье. Иногда душа в последний момент передумывает заселяться в тело, и тогда младенец рождается со слабыми признаками жизни. В Тонком мире идет срочный подбор души, желающей занять освободившееся место. На это уходит несколько минут. И если младенец, вроде бы не подававший признаков жизни, вдруг «приходит в себя» и начинает кричать, то это означает, что замена найдена. Скорее всего, эта душа окажется чуть менее «качественная», чем запланированная к «заселению» раньше, то есть у нее будет больше проблем в жизни. Но родители все равно не знают, что должно было родиться, и радуются тому, что есть.

Если исходить из этой процедуры заселения тела младенца, то аборт не является убийством в чистом виде. Зачем же священники навешивают на своих прихожан такое тяжелое чувство вины, которое может привести к самым тяжелым заболеваниям, вплоть до онкологии? Это способ манипуляции, способ управления людьми. Сначала вы обвиняете их в чем-то, а потом только вы можете оценить, прощены они или нет. Они зависят от вас, от вашего мнения. Это чисто земные игры, в которые некоторые представители церквей играют осознанно, а другие — из-за непонимания последствий своих слов.

Чувство вины есть самоосуждение, которое имеет свойство накапливаться в эмоциональном теле и может привести к самым неприятным последствиям. Фактически, это есть ментальная порча, полученная вами от человека, который руководствуется набором своих убеждений и судит всех окружающих, исходя из своей позиции.

Что же делать, если вы получили такую порчу и она гложет вас? Почитайте медитацию прощения себя несколько часов. Поймите, что ничего в этом мире не происходит без ведома Бога. И если он допустил аборт, то, значит, ваш потенциальный ребенок мог не приходить в наш мир в этот раз. Если бы Богу было угодно, чтобы он родился, никакие ваши усилия сделать аборт не принесли бы успеха. Мы встречались с подобными случаями не один раз.

Так что успокойтесь и радуйтесь жизни, Бог любит и заботится о вас.

Из всего этого, конечно, не следует, что мы одобряем и поощряем аборты. Вовсе нет. Однако, на наш взгляд, родить нежеланного и нелюбимого ребенка — это хуже, чем не родить его вообще.

8.12. Можно ли побороть любую болезнь, даже самую тяжелую, как рак и другие, путем совершенствования самого себя, путем разрушения своих идеализаций и так далее?

С нашей точки зрения, здоровье — это такое состояние организма, когда у человека здоровы все его тела: физическое, энергетическое, эмоциональное, ментальное и кармическое тело, поскольку нездоровье любого из этих тел рано или поздно проявится на нашем физическом теле в форме его заболевания.

Например, если мы будем чиститься от идеализаций, то мы очистим только ментальное тело. Оно может быть здоровым, но причина болезни может находиться в другом теле.

Если мы с помощью медитации прощения или любых других техник чистим эмоциональный план, то мы очищаем только эмоциональное тело, которое в результате станет здоровым.

Но у человека есть еще эфирное (энергетическое) тело, которое может быть истощено, поскольку вы можете перегружать его путем недосыпания, перегрузок или бесконечного сочувствия больным людям. Истощение или искажение эфирного тела проявится в виде заболевания уже физического тела.

Да и само по себе физическое тело может заболеть, какой бы чистый у вас ни был ментальный или эмоциональный план. Если вы будете плохо питаться, если вы не будете это тело разминать, не будете выводить его на свежий воздух, если будете его перегружать, питать однообразной пищей, то оно рано или поздно заболеет, невзирая на вашу духовную продвинутость.

Об этом говорят примеры известных людей, причисленных после смерти к лику святых, пророков или ясновидящих. Даже самые выдающиеся из них иногда имели довольно тяжелые заболевания. Скорее всего, это происходило из-за того, что они придавали очень большое значение своему духовному развитию и совершенно не обращали внимания на нужды энергетического и физического тел.

Поэтому побороть любую болезнь в принципе можно. Мы имеем немало случаев, когда люди избавлялись от онкологических заболеваний путем совершенствования самого себя, путем чистки своего эмоционального и ментального плана. Но не для всех этого достаточно, поскольку причина болезни может лежать в других телах. Поэтому, кроме чистки ментала и эмоций, не нужно забывать заботиться о своем энергетическом и физическом телах, и тогда все у вас будет в порядке.

Люди обычно рождаются здоровыми, а потом нещадно эксплуатируют свое тело, перегружая его и физически, и энергетически, и эмоционально, и ментально. Заболевания обычно являются следствием такого отношения к своему телу, своего рода «криком» организма о том, что вы к нему плохо относитесь. Поэтому, всего лишь изменив свое отношение к телу, вы можете избавиться от большинства заболеваний и стать совершенно здоровым человеком.

8.13. Как быть врачу-иглотерапевту, который вмешивается своей методикой в тело человека не только физически, но и энергетически, эмоционально, ментально? Лечить ли мне пациента, если у него есть кармическая болезнь? Как определить, кармическое ли это у пациента состояние? Я очень часто стала болеть после успешного лечения пациентов.

На наш взгляд, иглотерапия — это работа только с энергетическим телом человека. Трудно себе представить, каким образом можно иголками влезть в ментальное или эмоциональное тело человека. Поскольку ментальное тело — это наши убеждения или идеализации, например что у нас должен быть хороший правитель, что все вокруг враги или что ваш муж должен больше зарабатывать. Очень сомнительно, что подобные убеждения могут измениться только от того, что вы воткнули в человека иголки.

Непонятно, как можно иголками повлиять на кармические заболевания. Кармические заболевания — это чистая информация, записанная в соответствующем Тонком теле человека. И иголка, как вполне материальный объект, совершенно не может соприкасаться со сверхтонким кармическим телом.

Скорее всего, **иглотерапия — это работа с энергетическими потоками,** то есть с эфирным телом человека. Там они действительно оказывают влияние, и эффект от них бывает иногда очень интересный.

Другой вопрос — это почему вы стали болеть после успешного лечения пациентов? Здесь может быть несколько вариантов ответов.

Возможно, что вы во время лечения **очень сочувствуете** своим пациентам, то есть отдаете им часть своей душевной энергии, и в итоге ваше энергетическое тело обесточивается. Пациенты от этого быстрее выздоравливают, а вы, наоборот, начинаете болеть, потому что у вас не хватает жизненных сил. Если вы лечите многих больных и отдаете им слишком много жизненных сил, то за счет ваших жизненных ресурсов они будут выздоравливать, а вы начнете болеть.

С общепринятой точки зрения хороший врач — это душевный врач, его очень любят пациенты. Такой врач лечит в меньшей мере лекарствами, а в большей мере — собственной энергетикой, собственными жизненными силами. Естественно, что в итоге у него не хватает сил на собственное здоровье. Посмотрите, не это ли происходит у вас.

Другой вариант, что вы **испытываете постоянные сомнения по поводу своей работы**: «Правильно ли делаю, что лечу их? Достойны ли эти люди излечения? Не совершаю ли я грех, когда вмешиваюсь в их дела?» Если такие мысли имеют место, то вы сами себе заказываете негатив своими сомнениями, своими страхами, своими переживаниями. Вы заполняете свой ментальный и эмоциональный план негативом, что вскоре приводит к заболеванию уже вашего собственного тела.

Подробные сомнения могут дать еще один интересный результат. С одной стороны, как врач, вы должны оказывать услуги, это ваш способ существования, это ваша работа. Но если вы этого опасаетесь, то, чтобы как-то **ограничить ваши возможности влезать в чужие дела**, в чужую жизнь, вы через болезни уменьшаете свои способности помогать людям. То есть вы **неосознанно заказываете себе заболевание**, и оно выступает как способ, помогающий вам поменьше влезать в чужие дела. При этом ваша болезнь отделяет вас от пациентов, которые, на ваш взгляд, могут быть недостойны излечения в силу того, что они не изменили своего отношения к жизни.

Это только три причины, по которым вы можете заболеть. На самом деле их может быть больше. Попробуйте сами поразмышлять на эту тему, обратитесь с этим вопросом к своим покровителям в Тонком мире, и вы обязательно получите правильный ответ.

На этом мы заканчиваем рассмотрение вопросов, связанных с темой здоровья. Это сложная тема, требующая специального рассмотрения. А мы переходим к другой насущной теме — теме работы, денег, бизнеса.

Глава 9
ДЕНЬГИ, РАБОТА, БИЗНЕС

В этой главе мы рассмотрим вопросы о причинах возникновения проблем с деньгами, работой или бизнесом. Наш подход к этим вопросам известен — каждый человек сегодня имеет самую лучшую жизнь, которую он заслужил своими убеждениями, мыслями и вытекающими из них поступками. Это нужно осознать и научиться радоваться даже тому, что у вас есть, много этого или мало. И тогда возможны любые изменения к лучшему.

Если текущая ситуация вас не устраивает, то нужно успокоиться и понять, как, каким образом, какими мыслями и убеждениями вы сами создали то, чем теперь недовольны. Может быть, у вас полно идеализаций и Жизнь давно применяет к вам свои «воспитательные» процессы, а вы не слышите ее и продолжаете бороться за свои идеи. Или вы случайно сами «заказали» себе такую жизнь и теперь не знаете, как отменить «заказ» и сформировать другую ситуацию.

Вместо переживаний мы предлагаем вам сделать осознанные шаги к лучшей жизни. Понятно, что в силу тех или иных причин поначалу что-то может не получаться. Будьте оптимистичны и настойчивы, и удача неминуемо станет вашим спутником. А мы пока приведем свои версии причин возникновения проблем в конкретных ситуациях.

9.1. Что делать, если твоя работа не устраивает ни морально, ни материально, но все окружающие считают, что я хорошо устроена. Мне тридцать четыре года, имею высшее образование.

Каждый человек является хозяином своей жизни, он сам создает ее своими мыслями и поступками. Хотелось бы, чтобы эти поступки были осознанными и разумными.

А что мы имеем сегодня? Женщину не устраивает ее положение, но она опасается сделать какие-то шаги по изменению ситуации, поскольку все окружающие отговаривают ее от такого шага. Что ей остается делать в такой ситуации? Жить и испытывать хроническое недовольство существующим положением, заполняя свой «сосуд кармы»? Единственный плюс такого выбора — это то, что окружающие будут довольны ее поведением. Как вы понимаете, это **идеализация общественного мнения**, когда человек ставит общественное мнение выше своих потребностей. Если вас работа не устраивает ни морально, ни материально, то зачем она вам нужна? Разве стоит разменивать свою жизнь в угоду чьему-то мнению? Вы же родились на свет не для того, чтобы соответствовать ожиданиям всех вокруг.

Какие же могут быть выходы из всего этого?

На наш взгляд, из этой ситуации имеется несколько выходов. Первый — это ничего не менять, согласившись с мнением окружающих людей, что у вас так и все замечательно. Это будет разумный выбор только в том случае, если **вы осознанно примете такое решение и перестанете переживать** по поводу того, что работа не соответствует вашим ожиданиям и уровню притязаний. Вы просто меняете свою самооценку (например, с помощью аффирмаций) и понимаете, что у вас и все так прекрасно. Или вы программируете себя на то, что вы творчески развиваетесь и получаете уроки от окружающих людей. Или вы превращаете свою работу в постоянную медитацию, и тогда нелюбимое дело станет источником вашего духовного развития. Ваша внутренняя программа при таком выборе: «Я получаю удовольствие от всего, чем я занимаюсь!»

Другой выход — это **наступить на свою идеализацию и найти себе новую работу**, которая будет приносить полное удовлетворение, поскольку работа занимает, как минимум, третью часть нашей жизни. А у кого-то и большую половину жизни. А зачем вам нужно проводить половину жизни, занимаясь нелюбимым делом и накапливая недовольство? Только чтобы не доставлять повод для обсуждений своим знакомым? Не слишком ли велика плата за их спокойствие?

Другое дело, что делать сразу резкие шаги и сначала бросать имеющееся место работы, а потом начинать искать новое — это будет шаг неразумного человека. Разумный человек сначала должен проанализировать ситуацию, понять, чем его не устраивает имеющаяся работа. **Нужно понять, что именно вас не устраивает:** низкие доходы, нет ответственности или общения, отсутствует сфера приложения ваших способностей или вам просто неинтересно. То есть нужно понять, в каких именно аспектах ваша работа вас не устраивает, поскольку вряд ли она совсем плоха — ваши знакомые не удерживали бы вас на таком плохом месте. Нужно понять, **чему вы должны были научиться** на том месте, где сейчас находитесь.

В этой жизни ничего просто так не происходит, и если вы уйдете со своего места не с благодарностью, а с осуждением, то по общим принципам кармического «воспитания» на следующем месте вы получите все то же, что вас здесь не устраивало, но в усиленном варианте. То есть не забудьте про самоанализ ваших недовольств — какие ваши идеализации разрушаются на настоящем месте работы. Не забудьте про медитацию прощения на всех людей, которые вас не устраивают на этом месте. Тогда Жизнь даст вам то, что вы хотите. Но для этого **вам нужно понять, какая работа могла бы вас устроить.**

Если вы еще не определились с этим, мы дадим некоторые рекомендации на этот счет.

Одна из них: просто ходите по улице в течение нескольких месяцев и приценивайтесь ко всем работам, которые вы видите: торговца, менеджера, директора, продавца цветов, сотрудника банка и т. д. Какая из встреченных профессий вас бы устроила, какая доставила бы вам удовольствие, почему?

Попробуйте ответить себе на некоторые вопросы типа: «Какие требования я предъявляю к будущей работе? Она должна быть далеко или близко от дома, в общении с людьми или в одиночестве? Это должна быть работа с высокой ответственностью или без всякой ответственности? Это управление людьми или я хочу работать сама по себе? Это должны быть поездки либо я хочу сидеть на одном месте? Это должно быть творчество или выполнение инструкций и распоряжений?»

Отвечая себе на эти и подобные вопросы, вы определяете содержание будущей работы. Записав все требования к будущей работе, в итоге вы сами поймете, какая же сфера деятельности вас может устроить. Подобным образом можно вполне определиться в течение двух-трех месяцев.

Можно было бы и быстрей, но **лучше не спешить и принять полностью обоснованное решение.** А затем нужно начать формировать это событие. Ход ваших мыслей при этом может быть следующим: «Да, сегодня я имею ту работу, которая у меня есть, и я ей очень довольна, она многому научила меня. Видимо, это лучшее из того, что я заслужила на сегодняшний день. Теперь мне хочется получить новую (такую-то) работу. Я верю, что Жизнь поможет мне ее получить».

Вы составляете себе соответствующую аффирмацию и много раз повторяете ее. Одновременно вы делаете вполне реальные шаги по поиску новой работы. Например, вы сообщаете об этом своим знакомым. Но если они считают, что вам не нужно никуда передвигаться, то, может быть, лучше им ничего не говорить, чтобы они не переживали. Тогда вы рассылаете резюме в агентства по трудоустройству, начинаете читать газеты по трудоустройству, даете объявление о том, что вы ищете такую работу, которая вам нужна. Не забудьте **полностью использовать все возможности, которые вам предоставляет ваше нынешнее место работы.**

В общем, используйте все шансы, которые у вас есть, чтобы найти нужную работу. Через некоторое время она неминуемо появится, и тогда уже можно смело бросать то, что вы имеете, и переходить туда. Это будет поведение вполне разумного человека.

Если Жизнь даст вам эту возможность, а **вы все же не решитесь ею воспользоваться,** тогда хотя бы **снимите претензии к тому, что вы имеете.** Если помните, это будет наш первый выбор.

Если вы все же остались работать на прежнем месте, то примите этот ваш добровольный выбор как самый лучший. Найдите в своей работе положительные стороны. Может быть, нынешняя работа вас устраивает своей предсказуемостью. Если это государственная организация, то с ней, скорее всего, ничего не случится в будущем. Пусть у вас будет маленькая зарплата, но она может устроить вас своей престижностью или чем-то еще. Ведь какие-то плюсы у нее есть, раз все окружающие считают, что вы хорошо устроены.

Но если вас эти плюсы не устраивают, то вас там ничего не должно держать. Потому что заниматься любимым делом и радоваться жизни — это значительно более важное дело, нежели соответствие чьему-то мнению. Какие бы люди вас ни окружали.

9.2. Я зарабатываю хорошие деньги, но работа забирает очень много времени, труд у меня достаточно тяжелый, кропотливый. И у меня нет времени в связи с этим на личную жизнь. Как мне жить?

Это достаточно характерная ситуация для людей, занятых собственным бизнесом либо полностью погруженным в свою работу служащим. Когда дело отнимает восемнадцать часов в сутки, часа четыре остается на сон и, соответственно, нет времени и сил на личную жизнь, на решение проблем, не касающихся работы.

Что можно сказать по этому поводу?

Кто выбрал такую жизнь, кто выбрал себе работу, которая требует восемнадцать часов в сутки, кто погрузился в работу с утра до вечера? Это кто-то вас заставляет, вы это делаете под дулом автомата, вас к этому принуждают? Нет, **это был ваш добровольный выбор.** Так что подумайте, почему вы выбрали именно такую работу, почему вы проводите на ней восемнадцать часов. Может быть, вы от чего-то убегаете? Может быть, вы через работу закрываетесь от каких-то сфер жизни? Может быть, у вас внутри есть страх, что вы окажетесь неудачником, что вы не сможете построить свою личную жизнь? Может быть, вы опасаетесь, что недостаточно красивы, недостаточно умны, недостаточно коммуникабельны, что не сумеете встретить достойного вас человека? И поэтому вы нашли себе такую работу, которая является **своеобразной формой оправдания** того, что у вас не все в порядке с личной жизнью. Когда вам строить личную жизнь, когда вы вынуждены все время трудиться?

Предлагаем вам подумать и определить, какими мотивами вы руководствовались, когда вы брались за эту работу. Не была ли это форма ухода от переживаний по поводу **идеализации собственного (не)совершенства?** Потому что все переживания, перечисленные выше, как раз характеризуют идеализацию собственного совершенства. Мысли типа: «Я недостаточно хороша, я недостаточно красива, недостаточно умна, недостаточно коммуникабельна, слишком стара, не имею жилья (и т. д.). Я опасаюсь, что в результате у меня ничего не получится, мне не удастся построить свою личную жизнь, я недостойна любви» лучшим образом указывают на наличие этой идеализации. И пока вы не снимете у себя эту идеализацию, вы **неосознанно будете цепляться за свою работу.** И при этом будете сильно страдать и жаловаться окружающим, что работа не дает вам устроить личную жизнь.

То есть вы должны осознать, каким образом вы попали на эту работу, почему вы ее выбрали, **какие выгоды она вам дает,** кроме денежных, от чего она вас защищает. И действительно ли вам нужна личная жизнь, или вы без нее неплохо обходитесь. Раз вы задаете вопрос, то, видимо, она вам действительно нужна. Теперь вы, как человек в некотором смысле разумный, должны понять, что **эта работа появилась не просто так в вашей жизни.** Скорее всего, это был ваш внутренний заказ, вы сами ее выбрали. Значит, у вас были к этому какие-то мотивы, какие-то обоснования. Объективно ведь ничего не мешает вам изменить текущую ситуацию на другую, то есть начать меньше работать или взять себе выходные. Вы будете меньше получать? Так зачем вам деньги, если вам некогда получать от них удовольствие?

Либо можно не уменьшать количество рабочего времени, но **начать смотреть вокруг прямо на работе.** Ведь там тоже встречаются люди, которые смогут вам подойти. Но для этого нужно правильно поставить внутреннюю программу и отказаться от идеализаций.

Сейчас у вас имеется негативная программа: «Мне некогда заниматься личной жизнью, потому что я много работаю». Измените ее, например, так: «Моя работа помогает мне устроить мою личную жизнь». Или: «Я встречаю нужного мне человека прямо во время работы, там, где я нахожусь». Жизнь вам даст человека, который будет понимать вашу увлеченность работой. Скорее всего, он будет точно такой же работоголик, как и вы, и у вас будет дружная семья работоголиков.

А если вас это не очень устраивает, тогда сделайте другой шаг и уйдите от этой работы. **Создайте себе свободное время** и научитесь получать от него удовольствие, хотя это не так просто. Тогда у вас появится больше возможностей заниматься личной жизнью.

Может быть, у вас имеется внутренняя программа, что деньги достаются только тяжелым трудом. Например, она может выражаться в периодически появляющихся мыслях: «Я могу заработать деньги только тогда, когда много и тяжело работаю». Смените эту негативную программу на положительную: «Деньги достаются мне легко. Я получаю много денег, не прикладывая особых усилий. Моя работа позволяет мне много времени уделять личной жизни».

Подобная положительная программа, многократно повторенная про себя, поневоле заставит вас смотреть вокруг. Вы начнете размышлять на тему: «А где еще есть работа, где я могла бы зарабатывать не меньше денег? Почему я закопалась вот в этой восемнадцатичасовой работе? Ведь наверняка же люди вокруг меня живут по-другому, ходят на концерты, ездят на природу, отдыхают на даче, путешествуют. Почему я живу такой странной жизнью, почему я ее выбрала? Я хочу перейти в другую жизнь!»

Вы начнете смотреть вокруг, и тогда окажется, что существует множество мест, которые не требуют такого глубокого погружения в работу при тех же доходах. И Жизнь вам подбросит одно, второе, третье такое место. У вас должна быть решимость сделать такой шаг, уйти от того образа жизни, которым вы сейчас живете. Такой переход потребует некой внутренней ломки, поскольку здесь хоть и плохо, но стабильно. А на новом месте неизвестно, что будет.

Вы можете не принять тот подарок, который даст вам Жизнь. Тогда вы надолго останетесь в этом восемнадцатичасовом труде. Это тоже нормальный выбор, нужно только принять его без переживаний. Поскольку даже на этой работе вы можете решить свои личные проблемы, сказав себе, что работа помогает вам найти вашего любимого.

Наверное, более разумно было бы изменить все-таки образ жизни, уйти от этого тяжелого и кропотливого труда. Поживите немножко для себя, хватит жить для других. Задайте себе программу: «Я нахожу работу, которая не занимает много времени, дает достаточный доход и помогает мне устроить мою личную жизнь». Вы многократно повторяете ее и начинаете смотреть, где есть такая работа. Рано или поздно вы ее найдете, а потом нужно сделать шаг и перейти туда. Это уже будет зависеть от вас, вы имеете право на любой выбор. Жизнь дает нам все, что мы попросим. Но она не будет вас туда заталкивать, если вы вследствие своих убеждений, страхов и еще чего-то не возьмете то, что она вам дает. Это будет ваш выбор, поэтому живите с удовольствием той жизнью, которую вы выберете сами.

9.3. Заработала деньги, есть квартира и т. д. Но, как только появляется мужчина в моей готовой к жизни обители, он не может почувствовать себя хозяином. Более того, он чувствует себя ненужным. Что делать? Бросить бизнес, продать квартиру, въехать в коммуналку или есть иной выход?

Эта проблема, с которой часто сталкиваются социально адаптированные и активные женщины, умеющие зарабатывать деньги. Обычно у них есть собственный бизнес или просто хорошее место работы. В результате такая женщина имеет квартиру, загородный дом, машину, она материально обеспечена и ей хочется устроить личную жизнь.

Но когда появляется мужчина, то уровень его материальной обеспеченности может быть ниже, чем у нее. В итоге, попав на все готовое, он чувствует себя дискомфортно, поскольку он не может почувствовать себя хозяином. Тем более его любимая, являясь человеком достаточно самостоятельным, иной раз под горячую руку **напоминает ему, что здесь все мое и ты знай свое место.**

У большинства мужчин в голове сидит патологическая идея о том, что он должен быть головой, хозяином, он должен руководить всем. Скорее всего, это остаточные проявления врожденных инстинктов, принесенных из тех времен, когда мужчина добывал пищу на охоте, а женщина оставалась дома хранить очаг. С тех пор многое изменилось, но древние инстинкты продолжают оказывать влияние на нашу жизнь. Женщины тоже многое совершают под действием инстинктов, просто они у них другие.

Кроме того, многие религии также принижают социальную роль женщины, особенно это касается ислама. Даже в православии идея «жена да убоится мужа своего» занимает не последнее место.

Поэтому далеко не каждый муж может выдержать сильную зависимость от жены. Слабый мужчина может смириться с ролью «подкаблучника», но он мало интересует сильную женщину. А самостоятельный мужчина обычно не выдерживает этой зависимости и уходит из семьи. Он хочет самореализоваться, самоутвердиться, быть реальным главой семьи. Его не устраивает вторая роль при своей жене, сколько бы он ни зарабатывал.

Значит ли это, что для того, чтобы устроить личную жизнь, женщине нужно бросить бизнес, продать квартиру и т. д.?

Да нет, ни в коем случае. А что, если вы бросите бизнес и переедете в коммуналку, а личная жизнь не устроится? Тогда не будет ни жилья, ни денег, ни личной жизни. А будут одни неприятности. Нужно вам это?

Сейчас вы хотя бы можете получать удовольствие от многих граней жизни — денег, работы, хорошего жилья и прочего. Единственное, чего вы не имеете, это полноценной жизни с любимым человеком.

В чем тут проблема?

Проблема состоит в том, что вы, как человек деловой, **ищете решение в сфере действий**. То есть вы ищете, что вам нужно сделать для того, чтобы ситуация с личной жизнью изменилась. И вы ищете эти решения во внешнем мире. Вы ищете, чего вам нужно еще достичь, какой рубеж еще взять. Вы уже взяли много вершин, достигли успеха в бизнесе, создали материальное благополучие. Теперь вы хотите взять следующий рубеж. Для достижения своей цели вы даже готовы совершить совершенно неординарные действия — продать или поменять на худшую свою квартиру, ездить на работу не на машине, а на троллейбусе и т. д. Но все это будут действия во внешнем мире.

На самом деле **решение лежит не во внешнем мире, а внутри вас**. Оно лежит в сфере вашего эмоционального и ментального отношения к ситуации. Если вы хотите задержать мужчину у себя дома, то вы должны искренне **позволить мужчине быть хозяином в вашей квартире**. Вам придется внутри себя принять идею о том, что ваш муж всегда прав. И это должно быть принято до тех пор, пока вам не надоест позволять ему говорить все, что угодно.

Обычно сильная женщина говорит себе: «Я позволяю ему поступать как угодно, но только до тех пор, пока он поступает здраво. У меня внутри есть контролер, который оценивает его поступки. Пока он делает правильные поступки, я могу ему позволить думать, что он глава в нашей семье, я даже буду хвалить его. Но как только он начнет совершать ошибки, то я тут же скину его с того пьедестала, на который я его поставила. Я буду уважать его до тех пор, пока считаю, что он этого достоин».

Мужчина обычно очень тонко чувствует такое отношение и не уверен, что сможет долго продержаться на пьедестале. Он устает быть совершенным во всем и уходит туда, где от него не требуется избыточных усилий. Дома он хочет отдыхать, а не бороться за свой светлый образ.

Поэтому, если вы хотите удержать мужчину возле себя, вам придется изменить отношение и сказать себе что-то такое: «Пусть в бизнесе я сильный руководитель, да и в остальных делах я сильная женщина. Но когда я прихожу домой, я хочу быть женщиной, слабой и беззащитной. Я хочу довериться моему мужу во всем. Если он скажет, что нужно выкинуть телевизор в окно, я соглашусь с ним. Может быть, это будет безумный поступок, но я заранее не возражаю. Если он скажет, что мы теперь будем спать на потолке, я соглашусь без возражений. Конечно, спать на потолке неудобно, наверное, одеяло спадает, но я это принимаю и не выступаю против».

Скорее всего, тот очередной мужчина, который вскоре появится в вашей жизни, поначалу будет самоутверждаться через какие-то странные, необъяснимые заявления или поступки. Может быть, он разведет грязь в вашей идеально чистой квартире. Может быть, он что-нибудь разобьет, что-нибудь поцарапает, что-нибудь захочет переставить. Вы должны к этому относиться совершенно спокойно, поскольку вы доверили этому человеку быть хозяином в вашем доме. Пусть он распоряжается, а вам нужен всего лишь его теплый взгляд, его хорошее отношение. А что он будет делать с вещами, которые находятся в этой квартире? Да бог с ними, пускай делает все, что угодно. Если нужно будет, купим новые».

То есть рекомендуется занять позицию полного принятия всех его поступков, всего того, что он скажет или сделает. Но конечно, не позволяя ему окончательно сесть вам на шею или вытащить у вас все деньги и пропить их, возможны и такие варианты. В общем, попробуйте вот такое сочетание осознанного поведения покорной восточной женщины с поведением человека трезвомыслящего, готового терпеть мужчину до определенного предела. Заметим, что терпеть в данном случае — это не значит переживать.

Если вы сумеете дома не быть руководителем, а быть просто женщиной, то, скорее всего, мужчина у вас задержится. То есть решение проблемы лежит не в сфере внешних действий, а в вашей внутренней эмоциональной сфере.

Если же приведенные выше рекомендации вызвали у вас приступ раздражения или ярости, то вы смело можете быть уверены в том, что у вас все в порядке с **идеализацией независимости и идеализацией контроля окружающего мира**. Они у вас имеются и оказывают большое влияние на принимаемые вами решения. Подумайте над этим.

9.4. Как прожить на пенсию в 1300 рублей, имея букет болезней, лечение которых требует более тысячи рублей в месяц? Как выйти победителем из этой ситуации? Пенсионерка, шестьдесят пять лет.

Выйти из этой ситуации можно. Прежде всего, нужно порадоваться тому, что вы имеете 1300 рублей на то, чтобы жить. Потому что есть люди, которые и этого не имеют. Надо поблагодарить Бога за эту заботу, поблагодарить за ту жизнь, которую вы имеете. Ведь у вас есть своя квартира, есть тепло в доме, есть вода, пища и хоть какие-то деньги. Многие люди в мире всего этого не имеют, и по отношению к ним вы являетесь просто богачом, живущим роскошной жизнью.

То есть вам нужно выйти из мира негатива, уйти от претензий к Жизни, якобы создавшей такую ситуацию.

Это не Жизнь создала вам все ваши сложности, а вы сами. Но ваша ситуация далеко не плоха, так что у вас есть все основания искренне порадоваться той жизни, которой вы живете.

Если вы имеете букет болезней, это говорит о том, что ваш эмоциональный план очень сильно засорен негативными переживаниями. Видимо, у вас имеется куча идеализаций и негативных программ, приводящих к «воспитательным» процессам.

Вы ничего не пишете о том, где ваши дети. Наверняка у вас есть дети или другие родственники, но похоже, что вы никак не взаимодействуете с ними и полагаетесь только на себя. Может быть, вы находитесь с ними в эмоционально напряженных отношениях (в конфликте) и поэтому они вам не помогают.

Кто создал эту ситуацию?

Это Жизнь создала такую ситуацию? Нет, скорее всего, это вы создали такую ситуацию своими поучениями, претензиями и другими способами вмешательства в их жизнь. Соответственно то, что вы имеете сегодня, — это самое лучшее, что вы заслужили. Это нужно осознать, нужно поблагодарить Бога за то, что вы имеете. А затем нужно посмотреть, почему возле вас нет людей, которые помогли бы вам материально. Почему нет людей, которые бы заботились о вас? Почему у вас такой букет болезней? Чем вы их заслужили? О чем вам говорят эти болезни? Скорее всего, они ограничивают вашу гордыню, ваши претензии на то, что вы способны судить обо всем, давать всем оценки или еще о чем-то.

То есть **мы рекомендуем вам отключиться от внешней жизни, от претензий к жизни, от претензий к людям и погрузиться в себя, в анализ своих идей и понимание того, каким образом Жизнь разрушает ваши идеи.** Вы должны осознать, что ваши болезни не просто так появились у вас. Они есть напоминание о том, что пора успокоиться и прекратить обижаться на жизнь, потому что она не вечна. Скорее всего, как раз болезни ограничивают ваши возможности вмешиваться в чужую жизнь.

Вам надо поработать с медитацией прощения на всех ваших родственников, знакомых, на жизнь и на саму себя. И тогда многие ваши болезни просто уйдут, и те 1300 рублей, которые вы получаете, станут огромной суммой, которую вы не будете знать, как потратить.

Нужно изменить свое отношение к себе, к жизни, к людям. Иначе вы так и будете страдать, а количество денег, которые потребуются на лекарства, будет все больше и больше, и взять их будет негде. К сожалению, именно так Жизнь учит нас быть более благостными и не браться судить о том, чего мы не понимаем.

9.5. Как сделать заказ, чтобы выиграть в лотерею крупную сумму?

Крупные суммы в лотерею выигрывают обычно люди, многие годы играющие в азартные игры. То есть те люди, которых можно смело назвать адептами эгрегора азартной жизни. Они постоянно участвуют в розыгрышах, и каждый раз, когда они заполняют какие-то таблички или проверяют лотерейные билеты, они отдают порции энергии этому эгрегору. И когда количество отданной ими энергии достигнет приличного уровня, эгрегор поощряют этих людей. Они получают большие призы. Если вы посмотрите, кто обычно выигрывает всякие джек-поты, то увидите, что преимущественно это люди, которые много-много лет играют в игры. То есть адепты эгрегора азартной жизни.

Человек, который никогда не играл в лотерею или в другие азартные игры, не оплатил этот выигрыш своими энергиями, и поэтому шансы получить большой выигрыш у него минимальные. Какую бы формулировку мы ни составили, вероятность получения выигрыша очень мала, практически ничтожна.

Бывает, конечно, что новичкам везет и они выигрывают не очень большие призы. Но мы уже рассказывали, что таким образом эгрегор азартных игр может выдать вам «аванс» в виде приза. Это некий крючок, наживка, которую вам дают. Получив приз, вы решаете, что вы очень удачливый человек, и начинаете потом много лет покупать лотерейные билеты, ничего не выигрывая. То есть вам дается авансом некий приз для того, чтобы вы стали азартным игроком.

Поэтому дать человеку рекомендацию, как сделать заказ, чтобы наверняка выиграть крупную сумму, очень сложно. Если браться за это дело, то путь будет типовой. Вы составляете формулировку заказа: «Я выиграю в лотерею столько-то денег» и повторяете ее множество раз, представляя себе эту сумму денег. Представляйте, как вы их получаете, что вы будете с ними делать, зачем она вам нужна, как вы их потратите, какое удовольствие от этого получите.

В общем, **когда вы выделите достаточное количество мысленной энергии, то приз вы получите, но не раньше.** Вы можете покупать лотерейные билеты, и, конечно, периодически это нужно делать в ожидании приза. Но если вы его не получили, то это не повод для переживаний, а всего лишь повод для того, чтобы понять, что вы еще не оплатили этот приз своими энергиями. Удачи вам на этом пути.

9.6. Я хочу устроиться в ресторан поваром. Мне говорят, нужен опыт работы в ресторане. У меня опыт десять лет поваром в детском саду, в ресторан не берут без опыта работы в ресторане. Как быть, что делать?

Ваша идея о том, что в ресторан не берут без опыта работы в ресторане, это не более чем **идеализация собственного (не)совершенства.** В ресторанах работает множество людей, и если бы туда брали только тех, кто уже работал в ресторане, то новые рестораны не могли бы создаться — для них не было бы сотрудников! Но поскольку постоянно открываются новые рестораны, значит, в них берут людей, которые не имеют опыта работы в ресторане, а работали где-то еще. Это объективная реальность. Ресторанная сеть расширяется, нужны новые люди, и они берутся откуда-то извне.

Вы не комментируете, кто именно говорит о том, что нужен опыт работы в ресторане. Говорят ли об этом сотрудники отдела кадров ресторанов, либо говорят просто ваши знакомые? В любом случае это не более чем идея, и вы должны понимать, что ресторанам нужны новые работники, нужно обновление. Они могут, конечно, предъявлять такие требования, но это не значит, что они не возьмут человека, не имеющего опыт работы в ресторане. Конечно, возьмут, если вы хорошо себя зарекомендуете. Приготовьте им с любовью свое фирменное блюдо и принесите попробовать!

Если вы будете в себе уверены, если будете четко держать в голове идею о том, чего хотите, то будете работать в ресторане. В вашем городе или поселке имеется, как минимум, несколько мест, которые вас только и ждут, и вам нужно всего лишь найти эти места. Никаких страхов, никаких сомнений, полная уверенность в себе, и вы это место получите.

Если же у вас в голове живут страхи о том, что вам не хватает образования, опыта или чего-то еще, то, соответственно, Жизнь реализует этот ваш заказ. Вы будете приходить куда-то, и вам будут возвращать ваши же страхи в виде слов других людей. Но эту ситуацию создаете вы сами! Держите в голове мысли только о том, что вы достойны работать в ресторане! И тогда обязательно вы это получите.

У нас имеется масса примеров, когда люди занимают должности, которые формально они не имеют права занимать. Например, главный бухгалтер филиала банка имеет экономическое (не финансовое) образование. И ничего страшного, работает главным бухгалтером филиала банка, хотя эта должность требует специального финансового образования. Но в его случае об этом почему-то никто не вспоминает. А зачем вспоминать, когда человек хорошо справляется со своими обязанностями?

Имеется много других примеров, когда педагогами работают люди, не имеющие педагогического образования, психологами работают люди, не имеющие психологического образования, но чувствующие тягу к этой деятельности.

В общем, каждый из нас создает свой мир своими мыслями, поэтому страхами можно заблокировать себе любой путь. Будьте уверены в том, что вы этого достойны, и вы получите желаемое.

Создайте в своем сознании уверенность, что вы это получите, и это произойдет очень быстро.

9.7. Два года назад потеряла хорошо оплачиваемую работу. Я в то время деньги не тратила, копила на дачу, на черный день. После ухода с работы махнула рукой на амбиции и стала тратить деньги на текущие нужды. И вот на работу до сих пор устроиться не могу. Что посоветуете?

Поскольку вы, видимо, тратите на повседневные нужды те деньги, которые копили на дачу, то у вас имеется стабильный ежемесячный источник существования. Вы привыкли к жизни без работы. Два года вы живете без работы, деньги у вас есть, то есть острой нужды устраиваться на работу нет. Поэтому вы, собственно, ее не можете найти. А зачем она вам нужна? У вас все есть, у вас есть своя жизнь, вы привыкли отдыхать, привыкли заниматься собой. Умом вы понимаете, что надо бы, наверное, пойти на работу. Но объективной потребности в этом вы не испытываете, потому что у вас все и так вполне благополучно. У вас есть, на что купить продукты, есть средства для оплаты квартиры и других нужд. Ничего, кроме ваших страхов о будущем, не вынуждает вас идти на работу.

Если вы действительно хотите пойти на работу, то нужно сосредоточиться на этой цели, и вы получите такую работу, которую вы хотите. Но это **должно быть истинное желание**, а не вялые размышления на тему: «Надо бы пойти поработать, хотя я не знаю, зачем мне это нужно. Но деньги могут кончиться, поэтому нужно пойти». Если вы рассуждаете примерно так, что хотелось бы, но в общем-то мне это не очень нужно, то Жизнь не будет суетиться и подсовывать вам работу, когда вам и без этого достаточно хорошо.

Если же вы полностью сосредоточитесь на своей цели: «Я хочу получить работу и я ее получу! Где она, моя работа?» — и начнете интенсивно ее искать, то вы ее получите. Рекомендации на этот счет мы уже давали. Если вы будете теребить своих знакомых, просматривать газеты, рассылать свое резюме, то есть делать реальные и заинтересованные шаги к поиску работы, то через месяц или два вы ее найдете. Но для этого нужно по-настоящему захотеть получить работу. Пока что вы этого не хотите и, соответственно, у вас ничего не получается.

9.8. Каким способом может повысить уровень комфорта пенсионер, способы получения дохода которого весьма ограниченны?

У любого пенсионера существует два источника получения дополнительного дохода к пенсии. Это дополнительная работа либо пожертвования со стороны близких людей. Вот тут как раз возникают некоторые сложности.

Первый путь — дополнительный приработок. С ним могут возникнуть большие проблемы, если у вас в голове все время крутятся мысли о том, что пенсионеров нигде не берут, что у вас недостаточная квалификация, что все места уже заняты или еще какие-то негативные программы. Соответственно, Жизнь будет вынуждена выполнить эти ваши заказы.

Если же у вас в голове появится другая установка, например: «Сколько бы ни было мне лет, нужная, интересная и высокооплачиваемая работа ждет меня! Мне только нужно найти ее!», то все будет замечательно. Вы начнете смотреть по сторонам в поисках: «Где же моя работа? Каким образом жизнь реализует мой запрос?» Тогда рано или поздно вы ее найдете и будете получать от нее удовольствие и доход. Вас не должно волновать, как живет большинство людей вашего возраста и социального положения. Это их жизнь, не ваша. Вы не обязаны жить как все.

То есть если у вас сегодня нет работы, то это следствие того, что у вас в голове имеется соответствующий негативный настрой.

Теперь относительно второго источника дохода. Почти у всех людей имеются родственники — дети либо братья, сестры, племянники или кто-то еще. Часть из них является гораздо более обеспеченными людьми, чем вы. И если у вас с ними нормальные отношения, то **они могут периодически оказывать вам материальную помощь.**

Будет ли это происходить, зависит только от того, какие идеи сидят у вас в голове.

Если у вас сидят идеи о том, что детям самим нужны деньги и что нехорошо их у них забирать, что родители должны помогать детям, а не наоборот, то вы будете отказываться от их помощи. Получая от них помощь, вы будете испытывать большие неудобства. И в итоге у вас будет скудный уровень дохода. Хотя они могут быть вполне искренни в своем желании помочь вам и сделать вашу жизнь более комфортной.

Как выйти из этой ситуации? Как изменить свое отношение к этому вопросу?

Вы попросили у Бога денег, и Бог хочет вам помочь. Но как он может вам передать деньги? Он может дать вам деньги через работу либо через каких-то других людей. Поэтому если ваши родственники предлагают вам какие-то деньги, то считайте, что это не их личное желание, а это **Бог через них подает вам деньги в ответ на вашу просьбу.** А если Бог подает, то вы не имеете права отказываться. Вы попросили, он выполнил ваш заказ.

Может быть, вам даже стоит намекнуть или попросить помощи у родственников. Вы можете сказать, что вам хотелось бы купить что-то конкретное, и попросить на это денег. А почему нет? Если вы бедный, но гордый и никогда не откроете рот и не попросите ничего, то, возможно, именно поэтому вы не имеете денег. Через низкие доходы **идет унижение вашей гордыни.** Вы могли бы иметь больше, но вы никогда не унизитесь для того, чтобы попросить помощи у своих родственников. А что тут унизительного, если у них есть деньги, а у вас нет? Почему бы им с вами не поделиться? Может быть, они об этом не догадываются, и вам всего лишь нужно об этом сказать. В общем, ваш скудный уровень дохода — это результат тех идей, которые сидят у вас в голове.

Если вы пересмотрите эти идеи, то Жизнь каким-то путем вам даст то, чего вам не хватает.

Но начинать нужно с себя. Это не очень просто, но возможно, и многие люди через это прошли. Успехов вам.

9.9. Как быть с ребенком? Вы говорите, что надо желать деньги для себя. А что делать, если я хочу, чтобы и у меня и у сына было все в порядке с материальной обеспеченностью?

Действительно, мы говорим о том, что если вы хотите денег для себя, то Жизнь на это смотрит хорошо, и вы получаете деньги в том случае, если представляете, куда вы их будете тратить. Если же вы желаете денег для другого человека, скажем, для взрослого сына, который уже сам работает, то с этим могут возникнуть большие сложности. На ваш взгляд, он мало зарабатывает и вы хотели бы заработать денег и отдать ему, чтобы он лучше жил. С этим могут возникнуть большие проблемы, потому что ваш сын сам создает свою жизнь своими мыслями, своими убеждениями, своими претензиями, амбициями и еще чем-то. И возможно, что Жизнь разрушает его идеализации через недостаток денег. А вы хотите отменить «воспитательные» процессы Жизни, дав ему денег и улучшив его материальное положение. То есть вы хотите дать ему то, чего он не заслуживает.

В этом случае денег вы не получите. То есть вы получите деньги только в том размере, который нужен **на улучшение вашей жизни**. А с деньгами для улучшения жизни другого человека, скорее всего, у вас возникнут сложности.

Если же у вас **маленький ребенок**, то **его интересы входят в ваши личные потребности**, потому что ребенок не может сам зарабатывать и вы должны его одевать, кормить, поить, учить. На это требуются деньги, и, конечно, вы имеете право просить у Высших сил, чтобы они вам помогали. И они вам помогут, но и вам самой нужно искать способы увеличения своих доходов, а не ждать милости от Жизни! Вспомните седьмой принцип Методики формирования событий: **у Бога нет других рук, кроме твоих!** Но опять же, это касается только маленького ребенка. Если ребенок уже большой и способен сам зарабатывать, но не хочет или не умеет это делать, то тогда — извините. Шансов заработать много денег и исправить его «неправильную», как вы считаете, жизнь, у вас очень мало. Он заслужил эту жизнь, он и будет ее получать.

9.10. Не очень понятен такой индивидуалистический подход, который вы пропагандируете. Почему, если я хочу денег, чтобы помочь близким, то буду наказан, деньги перестанут идти ко мне, хотя, казалось бы, должно быть наоборот?

Действительно, казалось бы, должно быть наоборот. Если я руководствуюсь благими намерениями и хочу улучшить жизнь окружающих людей, то почему я не должен заработать?

На самом деле это противоречит той логике, которая лежит в основе технологии Разумного пути. Наш первый базовый тезис говорит о том, что **каждый человек имеет ту жизнь, которую он заслужил своими мыслями и своим отношением к ней.**

То есть ваши родственники своими мыслями и поступками создали себе какую-то жизнь. Пусть в этой жизни мало денег, но это их жизнь, и они ее заслужили, она является наилучшей для них.

Вы же смотрите со стороны на их жизнь и думаете: «Как вы ужасно живете, нужно все изменить. Сейчас я возьму и изменю вашу действительность!» То есть вы собираетесь изменить их жизнь, не меняя их мыслей, их отношение к жизни, их сознание. Не меняя образа мыслей, вы хотите изменить уровень их материального благополучия. Но ведь они сами его создали! Вы хотите со стороны вмешаться и изменить то, что является результатом их собственной деятельности. То есть **вы вмешиваетесь в тот закономерный процесс, который управляет нашей жизнью.** Вы хотите изменить реальность, поскольку она вас не устраивает. У вас существует идея о том, что эти люди живут слишком бедно, слишком плохо, мир несправедлив к ним. Как вы понимаете, это есть **идеализация жизни**, выраженная в мыслях типа: «Жизнь слишком несправедлива к этим людям, они слишком много страдают. Они слишком мало зарабатывают, они слишком плохо живут. Я должен это изменить!»

Но тогда получается, что вы хотите взять на себя функции Господа Бога, который управляет этим миром. Видимо, там, наверху, плохо выполняют свои должностные обязанности. А вы возьметесь и исправите то, что они сделали неправильно.

Пожалуйста, попробуйте. Если у вас очень много сил и здоровья, то, возможно, вы действительно сумеете отменить «воспитательные» процессы по отношению к вашим близким, изменить их жизнь. Изредка так бывает, но чаще из этого ничего не получается, поскольку каждый человек живет той жизнью, которую он заслужил. Если кто-то пытается ее изменить со стороны, то ничего не получается. Эти люди еще не готовы к изменениям.

На этот счет есть старая притча, в которой рассказывается о том, как в одном селении жил богатый человек и бедные односельчане. Однажды бедные сельчане собрались и их старейшина обратился к богатому с вопросом: «Ты живешь богато, почему мы не можем жить точно так же, как ты? Почему у нас так не получается?» Он ответил: «Это проблема вашего отношения к деньгам. Даже если дать вам денег, то вы от них откажетесь, не сумеете их взять, это ваш выбор, это ваша жизнь, вы просто не сумеете их принять».

Бедные односельчане не поверили ему. Их возражения были понятны: «Да нет, как же не сумеем! Если откуда-то у нас появятся деньги, то тогда любой из нас станет богатым, были бы деньги».

Тогда богатый человек предложил провести эксперимент в подтверждение своих слов. Он предоставил мешок золота и сказал: «Давайте возьмем самого бедного человека в вашем селении, поставим эти деньги на мосту, когда по нему будет идти этот бедный человек, и посмотрим, что он сделает с деньгами. Сумеет он стать богатым или нет».

Конечно, бедняка об этом эксперименте не предупредили. На следующее утро все собрались у моста, по которому этот бедный человек каждый день приносил хворост на рынок для продажи. И вот перед его приходом мешок денег поставили посредине моста и стали ждать, что произойдет. Появился этот бедный человек, вступил на мост и прошел по нему до самого конца. Он прошел мимо мешка золота, не заметив его, хотя мешок был открыт. Очень трудно было не заметить мешок, но он прошел мимо. Когда он сошел с моста, все бросились к нему и стали спрашивать: «Ты видел на мосту мешок?» Он отвечает, что не видел. «Ну, как же ты не видел, ты что, слепой, что ли?» А он отвечает: «Когда подошел к мосту, по которому хожу уже десять лет, я подумал: а смогу ли я пройти по этому мосту с закрытыми глазами? Я ведь знаю здесь каждую досочку, знаю все. Я решил попробовать пройти по мосту с закрытыми глазами. И я дошел до самого конца, я прошел, я сумел!»

В итоге он прошел мимо мешка с деньгами, и, соответственно, он ему не достался.

То есть подтвердилась мысль богатого человека о том, что если бедняку просто дать мешок золота, то, если он не готов принять его, если он не созрел, то он либо пройдет мимо, либо откажется, либо потеряет этот мешок.

Если человек не готов к богатству, не готов к материальной обеспеченности, то ничего изменить нельзя. Это его жизнь, его система ценностей, его мысли. И если вы попытаетесь принудительно изменить его жизнь, дать ему много денег, то он либо потеряет их, либо отдаст кому-то еще, или еще как-то бездарно растратит их и жизнь его от этого не улучшится, а скорее ухудшится.

Именно поэтому Бог не дает денег в том случае, если вы хотите изменить тот мир, который существует в реальности. Вы не принимаете этот мир, поскольку, по-вашему, он несправедлив, и вы пытаетесь его переделать. Вы просите у Бога денег, чтобы переделать то, что он сделал неправильно. Обычно деньги в таком случае не даются. Сначала ваши родственники должны научиться радоваться той жизни, которую имеют. И тогда они могут рассчитывать на то, что Бог исполнит их просьбы, в том числе с вашей помощью.

То есть помогать родственникам, конечно, нужно. Но если у вас с этим возникнут проблемы, то не переживайте. Поймите, что ваши родственники еще не заслужили тех изменений, которые вы пытаетесь внести в их жизнь. Вы сможете помочь им только тогда, когда они будут этого достойны.

9.11. Как быть, если муж сидит на деньгах, то есть зарабатывает один в семье и не дает на потребности семьи столько, сколько надо?

Здесь мы имеем ситуацию, когда муж зарабатывает, но при этом он прижимист и не дает столько, сколько должен был бы давать семье. С точки зрения жены, естественно.

Поскольку муж не соответствует ее ожиданиям, она осуждает его за жадность. Почему он так себя ведет? Скорее всего, он поневоле осуществляет «воспитательный» процесс по отношению к жене, разрушая какие-то ее идеализации. Скорее всего, у жены есть некий идеал мужа: добытчик, заботливый семьянин, щедрый, зарабатывает много денег и все отдает семье, и она их с радостью тратит. Поскольку такой светлый образ мужа значим, то, в соответствии с первым способом разрушения наших идеализаций, она вышла замуж за человека расчетливого или даже скупого. То есть того, кто умеет зарабатывать денег, но очень трудно с ними расстается. Муж выдает на содержание семьи минимальное количество денег и считает, что этого вполне достаточно. Его логика понятна: «Вы все равно ничего не производите, зачем вам давать слишком много денег? Деньги достаются трудом, нужно беречь их на будущее, а не тратить по пустякам». Может быть, он копит на дом, на квартиру или на машину. Может быть, он просто очень любит деньги и ему жалко их отдавать.

Как вести себя жене в этой ситуации? Изменить своего мужа вы вряд ли сможете. Если он такой скупой, то что бы вы ему ни говорили, как бы вы на него ни дулись, обижались, конфликтовали, он от этого не изменится. Каков он есть, таким и останется до конца своих дней. Особенно если вы будете осуждать его.

Поэтому первым шагом вашим должно быть **прощение и принятие вашего мужа со всеми его заморочками в отношении денег.** Ведь вы сами выбрали себе такого скупого мужа! Возможно, вы думали, что он будет другим, а на самом деле он не соответствует вашим ожиданиям. Но что поделаешь, другого нет, так что нужно приспосабливаться к этому. В результате ваших размышлений вы должны прийти примерно к следующему выводу: «Есть объективная реальность в виде моего скупого мужа. Изменить я его не могу, поэтому я прощаю его и принимаю его таким, каков он есть. Поскольку расходиться я не собираюсь, то нужно искать способы, как мне реализовать свои желания в этих условиях».

Нужно провести на него длительную (не менее 5—6 часов суммарно) медитацию прощения для того, чтобы полностью очистить свое эмоциональное тело от накопленных негативных эмоций. А затем, когда вы эмоционально с ним развяжетесь, если вы человек разумный и у вас есть цель получать побольше денег от мужа, то вы поставите перед собой эту задачу и начнете искать способы ее решения. **Ваша цель — сделать так, чтобы ваш скупой муж давал вам больше денег.** Цель достойная и интересная, она позволит вам развить творческие способности. Для начала вы начинаете размышлять на тему: «Что нужно сделать для того, чтобы он при своей любви к деньгам давал бы мне их побольше».

Это уже интересная задача, исследовательская и психологическая. Здесь нужны те самые приемы манипуляции другим человеком помимо его сознания, о которых мы говорили раньше. Если, конечно, вы считаете для себя допустимыми такие действия. То есть **вы должны сделать так, чтобы ваш муж сам захотел давать вам побольше денег.** Что нужно для этого сделать — решайте сами. Вы уже знаете, что прямые просьбы и конфликты не срабатывают, нужно искать что-то другое. Может быть, нужно заставить его немного поревновать и больше обращать внимание на вас. Может быть, нужно начать благодарить его за каждую выданную вам копеечку, и ему захочется слышать слова благодарности почаще. Может быть, вы сможете сделать так, чтобы ему стало стыдно перед знакомыми, что его семья живет так скромно. В общем, способов косвенного влияния на мужа может быть много, у вас есть большой простор для творчества. Только не впадайте на этом пути в очередные переживания — по поводу людской глупости, в недовольство собой или еще что-то. Вы игрок, идущий к своей цели и обязательно добивающийся результата. Может быть, на это понадобится год или даже больше, но ведь лучше позже, чем никогда, не так ли?

9.12. Если у партнера по бизнесу накопитель переживаний заполнен на восемьдесят процентов, как можно его, то есть партнера, нейтрализовать, поскольку расстаться с ним возможности нет?

Если ваш партнер — восьмидесятипроцентник, то есть неудачник, который находится под кармическим «воспитательным» процессом и все его цели разрушаются, то нейтрализовать его очень непросто. В рамках законных способов, разумеется. Он может утащить за собой в крах любого достаточно успешного человека, поскольку никакой успешный человек не может отменить «воспитательный» процесс со стороны Высших сил. Это очень сложно, требуется огромная энергетика, огромная мощность.

Что здесь можно сделать? Понимая, что ваш партнер может явиться причиной проблем и даже развала вашего бизнеса, вы должны **принять меры, чтобы он своими действиями мог нанести минимальный ущерб вашему делу.** Нужно по возможности сделать так, чтобы он не принимал решения, влияющие на финансовые потоки. Например, попробуйте сделать так, чтобы он только занимался стратегией развития или еще чем-то, не очень важным. Здесь опять же вам помогут способы **косвенного влияния** на партнера. Попытка напрямую договориться с ним об ограничении его зоны влияния может только обидеть его и ухудшить ситуацию.

В общем, желательно сделать так, чтобы он не подписывал документы, которые могут привести к финансовым убыткам. То есть нужно сделать так, чтобы он не принимал ответственных решений.

Если же такой возможности нет, то есть ваш партнер является одним из руководителей фирмы, он подписывает финансовые документы и сам принимает важные решения, то все усложняется. Если вы видите, что бизнес рушится и он по этому поводу все больше переживает, испытывает все больше претензий к окружающим или к себе, то вам остается одно. Вам нужно успокоиться и приготовиться к худшему. Вас могут утешить мысли о том, что те деньги, которые вы потеряете, — это ваша плата за урок, который дает вам Жизнь. Это плата за понимание того, что при подборе партнеров нужно исходить не только из личных знакомств или каких-то других мотивов, но и нужно учиться оценивать перспективы сотрудничества с этим человеком, насколько он будет успешен в будущем.

То есть примите, что вы заплатили за этот урок деньги, которые вложены в дело. Возможно, вам покажется, что плата дороговата, но это не так. Если вы создали себе дело один раз, будучи неопытным, то после усвоения уроков Жизни вы создадите еще больший бизнес легко и без ошибок.

Если есть возможность, то попробуйте вывести свои деньги каким-то путем из оборота. Может быть, при этом вам придется пойти путем нарушения каких-то договоренностей и защиты личных интересов, но что делать, какую-то страховку на случай полного развала вы должны сделать.

Это будет шаг нормального, разумного человека, поскольку вы видите, что ваш партнер разваливает общее дело и вам вместе с ним падать в эту пропасть нет смысла. **Попробуйте спастись хотя бы самостоятельно.** Если, конечно, это допускает ваша система деловых отношений. Если для вас очень важны отношения с этим человеком как таковые, то вы можете ничего не делать для себя и пытаться спасти общий бизнес. Вы имеете полное право и на такой выбор, только не впадайте в переживания, если у вас это не получится.

Конечно, параллельно нужно пытаться поработать с вашим партнером, объяснить ему, откуда берутся сложности в ваших делах. Попробуйте объяснить, что он сам создает их в этой жизни, именно он является их источником. Конечно, не факт, что он вас услышит. Обычно человек, имеющий заполнение сосуда 80—85%, не слышит ничьих советов. Он погружен в мир переживаний, мир страстей, и разум у него затуманен.

Это объективная реальность, вы должны это понять и можете сделать что-то, чтобы спастись хотя самому. Естественно, без претензий к вашему партнеру, без осуждения за то, что он довел все до угрозы краха дела. Скорее с неким сочувствием к нему через медитацию прощения. Вы принимаете его со всеми его претензиями к Жизни, но при этом стараетесь отследить свои интересы и не утонуть вместе с ним. Если вы поставите такую цель, Жизнь обязательно подскажет вам, как ее можно реализовать. Вы обязательно найдете способ, как защитить свои личные интересы в вашем партнерском бизнесе.

9.13. Как быть, когда все родные ждут и надеются получить от меня денег? Я не могу им отказать и получается, что большую часть времени я работаю на них.

Что можно сказать об этой ситуации? У вас имеется очевидная **идеализация отношений между людьми**. Она заставляет вас отдавать почти все деньги родственникам, хотя умом вы этого не хотите. Вам жалко своих денег, но отказать им вы не можете и испытываете длительные переживания, которые могут выглядеть следующим образом: «Я не могу отказать родным, ведь это же близкие мне люди. Если я откажу им, они на меня плохо посмотрят, они будут ко мне плохо относиться. Мне это невыносимо».

Фактически, получается так, что **вы за свои деньги покупаете себе хорошее отношение ваших родственников**. Это нормальная покупка и **достойное вложение денег**. Поэтому можно смело перестать переживать по этому поводу. То есть вы зарабатываете деньги и их часть вкладываете в покупку хорошего отношения к вам ваших родственников. Вы могли бы вложить эти деньги в покупку машины или каких-то иных вещей, но тогда бы вы потеряли хорошие отношения родных. Возможно, что они стали бы считать вас жадным, эгоистичным, что вы зазнались и прочее.

А так, давая им деньги, вы покупаете их хорошее к вам отношение, вы покупаете свое доброе имя в их глазах. Единственное, что на этом пути **вы не должны ожидать от них благодарности** за то, что делаете. Если вы будете давать им какие-то материальные средства и ожидать, что они вам должны быть за это благодарны, то, скорее всего, вы нарветесь на другое отношение. Вместо благодарности они будут предъявлять к вам претензии, почему вы так мало им даете. Они будут подозревать, что у вас еще много чего осталось и вы даете им жалкие крохи. Что вы могли бы еще больше работать и зарабатывать, а так вы ленитесь и даете им какие-то копейки.

Это стандартная реакция неблагодарности в ответ на ожидание признательности, направленная на разрушение идеализации отношений между людьми.

Поэтому, если вам очень важно иметь хорошие отношения с родными, то вкладывайте деньги в поддержание отношений и не ждите благодарности за то, что вы делаете.

Если же вы понимаете, что в общем-то вы не обязаны работать только для них и что всякий работающий человек достоин вознаграждения, то вы можете принять шаги к защите своих интересов. Понятно, что если вы уменьшите размер пожертвований или вообще перестанете им помогать, то тем самым вы пойдете на обострение отношений с ними. На некоторое время они могут на вас обидеться, порвать с вами связи, но зато у вас будут деньги. В общем, смотрите сами, что вам важнее.

Правда, здесь есть одно обстоятельство. Если вы будете отдавать родным все больше и больше денег, то у вас потеряется стимул их зарабатывать, вам станет неинтересно работать. Что толку трудиться, если все нужно кому-то отдавать. Вам станет все равно, и деньги от вас начнут уходить. Возможно даже, что вы лишитесь работы. Если у вас есть свой бизнес, то, скорее всего, вы перестанете его наращивать, и он постепенно погаснет.

То есть помогать родственникам можно и иногда даже нужно. Но вот отдавать им можно, наверное, не больше половины заработанного. Какие бы родственники ни были, какие бы у них ни были проблемы, но, отдавая им все, вы тем самым теряете интерес к работе. Зачем вам работать, если все равно все придется отдать? Лучше уж вы полежите на диване, посмотрите телевизор. Или сходите с друзьями на рыбалку, или попьете с ними пива. У вас не будет доходов, и родственники снимут все свои финансовые претензии к вам.

То есть можно покупать к себе хорошее отношение родственников, но нужно это делать в разумных пределах, не тратя на это большую часть своих доходов.

9.14. Как быть с денежными долгами, если нет возможности отдать их длительное время?

Этот вопрос подробно рассматривался в книге «Что вам мешает быть богатым».

Если вы долго не можете отдать долг и при этом достаточно сильно переживаете, это говорит о том, что у вас есть **идеализация собственного совершенства.** Вы себя осуждаете за то, что вы такой плохой, несовершенный человек, вы подвели людей. Вы обещали им вернуть деньги и не можете это сделать. Какой-то другой, более совершенный человек, на вашем месте обязательно бы это сделал. А вы не можете, вы несовершенны.

Вы себя постоянно этим укоряете, практически занимаясь самоедством. Вы собой недовольны и, соответственно, по третьему способу разрушения идеализаций Жизнь блокирует вам возможность отдать долг. Вы недовольны собой, вы себя постоянно осуждаете, поэтому **вы без конца будете находиться в этом состоянии.**

Каков же выход из этой ситуации? Он очевиден. Нужно перестать ругать себя за то, что вот вы не можете выполнить свои обязательства. Объективная реальность состоит в том, что вы не можете отдать долг, что вы банкрот, что вы подвели людей, фактически, в их глазах вы — обманщик. Реальность состоит именно в этом, и это нужно признать. Вы же не хотите ее признавать. В своих фантазиях и стремлениях вы видите себя честным человеком, который возвращает долг. Но это не более чем ваша фантазия. Объективная реальность состоит в ином, а вы ее не признаете. И ваши кредиторы уже давно подумали о вас все, что могли, и все, чего вы боитесь. Поэтому первое, что нужно сделать, — это успокоиться. Вам нужно внутренне признать, что вы не выполнили свои обязательства, вы оказались непорядочным человеком, вы подвели людей. А что вы можете с этим поделать? Ничего вы не можете, поэтому вам остается только одно — **перестать морочить голову людям обещаниями, что вы вернете им долг в ближайшее время.** Вам нужно пойти и **покаяться,** сказать, что вы банкрот, что вы не можете отдать долг и что так вот сложилась жизнь. То есть вы в принципе хотели бы отдать долг. Но у вас нет такой возможности и, скорее всего, в ближайшее время не будет. То есть вы беретесь отдать долг, но не раньше, чем через десять или пятнадцать лет.

Конечно, если получится, то вы отдадите его раньше. Но вот на сегодня, когда у вас нет ничего, то вы откладываете возврат долга на пятнадцать лет вперед.

Согласятся они с этим или не согласятся, это их проблемы. Вы доносите до них реальную ситуацию, внутренне им сочувствуя и понимая, что они не просто так выбрали вас в качестве того человека, кому они отдали свои деньги. Видимо, у них тоже есть идеализация денег, идеализация честности, порядочности или еще какие-то очень значимые идеи, и **вы вынуждены их разрушить.** То есть Жизнь выбрала вас в качестве кармического «воспитателя» этих людей. Вы получаете свой урок, они получают свой. В общем, идет процесс взаимного «воспитания», который почти не зависит от вас. Вам нужно успокоиться и понять, что процесс возврата долга зависит не только от вас, но и от множества других, не зависящих от вас факторов.

То есть пока эти люди не изменят свое отношение к жизни и не выйдут из-под кармического «воспитания», то какие бы усилия вы ни предпринимали, все равно вы не сможете отдать им долг, поскольку они этого не заслуживают. Вы даже можете им об этом сказать, сослаться на Высшие силы и «сосуд кармы». Кстати, после этого уровень их претензий к вам почти наверняка уменьшится. Какие деньги можно взять с человека, который говорит про карму и Тонкий мир?

А дальше, когда вы сбросите со своих плеч этот тяжелый ежедневный груз мыслей о том, где же взять деньги, чтобы срочно вернуть долг, вам станет значительно легче. Вы поймете, что ближайшие десять лет вы сможете прожить совершенно спокойно. Поэтому вы поднимете взор и начнете смотреть по сторонам и начинаете искать то место, **где можно заработать деньги уже для себя.** И скорее всего, вы его быстро найдете. Но это произойдет только в том случае, если вы искренне признаете, что вы банкрот и не можете выполнить свои обязательства. Вы должны сделать это с искренним сочувствием к тем людям, которых подвели. И с сочувствием к себе, но без самоосуждения, без недовольства собой. Просто все так получилось. Хотелось как лучше, а получилось как всегда.

А дальше вы получите вполне реальную возможность зарабатывать деньги, у вас все будет нормально. Единственное, начав зарабатывать деньги, **не вздумайте опять вернуться к долгу и начать отдавать все сто процентов заработанных денег** до полного возврата долга. Это будет говорить о том, что вы не отказались от идеализации своего совершенства. Такое поведение будет говорить о том, что вам очень важно остаться порядочным человеком в глазах этих людей, для вас все еще очень ценна эта идея. Поэтому Жизнь опять отберет у вас деньги.

То есть долг отдавать можно и нужно, но направлять на отдачу долга можно **не более пятидесяти процентов заработанных денег.** То есть, как минимум, половину вы обязаны тратить на себя, иначе вы теряете смысл зарабатывать деньги. Если вы станете зарабатывать только для того, чтобы отдавать деньги кому-то другому, то на этом пути вас, скорее всего, ждут большие проблемы.

9.15. Скажите, если я пойму, приму и прощу всех своих многочисленных должников, они что, вернут мне долги?

Вопрос состоит в том, что вы ищете различные способы возврата долгов. Вам их не отдают, вы осуждаете этих людей, вы боретесь с ними, а они все равно упираются и задерживают деньги. А теперь вы хотите попробовать совсем новый подход. Вы спрашиваете, вернут ли они вам деньги, если вы их примите и простите? То есть годится ли ваша технология Разумной жизни как еще один способ заставить людей сделать так, как вам нужно? Возможно ли их переделать и внушить нужные вам мысли с помощью методики прощения?

Естественно, нет. Наша технология не направлена на то, чтобы переделывать других людей. **Она направлена на то, чтобы изменить ваше отношение к ситуации.**

То есть мы предлагаем вам принять и простить этих людей без вот этого обмена, что вы готовы их даже простить, лишь бы они вернули вам деньги. Прощение должно быть искренним и безусловным, никакой внутренний торг в зачет не принимается.

Если вы сумеете это сделать, то ход ваших мыслей будет примерно следующий: «Да, эти люди почему-то не отдают мне деньги. Но я их не осуждаю, я снимаю к ним все претензии, я учусь у них, как надо любить деньги. Конечно, я постараюсь получить все долги обратно. Но я понимаю, что, возможно, мне придется оплатить своими деньгами те уроки, которые они мне дают. В общем, я снимаю к ним все претензии, все недовольства. И я понимаю, что они вернут деньги только в том случае, если я приложу достаточно усилий и если у них есть возможность отдать долг».

А дальше нужно будет смотреть. Если у них нет такой возможности, если они полностью разорены, если они нищие, то какие бы усилия вы ни предпринимали, кому бы вы ни молились, деньги вам не отдадут. Их просто негде взять.

Если же у вашего должника есть деньги и он вам не отдает, то здесь мы рекомендуем занять позицию: «Жизнь есть игра». Вам нужно исходить из того, что на первом этапе игры эти люди вас переиграли. Они очень любят деньги и не хотят с ними расставаться, поэтому вам, как игроку, **нужно сделать следующий ход и переиграть их.** То есть нужно сделать так, чтобы они отдали вам деньги. Без осуждения, без гнева, даже, наоборот, с внутренним сочувствием к ним: «Я желаю вам иметь столько денег, чтобы вы отдали мне долг и даже не заметили этого. Пусть у вас будет много денег, чтобы вы все время процветали. Я вам этого желаю, но я делаю все, что могу, что в моих силах, чтобы вы вернули мне долг».

И уже исходя из позиции игрока вы ищете те шаги, которые могут заставить ваших должников отдать вам деньги. Это может быть суд, это может быть психологическое давление, это могут быть ежедневные звонки по телефону, письма с взыванием к совести или что-то еще. Вы можете применять для возврата долга все, что сможете найти или придумать. Единственное, что начальным этапом этой работы должно быть снятие осуждения и полное прощение этих людей за то, что они сделали. Иначе результат ваших усилий будет не очень хорошим. Что, собственно, вы и имеете сегодня.

9.16. Не могу освободиться от дурацкого слова «дорого», то есть для продуктов, одежды и т. д. Какую придумать аффирмацию, чтобы избавиться от него?

Внутреннюю программу, что вещь стоит дорого, трудно отменить в лоб. Поэтому можно порекомендовать обходную аффирмацию: «У меня всегда достаточно денег, чтобы купить то, что мне нужно. Я получаю столько денег, что не обращаю внимания на цену вещи. Я всегда имею возможность купить то, что я хочу». Если вы будете много раз повторять такую программу, то вас не будет волновать понятие «дорого».

На этом мы заканчиваем рассматривать тему денег и переходим к новой для нас теме, а именно — к политике.

Глава 10

ПОЛИТИКА — РАЗУМНОЕ ЛИ ЭТО ДЕЛО?

Нужно отметить, что наша методика направлена в первую очередь на выявление тех закономерностей, которые создают те или иные ситуации в жизни **каждого отдельного человека**. То есть мы обычно рассматриваем ситуации, связанные с проблемами личной или семейной жизни, взаимоотношениями между людьми, болезнями и подобными событиями, касающимися одного или нескольких людей. И выявленные нами закономерности неплохо объясняют большинство из этих событий.

Раньше не использовали эти закономерности для понимания причин возникновения массовых катаклизмов, войн, эпидемий и других подобных катастроф, в которых гибнет множество людей. Ведь всем понятно, что на войне, при землетрясении, при катастрофе самолета или парохода гибнут не только те люди, «сосуд кармы» которых заполнился до 95%. В массовых катаклизмах гибнут дети, религиозные деятели и вполне благостные люди с небольшим заполнением сосуда. Их жизнь досрочно (с нашей точки зрения) прерывается, поскольку они оказываются включенными в события более высокого порядка. В эзотерике такие события относят к карме народа, карме национальности или карме рода.

Оказывается, что уже известным нам закономерностям подчиняются и более массовые события, нежели взаимодействия между несколькими людьми. Оказывается, что идеализации и вытекающие из них «воспитательные» процессы присущи не только отдельным людям, но и целым народам. Открытые нами инструменты работы с «наработанной» кармой вполне применимы не только к отдельному человеку, но и к целому народу, если его рассматривать как отдельную личность, обремененную коллективными идеализациями.

Что самое огорчительное — это то, что здесь очень трудно давать нашу традиционную рекомендацию: вы имеете право на любой выбор, в том числе остаться со своими идеализациями. Ведь если человек не желает отказаться от своих идеализаций, то в итоге пострадает он один.

Но вот если целый народ имеет явную идеализацию и Жизнь начала применять к нему свои жесткие «воспитательные» процессы, то последствия могут быть самыми плачевными, в том числе для всех людей, поскольку наша планета становится уже тесноватой для разборок между отдельными группами людей, упорствующих в своих заблуждениях. Так что прежние рекомендации здесь часто не годятся, а новых пока что не наработано.

Исходя из этих соображений мы и будем строить наши ответы на вопросы.

10.1. Как вы объясняете нарастание терроризма и, в частности, террористические акты в Америке? Будет ли это продолжаться?

Народом обычно руководят лидеры, политики или религиозные деятели, которые выдвигают идеи и пытаются воплотить их в жизнь. Собственно, вся политическая деятельность состоит в отстаивании определенных идеалов. И это нормально, но до тех пор, пока идея политика не превращается в идеализацию. А она становится идеализацией тогда, когда он начинает искренне ненавидеть или осуждать людей, не разделяющих его взглядов. Если же политик очень активно отстаивает свои идеалы (например, коммунистические), но при этом допускает, что люди могут руководствоваться и другими идеями (демократическими или либеральными), то все в порядке, у него нет идеализаций и Жизнь не будет применять к нему свои «воспитательные» процессы. Если же он погружается в осуждение тех, кто не разделяет его идей, то Жизнь так или иначе докажет ему, что его идеалы — не более чем плод его фантазии, которые мало кто понимает и поддерживает.

Иногда политики придумывают и пытаются провести в жизнь самые странные и страшные идеи. Если им это удается, то происходят революции, войны и другие изменения, иногда приводящие к массовой гибели многих тысяч, а то и миллионов людей. Политик становится успешным, когда проводимые им идеи близки к массовым ожиданиям народа. А народ часто обладает какими-то коллективными ожиданиями, при разрушении которых он впадает в переживания. То есть **у народа тоже могут быть свои коллективные идеализации**.

Если взять Россию, то у ее народа всегда были сильны ожидания «доброго» царя, умного барина, мудрого президента. Еще более ста лет назад русский поэт Некрасов выразил эту мысль в известных строках: «Вот приедет барин, барин нас рассудит». С точки зрения нашей теории, это типичная **идеализация собственного (не)совершенства**, выраженная в мыслях типа: «Я не знаю ничего и ничего путного придумать или сделать не могу. А вот царь (президент, губернатор, барин) — он умный, он сможет принять правильное и справедливое решение, он мне поможет, он защитит меня от этой жестокой жизни». Именно поэтому на Руси и по сей день принято с самыми разными вопросами обращаться «на самый верх» — только там сидят якобы справедливые люди, они всех рассудят и примут правильное решение.

Поэтому, в полном соответствии с общими принципами кармического «воспитания», Жизнь вынуждена разрушать эту коллективную идеализацию целого народа. Именно поэтому к власти в России уже много лет приходят самые странные руководители, которые либо уничтожают часть населения страны (в революцию, в Гражданской войне или в массовых репрессиях), либо разваливают экономику страны. И скорее всего, так будет продолжаться до тех пор, пока народ не осознает, что **все свои проблемы нужно решать не «в Москве, у умного барина», а самим, на месте.** Тогда они снимут кармическую нагрузку с руководителей и к власти станут приходить вполне осознанные руководители. Возможно, что уже после многих потрясений эпохи перестройки люди в России стали более осознанными и стали отказываться от этой идеализации. Жизнь покажет, так ли это.

Если взять американский народ в целом, то у него имеется явная **идеализация способностей**, иногда переходящая в **гордыню.** «Америка — самая сильная страна! Мы всех научим жить, всех заставим нас уважать!» — такие или подобные мысли характерны для многих американцев. Гордость за свою страну — это очень хорошее качество. Но если оно перерастает в презрение к остальным народам и нежелание хоть в чем-то считаться с ними, в стремление любой ценой, в том числе силой, навязать им свои идеалы и уважение к себе, то это уже коллективная идеализация.

Естественно, идея собственной исключительности американцев вызывает сильное раздражение у других народов. Мир очень многообразен, и **в нем всегда найдется тот, кто сумеет разрушить идеализацию совершенства.** К ним, собственно, и относятся террористы, которые не боятся никаких угроз и отстаивают какие-то свои идеи любой ценой, вплоть до собственной жизни. Таким образом они, не осознавая этого, разрушают идеализацию американцев о собственных сверхспособностях управлять всем миром.

Если американский народ не сделает правильных выводов (а это почти исключено), то легко можно предусмотреть, как могут развиваться события дальше. Возросшее раздражение американского народа против террористов, желание отомстить, наказать, заставить бояться себя — с помощью самолетов, ракет, экспедиционного корпуса и пр., приведет к нарастанию противодействия. А экстремистам вовсе не нужны ракеты или другое громоздкое и сложное оружие, используемое армией или полицией. Они легко смогут использовать в качестве оружия имеющиеся на территории Америки химические заводы, атомные электростанции, бензохранилища, армейские склады и прочие объекты, при взрыве которых неминуемо возникнут огромные жертвы среди населения. Даже отключение электроэнергии обрекает современный город на переход в дикое состояние со всеми вытекающими последствиями. Технократическая цивилизация сама породила потенциальные орудия своего уничтожения! А в тактике террора, как ответных действий на насилие, тоже наблюдается **явная тенденция к возрастанию силы воздействий.**

Если сто или пятьдесят лет назад террористы старались бросить бомбу, но самим остаться живыми, то сейчас накал борьбы нарастает, и они начали жертвовать своими жизнями. Причем поначалу это делали одиночки, затем по несколько человек, а в теракте в Америке — два десятка сразу. Тенденция ясна, и следующие теракты могут проводить сразу сотни смертников. А если сразу сотня хорошо подготовленных смертников, пользуясь всеми достижениями цивилизации (самолеты, вертолеты, автомобили, воздушные шары, ракеты и пр.), одновременно нападет на атомную электростанцию или химический завод, то никакая служба безопасности ее не защитит.

Так что в ответ на агрессию и стремление всех заставить бояться себя можно получить ситуацию, когда все жители страны вынуждены будут постоянно носить с собой противогазы, бронежилеты, защитные средства и оружие для самообороны. Это очень похоже на оснащение афганского моджахеда, не правда ли? Для предупреждения крупных диверсий в стране придется установить явно не демократические порядки, с тотальным контролем всех людей, отслеживанием их передвижений, мест проживания, прослушиванием переговоров и пр. Часть этих мер уже введена в России, много лет борющейся с террором на своей территории. Активно эти меры используются в Израиле, много лет борющемся с палестинцами. Теперь, когда масштабы противостояния возросли, Америка (да и страны Европы) стоит на пути к такой жизни. Осуждая и презирая другие народы, она сама вынуждена будет жить такой жизнью (так проявляется третий способ кармического «воспитания»: осуждал других — получи это сам).

Все эти рассуждения вовсе не значат, что мы стараемся запугать кого-то или призываем простить террористов, вовсе нет. Естественно, что преступники должны быть выявлены и наказаны, жизнь мирных людей должна быть безопасной. Именно к этому стремятся руководители любой цивилизованной страны. Но, поскольку они тоже люди и не лишены идеализаций, они делают общую ошибку. Эту ошибку делают российские руководители, проводя операции против террористов в Чечне. Эту ошибку делают руководители Израиля, борясь против террора палестинцев. То же самое делают американские руководители, организуя длительную операцию против террористов в Азии. Они **идеализируют разумность** своих противников.

Ведь что такое идеализация разумности? Это **ложная идея о том, что другой человек — тоже разумное существо**, и он руководствуется вашей логикой, вашими принципами и правилами при принятии своих решений. А это вовсе не так. Логика представителя сильного и цивилизованного государства очень сильно отличается от логики представителя угнетенного и бесправного народа, борющегося за какие-то свои, одному ему понятные идеалы.

Между тем представители цивилизованных стран всячески пытаются провести переговоры и **договориться** с руководителями экстремистских государств или организаций, полагая, что после согласования условий и подписания договора эти условия будут ими соблюдаться. Но это срабатывает только в странах с цивилизованным стилем мышления, например в Югославии. Цивилизованного человека действительно под страхом смерти можно заставить подписать любые договоры, и он потом будет их исполнять, поскольку он ценит свою жизнь. Но все это не срабатывает при переговорах с представителями стран, исповедующих мусульманство, особенно его крайние, ортодоксальные направления. В рамках их системы верований (да и условий существования) жизнь человека не имеет никакой цены. Более того, им внушается идея о том, что смерть в борьбе с «неверными» сразу переносит душу погибшего в Рай, так что это достойное и нужное дело.

Соответственно, участвуя в переговорах с представителями цивилизованных стран, они внешне соблюдают навязываемые им правила игры, рассматривая их как возможность извлечь для себя какую-то выгоду. И спокойно нарушают их, когда видят, что тем самым могут достигнуть еще какую-то свою цель. Такое поведение возмущает европейцев, но это свидетельствует всего лишь о наличии у них **идеализации разумности** и **идеализации ответственности** за свои слова. Экстремистские государства или организации — это другой мир и совсем другая логика, и при планировании переговоров или каких-то действий нужно исходить из этого. Их невозможно испугать, с ними невозможно договориться, особенно если исходить из ожидания, что они будут выполнять свои договоренности. Здесь нужна совсем иная логика.

И сразу возникает вопрос: а какая?

Что за души рождаются в нищих и агрессивных странах Ближнего Востока? Скорее всего, это **незрелые души**, недалеко ушедшие в своем развитии от наших предков, которые всего лишь несколько десятков тысяч лет назад были вынуждены выживать в суровых условиях борьбы с дикими животными, стихийными бедствиями и другими факторами, угрожающими их жизни. Большинством из этих высокопримативных людей движут неосознаваемые ими природные инстинкты — выживания, принадлежности к стае (роду, национальности, клану), максимального размножения как условия выживания рода, инстинктивный страх перед всемогущим Богом, жажда мести, презрение к смерти и подобные. Это незрелые души, в ходе своей эволюции прошедшие очень мало инкарнаций, не накопившие опыта и не ощущающие себя частицей божественного разума. **Это дети на пути эволюции.** Причем дети, получающие очень плохое воспитание под руководством своих экстремистски настроенных политических или религиозных руководителей, преследующих свои личные цели.

Их поведение можно сравнить с поведением уличных подростков из нищих кварталов в крупных западных городах. От безделья они дерутся, воруют, принимают алкоголь или наркотики, объединяются в банды, которыми руководят самые отчаянные из них. Можно ли с ними договориться или запугать их? Очень сомнительно. Они не боятся тюрьмы, поскольку их реальная жизнь может быть хуже, чем в тюрьме. Когда к ним приходит грозный полицейский и чем-то пугает их, они во всем соглашаются с ним и обещают больше ничего не нарушать. А после ухода тут же забывают о своих обещаниях и спокойно продолжают заниматься своими противоправными делами.

Очень похожая картинка наблюдается в отношениях между Россией и Чечней, между странами НАТО и экстремистскими государствами, между Израилем и Палестиной, не правда ли?

Если вернуться к уличным подросткам, то как можно отвлечь их от преступности, если уговоры и угрозы не помогают?

Выход один — **взрослые должны найти им занятие, которое полностью займет их время и внимание.** Они должны сделать что-то такое, что исключит возможность повторения плохих поступков. Не одноразовая взбучка и ожидание, что хулиганы станут смирными и послушными, а долговременные меры, направленные на то, чтобы ситуация не повторялась. При этом нужно ясно осознавать, что никто вас слушаться не собирается и обращаться к разуму подростков бесполезно. Там просто нет разума, к которому можно обратиться. Там есть просто желание обмануть и достичь своих целей любой ценой.

Скорее всего, нужно будет **изолировать подростков их от вожаков**, которым явно не понравятся такие перемены и которые изо всех сил будут противиться потере своего влияния.

Если этот же подход применить к народам Ближнего Востока, то их можно было бы отвлечь от непрерывной борьбы аналогичным способом. Не уничтожать массу ни в чем не повинных малоразвитых людей, не раздавать им бесплатную еду, а изолировать их руководителей и предложить народу другие, более мирные идеалы. Конечно, это не просто, но если поставить такую задачу, то возможно ее со временем реализовать. Кроме того, все эти огромные массы безработного народа **нужно вовлечь в какую-то созидательную деятельность.** Может быть, для этого придется придумать проект строительства целой сети новых пирамид. Или проект строительства трансазиатского канала для переброски вод Тихого океана в Атлантический или наоборот. Или чего-то еще, столь же грандиозного и требующего приложения усилий огромного количества низкоквалифицированной рабочей силы на десятилетия, которой за все эти работы нужно будет платить.

Понятно, что все это потребует огромных расходов, но это будет **плата цивилизованного мира за свою спокойную и безопасную жизнь.** А иначе платить придется гораздо больше, но уже на производство оружия и защитных средств, восстановление разрушенных зданий или промышленных объектов, лечение своих жителей и пр. Уровень развития техники сегодня значительно превысил уровень развития сознания людей, и в итоге наша планета стала одним большим домом, где вместе с развитыми людьми живут дикари, владеющие способами массового уничтожения.

Если такой подход не принять и пытаться отгородиться от дикарей, то через некоторое время **все люди на Земле будут жить в зонах,** не имея возможности свободно выйти из них. В одних зонах условия существования будут лучше, в других — хуже, но все равно это будут зоны, своего рода резервации, жестко огражденные одна от другой. Создание национальной противоракетной системы обороны, начатое Америкой, — это попытка защитить свою резервацию от нападения. Но поскольку этот выбор делают люди с идеализацией разумности, то все это совершенно бессмысленно. У террористов нет своих ракет, от которых защищает противоракетная система. Зато теперь ракет будет в избытке на территории Америки, которые можно будет там же и использовать. Кроме ракет, там много что может взорваться и нанести ущерб не меньший, чем ракетное нападение. А защиты от этого нет, кроме как введение тотального полицейского контроля над всеми и везде. Но и это, как показывает опыт, плохо помогает.

Конечно, возможны промежуточные варианты решения, когда делаются какие-то шаги для уничтожения террористов и шаги для обеспечения другой, якобы мирной части населения — как в Чечне. Но это не решает всей проблемы и лишь вызывает ее затягивание. **Начинать решение нужно не с поступков, а с осознания политиками своих идеализаций и вытекающих из них «воспитательных» процессов.**

Примерно такие выводы вытекают из текущей ситуации. Но вряд ли кто-то из тех, от кого зависят реальные решения, их услышат. Слишком сильны у них идеализации своих способностей. Такова действительность, и нужно научиться принимать ее без переживаний.

10.2. Менталитет нашей страны — власти и правительство должны быть честными и правильными. На самом деле во все века правители разрушают нам эту идеализацию. Что теперь? Всем нужно думать — пусть воруют, может, тогда мы начнем процветать?

Действительно, вы совершенно четко уловили, что у российского народа всегда было ожидание доброго и хорошего барина. Во все века российский народ ждал хорошего царя. А цари попадались в основном не очень хорошие. Иногда наши правители решали глобальные вопросы за счет народа, иногда никакие вопросы вообще не решали.

Так когда же у нас будут хорошие правители? Действительно ли тогда, когда все мы начнем думать, что у нас в руководстве должны быть только воры и эгоисты? Нет, это просто другая крайность.

Как нам представляется, ситуация с правителями улучшится, когда все люди научатся понимать, что власть — вещь сложная, и к ней стремятся самые разные люди, часто рассматривающие пребывание у власти как вид бизнеса, приносящего самые большие доходы.

Во власть редко приходят люди чистые, искренне заботящиеся об интересах народа. Им очень трудно там находиться, поскольку там существует специфическая атмосфера, отражающая интересы отдельных групп людей. Поэтому по-настоящему чистые люди сторонятся власти, они предпочитают заниматься чем-то другим. В итоге у власти собираются в основном люди, не всегда отличающиеся высокими морально-этическими нормами, и это нужно понимать. Не нужно питать особых иллюзий по поводу власти.

Поэтому, если народ снимет свои ожидания по поводу власти, если множество людей не будут ожидать, что вот «придет новый барин и наведет порядок», который не будет думать о себе, о своей семье или о своем окружении, а будет думать только об интересах народа, то все будет нормально. При наличии таких массовых ожиданий приличному человеку очень трудно будет прийти к власти.

Если же люди будут понимать, что к власти приходят самые разные руководители и что во всем мире на стадии предвыборных обещаний говорят одно, а потом тут же об этом забывают, и это нормальная практика и не нужно питать никаких иллюзий, не нужно ждать ничего особенного от власти, вот тогда к власти будут приходить нормальные люди. Во всяком случае, те, кто придет во власть, не должны будут поневоле разрушать ожидания народных масс.

Если вернуться к вопросу, то не нужно думать о том, что к власти должны прийти негодяи, поскольку это **будет заказ негативных событий**. Но и ожидать, что у власти должен быть только добрый, только честный, только милосердный и никакой другой руководитель, — это уже идеализация. И Жизнь вынуждена будет ее разрушать.

Поэтому нужно спокойнее относиться к объективной реальности и понимать, что она может быть разной. Тогда, может быть, к власти придет вполне приличный человек. А может прийти и не очень приличный, но это вовсе не повод для переживаний. Жили мы сотни лет при плохих царях, проживем и дальше.

Чем меньше мы будет переживать и осуждать «верхи», тем лучше будет складываться ситуация.

10.3. Существует понятие «национальная идея». Возможно, это вариант идеализации. Как по-вашему, нужна ли национальная идея России? Если да, то какой, на ваш взгляд, она должна быть?

Известно, что многие политологи занимаются поиском национальной идеи для России в переходный период. Похоже, что пока эти поиски не увенчались успехом.

Национальная идея — это некоторая идея, которая объединяет и вдохновляет большинство населения. В Америке — это патриотизм, выраженный фразой: «Америка — превыше всего!» Нужно отметить, что американцам действительно есть чем гордиться. Для нас подобная идея вряд ли приемлема, поскольку она будет постоянно спотыкаться об реальность, которой пока что рано гордиться.

В нашей стране могла бы стать популярной идея божественного покровительства, что-то типа «Все мы ходим под Богом». Она бы отражала наш менталитет, который можно выразить известной фразой: «На все воля Божья». Но к сожалению, эту идею уже дискредитировали немцы в фашистской Германии. Что они делали якобы под руководством Бога, известно, и повторения не хочется.

В России тоже была сильная национальная идея в годы Второй мировой войны. Ее можно было бы выразить словами: «Защитим Родину любой ценой». Сегодня на нас никто не нападает, так что эта идея вряд ли кого-то вдохновит. Есть ли какая-то замена этой идее в нынешнее время?

Если подойти к этому вопросу с точки зрения Разумного пути, то ответ будет очень прост. Какова общенациональная идеализация россиян? Мы ее уже называли — это идеализация своего (не)совершенства. Она выражается в том, что основная масса людей не предпринимает усилий для решения своих проблем, а ждет, что приедет «добрый начальник» из Москвы и все уладит. В результате возникает массовая социальная пассивность и ожидание чуда. Конечно, эта идеализация характерна далеко не для всех людей. Часть россиян вполне самостоятельна и добивается огромных успехов в своих делах. Но таких только малая часть, остальное население пассивно. Скорее всего, именно эта пассивность людей является препятствием на пути к резкому рывку в развитии, которое предсказывают в самых разных эзотерических источниках.

Чтобы народ поверил в себя и стал сам, на месте решать свои проблемы, не уповая на «барина» и Москву, нужно, чтобы он поверил в себя, отказался от идеализации своего несовершенства. Наша теория говорит, что это произойдет, если каждый человек тысячи раз повторит слова: «Я сам решаю все свои проблемы!», «Я сам строю свою жизнь!», «Все зависит только от меня!».

Именно такая мысль, став общенациональной идеей, могла бы превратить нашу страну в место, где собрано множество уверенных в себе, независимых и активных людей. И тогда резкий рывок России к процветанию был бы понятен и обоснован. А пока что все прогнозы похожи на ожидание очередного чуда: вот Господь проснется и сделает Россию процветающей. Вряд ли. Процветающей можем сделать ее только мы сами, все вместе.

10.4. Почему люди не могут помириться? Почему они все время воюют? Неужели так должно продолжаться всегда?

К сожалению, не существует единого ответа на этот вопрос, который бы устроил всех людей. Мы попробуем дать свою версию ответа.

Мы уже говорили, что души разных людей находятся на разной стадии своей духовной эволюции. Души некоторых людей, проживших множество жизней, уже осознали свое божественное происхождение и отказались от земных страстей. Но таких совсем мало. Некоторая часть людей находится в стадии «зрелости» на пути духовной эволюции, третьи еще только дети и т. д.

Можно даже примерно указать, в каких частях нашей планеты собираются в большинстве души, имеющие примерно равный уровень духовного развития.

Например, в странах Ближнего Востока, скорее всего, собрались в основном души, находящиеся на ранней стадии эволюционного развития. Там собрались высокопримативные люди. У них очень характерны проявления врожденных животных инстинктов, заставляющие их защищать свое племя (страну, народность), придавать очень большое значение своей семье, роду, национальности. Для них характерно интенсивное и неконтролируемое размножение как способ сохранения вида, популяции. Отсюда вытекает низкая значимость жизни, мстительность, агрессивность, жестокость, независимость, религиозность, стремление к власти, игнорирование правил проживания в цивилизованном обществе. Это «дети» на пути эволюции.

«Юноши» на пути духовной эволюции нынче собрались в Америке. Для них характерна агрессивность, независимость, напористость, уверенность в своих силах и возможностях, стремление к власти и навязыванию своей воли другим людям. Но все это уже в рамках цивилизованного общества, с внешним соблюдением его правил.

Более зрелые души на пути духовной эволюции предпочитают селиться в Европе. Для ее жителей характерна обдуманность поступков, строгое соблюдение правил проживания в цивилизованном обществе и уважение прав и жизни другого человека. Они уверены в себе, в своих силах и возможностях решить любые проблемы. Но они не бросаются качать права и доказывать всем свою значимость по любому поводу. Это характеризует их зрелость, понимание значимости каждой души на пути эволюции.

Еще более зрелые души собрались в России. Для россиян характерна огромная терпимость ко всему, что бы ни выкидывала жизнь. Они не бросаются по каждому поводу качать права или доказывать всем свою значимость. Они готовы перенести многое без ропота, понимая, что жизнь — штука сложная и невозможно переделать ее по своему желанию, особенно быстро и силой. Здесь нет особой привязанности к деньгам, славе, успеху — было бы что поесть и где поспать, и это уже хорошо. Такое поведение народа характеризует мудрость их душ, свойственную для много поживших людей.

И наконец, совсем пожилые души на пути духовной эволюции предпочитают селиться в странах Востока (Индия, Китай). Именно там зародились религии, отрицающие значимость материального в жизни человека. Важна только чистота души и ее желание слиться с Богом, все остальное вторично. Это характеристика души, много чего попробовавшей на пути своей эволюции и осознавшей свою божественную значимость. Таких душ немного во всем мире, но больше всего их именно в этих странах.

Примерно так распределяются души на нашей планете. А теперь давайте посмотрим, где имеются очаги постоянных конфликтов? Только **там, где собрались детские и юношеские души**, то есть там, где живут высокопримативные люди. Они далеки от осознания своей божественной сущности, ими движут совсем другие идеи и желания. Они находятся во власти своих природных инстинктов, хотя и не осознают этого. И они обладают очень сильными средствами уничтожения, которые могут привести к уничтожению всей нашей цивилизации.

Борьба между людьми одной национальности с людьми другой национальности (в недалеком прошлом — одного племени с другим) за какие-то странные ценности идет во многих точках нашей планеты. Евреи воюют с палестинцами, абхазцы конфликтуют с грузинами, армяне с азербайджанцами, чеченцы борются за свою независимость, которой никто не угрожал. Интересный феномен мы видим в лице Америки — там целое многонациональное государство одержимо одной идеей.

Могут ли что-то поделать в этой ситуации более зрелые души, например европейцы? Традиционный способ предотвращения конфликтов на национальной или религиозной почве — не позволять высокоприматив ным народам концентрироваться и получать какие-то реальные права, которые тут же будут использованы ими в нецивилизованных целях. Так было в царской империи — множество народов жило в ней, но никто не создавал национальных автономий с местными вождями во главе. Страна была поделена на многонациональные волости, все народы имели в ней равные права, никакой дискриминации по национальному признаку не допускалось.

Вождь Октябрьской революции В.И. Ленин, впервые в России выдвинув идею «права наций на самоопределение», дал толчок к активному проявлению всех природных инстинктов, оставшихся у некоторых молодых (в плане духовной эволюции) народов. Высокоприматив ные народы тут же самоорганизовались в национальные республики и автономии, но советская власть не дала им возможности проявить свои инстинкты в полной мере. А некоторые народы (чеченцы, крымские татары) были даже принудительно расселены по всей территории страны.

В ходе перестройки у народов опять появилась возможность «взять себе власти столько, сколько хотите». Они тут же самоорганизовались и попытались выйти из-под влияния «большого брата» в лице России. Кому-то это удалось (страны Прибалтики, среднеазиатские республики), другие продолжают биться за независимость сегодня (Чечня). И вернуться к многонациональному государству, в котором бы не было неравенства по национальному признаку, сегодня очень сложно.

Если взять страны Ближнего Востока, то с ними вряд ли можно что-то сделать. Их невозможно включить в состав цивилизованного мира — они просто уничтожат цивилизацию, поскольку их численность во много раз превышает численность жителей Европы. Их невозможно усмирить или запугать. Можно силой оружия держать их в резервациях, как это делается сейчас, но это поможет только на время.

Неужели выхода не существует? Явного выхода не видно, но некоторые факты вселяют надежду на благополучный исход этого разгула высокоприматив-ных душ.

А факт состоит в том, что **души людей эволюционируют все быстрее и быстрее.** Несложно вспомнить, что всего триста лет назад в христианской Европе бушевали религиозные страсти не хуже, чем сейчас на Ближнем Востоке. Тогда именно христиане считали почетным умереть в войне с «неверными» и толпами ездили в крестовые походы для уничтожения иноверцев. Инквизиция миллионами уничтожала соотечественников, заподозренных в отклонении от ортодоксального учения. Все это же сегодня мы имеем в Афганистане, Пакистане и ряде других мусульманских стран с ортодоксальными религиозными системами.

Жители Европы всего за триста лет перешли из «детства» в «зрелость». Значит ли это, что потребуется еще триста лет, чтобы ортодоксальные мусульмане стали осознанными и стали уважать чужую жизнь и убеждения? Скорее всего, нет. Все процессы на нашей планете ускорятся, в том числе и, видимо, процессы «созревания незрелых душ». Ждать придется всего лет сто, а то и пятьдесят.

А чтобы эти процессы шли быстрее, эти незрелые души не нужно заталкивать обратно в дикость, как это делается сейчас. Нужно помочь им развиваться, образовываться, цивилизовываться, привлекать их к созидательному труду. Как конкретно это делать, пока непонятно, но именно таким путем можно ускорить эволюционирование малоразвитых душ. И тогда войны прекратятся сами собой, поскольку все люди станут более осознанными, начнут уважать свою и чужую жизнь, захотят жить в нормальном мире.

Если не пойти по этому пути, то придется ждать лет пятьдесят, а то и сто, пока эти души в ходе эволюции разовьются естественным путем. Но вот дадут ли они нам дожить до этого светлого времени, это большой вопрос.

Надеюсь, я не очень разочаровал вас своим ответом.

На этом мы заканчиваем рассматривать вопросы, связанные с политикой, и возвращаемся к более прикладным вопросам, связанным с нашей действительностью.

Глава 11
НЕМНОГО О СЕБЕ, СВОЕЙ РАБОТЕ И НЕ ТОЛЬКО...

Поскольку на встречах всегда задаются вопросы, касающиеся моей личной жизни, в этой главе вы найдете ответы на самые характерные из них.

Итак, Свияш Александр Григорьевич, русский, хотя в роду моем были выходцы с Украины, Казахстана и Алтая. По гороскопу — Водолей, родился в год Змеи.

К тому, чем занимаюсь сейчас, я пришел не сразу. Видимо, для того, чтобы это произошло, мне был необходим богатый и разнообразный жизненный опыт.

Мой отец — военный, поэтому в детстве я сменил около десяти школ в разных уголках СССР. Высшее образование получил в Москве. Я — кандидат технических наук. Так получилось, что я часто менял область своих интересов, в среднем через каждые пять—семь лет. Я занимался техническим творчеством и изобретательством, работал с детьми и подростками (развивал творческие способности), имел свой благотворительный фонд и проводил всероссийскую деловую игру для школьников и студентов. Область психологии и скрытых способностей людей всегда интересовала меня, и наконец я пришел к тому, что сегодня называется Разумный путь. То, о чем я пишу в книгах, является как отражением моих наблюдений за другими людьми, так и следствием собственного опыта, а его было предостаточно.

Теперь о личном. Я женат вторым браком и вполне счастлив в своей семейной жизни. Союз у нас и семейный, и профессиональный. Мы с женой — коллеги и

307

единомышленники. Она работает вместе со мной в Центре «Разумный путь»: занимается журналом «Разумный мир», проводит тренинги, консультации. Все возникающие между нами вопросы мы отрабатываем по методике Разумного пути, что получается вполне удачно. Можно сказать, что наша семейная жизнь иногда превращается в полигон для отработки тех приемов, которые я потом предлагаю читателям.

Ничто человеческое мне не чуждо! Я с удовольствием езжу на рыбалку и путешествую, особенно по дикой природе. Люблю спорт. Только вот не всегда хватает на это времени.

Я голодаю по 6—7 дней два раза в год, это хорошо помогает встряхнуть и оздоровить организм. Считаю себя оптимистом, люблю жизнь во всех проявлениях, занимаюсь тем, что мне интересно, доставляет радость и удовольствие.

Целителей и людей с другими врожденными паранормальными способностями в роду не имею. Эзотерикой и психологией занимаюсь примерно с 1990 года.

Это самая общая информация. А теперь ответы на конкретные вопросы.

11.1. Скажите, пожалуйста, какой кармический показатель у вас, как вы его оцениваете? Как вы считаете, вы здоровы?

Заполнение «сосуда кармы» у меня колеблется в пределах 27—32%. Оно изменяется в зависимости от тех дел, которыми я занимаюсь. Бывают дела, которые заставят волноваться даже самого уравновешенного человека, например ремонт квартиры или офиса.

Эта та цифра, которую дает мне мой ангел-хранитель, и я оцениваю ее примерно так же по внешним проявлениям.

Второй вопрос — здоров ли я? Я так понимаю, автор вопроса спрашивает, здоров ли я психически?

Естественно, я считаю, что здоров. Думаю, что многие с этим могут не согласиться, но это их выбор, и я позволяю им иметь любое мнение обо мне.

В плане физического здоровья тоже все более-менее в порядке. Я уже лет пятнадцать не бывал в больнице, за исключением разве что зубного врача. Хотя, конечно, иногда в теле что-то поскрипывает и побаливает, но я с этим справляюсь различными народными средствами.

Думаю, что ничего серьезного у меня нет. Хотя если пойти к врачам за диагнозом, то они наверняка что-нибудь найдут. Поэтому я и не хожу.

Мне очень нравится подход к своему здоровью доктора Норбекова, который утверждает, что любая болезнь может уйти от тебя, если ты этого сильно захочешь. Собственно, этим я и пользуюсь по мере возможности.

11.2. Как и где вы отдыхаете? Место, компания, окружение.

К сожалению, много и часто отдыхать у меня не получается. А может быть, это и к лучшему, потому что отдых, в моем представлении, не должен быть долгим. К тому же, работая, я отдыхаю душой. Когда занимаешься любимым делом, работа не отнимает чрезмерно много сил. Поэтому я не могу вспомнить, чтобы отдыхал где-то три недели подряд.

Моя работа связана с частыми поездками, и я иногда в поездке прихватываю несколько дней для отдыха. Если удается, провожу время в обществе людей, близких мне по духу.

11.3. Уважаемый Александр, вы пропагандируете вашу методику ради материальной выгоды или ради чего-то еще?

Я пропагандирую методику потому, что она реально работает и может оказать помощь некоторому количеству людей. Конечно, далеко не всем. Только тем людям, чьи особенности мировосприятия и стиль мышления совпадают с нашими подходами. Они могут вполне эффективно пользоваться нашей методикой.

Я понимаю, что дело это полезное и нужное, поэтому я занимаюсь им с большим удовольствием. Если мне предложить какое-то другое дело, пусть даже приносящее гораздо больший доход, я вряд ли на это соглашусь, потому что интересная и увлекательная работа для меня стоит дороже, нежели просто большое количество денег. Я сменил немало мест, и всегда выбирал такую работу, которая была мне интересна, позволяла мне создавать что-то новое, творчески развиваться и приносить пользу людям. Размер доходов никогда не был решающим при выборе места работы.

Конечно, радости материального мира мне совсем не чужды. Консультируя множество людей по причинам возникающих в их жизни проблем, я видел, что и сам совершал ошибки, которые теперь пытаюсь не повторять. Теперь я стараюсь вести свои дела так, чтобы моя работа, кроме морального удовлетворения, приносила мне и материальный доход.

Поэтому можно сказать, что в первую очередь я работаю ради того, чтобы оказать помощь людям, сделать их жизнь более осознанной и комфортной. Я получаю от этого большое удовольствие как разработчик новой технологии Разумной жизни. Но я считаю, что будет нормально, если параллельно я буду получать за это и материальное вознаграждение. Любой человек наряду с моральным удовлетворением имеет право на удовлетворение своих материальных запросов, нужно только правильно организовать свою деятельность. Мы живем в материальном мире, почему же не пользоваться его благами.

11.4. Александр Григорьевич, скажите, пожалуйста, откуда появилась ваша теория кармического воспитания? Многие мои друзья, прочитав ваши книги, задают этот вопрос. Спасибо за чудесные книги.

Этот вопрос в той или иной форме задается мне постоянно. В наиболее общем виде можно сказать, что они явились результатом анализа событий моей личной жизни и работы.

Много лет я жил обычной жизнью, полной страстей и конфликтов. Но затем мне удалось отстраниться от повседневной суеты и проанализировать, нет ли каких-то общих закономерностей и в моей жизни, и в жизни окружающих меня людей.

И тогда я увидел, что есть закономерность, состоящая в том, что любые наши избыточно значимые представления разрушаются другим человеком, в частности в семейной жизни. Я примерил эту версию к другим людям, и оказалось, что этот процесс имеет место практически у всех. Поэтому сегодня многие люди, читая мои книги, говорят, что в них написано про их жизнь. Хотя на самом деле она написана про мою жизнь.

То есть я сумел проанализировать те события, которые происходили в моей жизни, в результате чего получилась наша система Разумной жизни. Конечно, обобщение происходило не без подсказки из Тонкого мира, поскольку в ходе работы над книгами имели место моменты явного озарения, прозрения. Но я должен сказать, что подобные подсказки приходят ко многим, и люди часто мне говорят, что они тоже близко подходили к такому же мировосприятию, к этим же идеям. Видимо, я оказался более эффективным проводником этой системы знаний. Я сумел изложить посещающие меня идеи доступным языком и организовать достаточно широкое распространение этой системы взглядов на мир. Наверное, этому способствовала моя склонность к анализу и систематизации любой информации, дополненная знаниями психологии и парапсихологии.

Когда я увлекся эзотерикой, я посетил немало различных семинаров и тренингов по развитию сверхспособностей. Я встречал там множество людей, обладающих способностями к астральной проекции, телепатии, телеуправлению, чтению по фотографии и множеством других неординарных талантов.

Но все это не делало их счастливее. Более того, они часто были несчастны в общепринятом смысле этого слова — у них не складывалась личная жизнь, они не могли найти себе работу, у них не было денег, своего жилья, работы, они не могли найти себя в обществе «нормальных» людей, не обладающих подобными сверхспособностями. Им хорошо было только в кругу подобных себе сенситивов.

Да и я сам на некоторое время развил в себе некоторые сверхспособности. Но все это не имело ни малейшего отношения к реальной жизни, это негде было применить в нашем обществе. Выступать с демонстрацией своих сверхспособностей, когда каждый зритель подозревает, что у тебя в рукаве магнитик или невидимая ниточка, не хотелось. А больше эти способности применить в реальной жизни почти негде.

Поэтому я стал думать о том, где и как могут быть применены накопленные за тысячелетия эзотерические знания, с тем чтобы сделать более счастливой жизнь множества людей. Такой прагматический подход привел сначала к появлению Методики формирования событий, а затем и к технике безопасного проживания в нашем мире, которую мы назвали Общей теорией кармических взаимодействий. Со временем все это сложилось в технологию Разумной жизни, с которой я знакомлю своих читателей.

11.5. Александр Григорьевич, видите вы ли параллельные миры, обладаете ли вы ясновидением?

По-иному этот вопрос можно сформулировать так: «Вы нормальный человек или вы человек с параллельными мирами в голове, что в психиатрии квалифицируется как шизофрения?»

Я считаю себя вполне нормальным (психически и физически) человеком.

Я встречал много людей, обладающих видением параллельных миров, ауры, астральных сущностей и прочих проявлений Неведомого. Но жизнь их от этого совершенно не становилась лучше, а скорее наоборот, была хуже обычной. Поскольку если человек обладает повышенной сенсорикой, то, кроме проявлений Тонкого мира, он очень остро **воспринимает те грубые энергии, которыми обмениваются люди в повседневной жизни**, а особенно в конфликтах. Им очень тяжело жить в нашем жестком мире людей, которые слепы и глухи к слабым сигналам, характерным для проявлений Тонкого мира. Поэтому человеку, обладающему экстрасенсорными способностями, очень дискомфортно жить среди людей, которые ими не обладают. В крайнем случае его могут даже упрятать в психиатрическую клинику и сделать таким, как все, то есть слепым и глухим к сверхслабым сигналам. Я когда-то развивал у себя эти сверхспособности, и у меня это неплохо получалось.

Свои способности я ощущаю в том, что мне дается информация, которую я доношу до читателей в своих книгах. Иногда я пишу, а потом с удивлением читаю свои собственные строки. Книга «Как быть, когда все не так, как хочется», в которой я впервые рассказал про «сосуд кармы» и «воспитательные» процессы, была написана мною чуть больше, чем за месяц. Если бы я решил все это придумать сознательно, у меня ушло бы на это несравнимо больше времени.

Кроме того, когда человек приходит ко мне на консультацию, я вижу причины его проблем, а его рассказ только подтверждает мои предположения. Я нечасто даю людям прогнозы относительно их личной жизни, здоровья или бизнеса, но те, что даю, сбываются. Я также стараюсь не давать людям советы, даже если я знаю, что совершенно очевидно, лучше поступить так, а не иначе. Я считаю, что человек должен развиваться и принимать решения сам, моя же задача — слегка его подтолкнуть, обозначить ему его барьеры в сознании, отношении к жизни, людям и себе самому.

11.6. Как вы относитесь к конкурентам?

Поскольку практически на каждой встрече возникает вопрос о том, как мы относимся к тому или иному направлению духовного развития, то я хочу кратко выразить свое отношение к другим подобным школам и учениям. Собственно, отношение у меня одно — хорошее. Мы благожелательно относимся ко всем школам и течениям, какие бы идеи они ни продвигали. За исключением разве что тех, кто внушает мысли о насилии, ненависти к кому-то, вражды или собственной исключительности.

Мир разнообразен, люди обладают очень разной степенью развития, образования, воспитания, эмоциональности, романтичности или прагматичности, приматичности, возрастом и множеством других качеств и особенностей. И в соответствии с разнообразием людей Тонкий мир предлагает им самые разные области приложения их сил и интересов. Поэтому в мире существует множество религиозных, духовных, магических, оздоровительных, мистических и прочих школ и организаций. Каждый человек может найти себе что-то, что подходит ему в наибольшей мере в данный отрезок времени и соответствует его мировоззрению.

Можно даже классифицировать эти школы и направления. Например, такие, которые **основаны на вере или на познании**. Вера лежит в основе большинства религиозных учений, поскольку там в принципе не предусматривается возможность что-то проверить или испытать. Это ни хорошо и ни плохо, просто есть категория людей, которых такие подходы вполне устраивают, и они с удовольствием выполняют те ритуалы и правила, которые им укажут. Обычно это высокоприматичные люди. Низкоприматичных людей такой подход устраивает меньше, и они ищут пути духовного развития, которые либо дают объяснения всему происходящему, либо предлагают человеку самому познать мир. Например, достичь просветления или развить в себе какие-то сверхспособности.

Другое основание для классификации — **деление по тем уровням тонкого плана**, с которым работают последователи той или иной школы. Есть школы, работающие только с физическим и эфирным телами (восточные единоборства или гимнастики, биоэнергетика). Кто-то работает преимущественно с эмоциональным (обычно и с ментальным) телом человека. Есть чисто ментальные направления (астрология, нумерология), есть и более продвинутые школы, работающие с кармическими телами и контактирующие с самыми высокими обитателями Тонкого мира, и т. д.

Еще одно основание для классификации: работает ли данное направление **на развитие сверхспособностей** человека или оно предназначено для **адаптации и повышения успешности человека в нашем мире.**

В общем, оснований для классификации можно найти множество. И мы в своих дальнейших рассуждениях и оценках будем как-то использовать их.

В рамках этих классификаций наш Разумный путь можно отнести к направлению, **основанному на познании закономерностей, управляющих нашим миром.** Мы не предлагаем вам верить, а приглашаем попробовать использовать наши взгляды и техники. Получите вы положительный эффект — пользуйтесь на здоровье. Не получится — ищите что-то еще.

По второй шкале классификации можно сказать, что **мы работаем преимущественно с ментальным и эмоциональным планами.** Наша методика ментальная, и она требует от человека некоторого уровня интеллектуального развития и логического мышления. По нашим оценкам, ей могут полноценно пользоваться примерно порядка 30% людей.

Наша школа **не направлена на развитие сверхспособностей.** Она предназначена для повышения комфортности и успешности жизни людей в современном мире без специального развития сенсорных, энергетических и прочих способностей. Она ориентирована на людей с обычными способностями.

Так что мы не боимся конкурентов. Мы ориентированы на определенную группу людей, и наша задача состоит в том, чтобы донести нашу информацию именно до них. Это непросто, но и мы не очень спешим. Душа бессмертна, так что у нас впереди имеется, как минимум, пару миллионов лет.

11.7. Александр Григорьевич, что мешает вам быть богатым?

Богатство в общепринятом смысле предполагает, видимо, наличие материальных благ в размере нескольких миллионов или даже миллиардов долларов. Этого, конечно, у меня пока что нет, и я прекрасно понимаю почему. Так получается потому, что при выборе работы я ставлю зарабатывание денег не на первое место, у меня есть другие приоритеты.

Так, главным приоритетом при выборе сферы приложения сил для меня является **возможность творческой самореализации в ходе работы.** Для меня очень важно, чтобы я мог получать удовольствие от работы, мог реализовывать свои идеи и замыслы. Я несколько раз радикально менял сферы деятельности (техника, педагогика, эзотерика), и каждый раз основным движущим мотивом был интерес и возможность созидания чего-то нового.

Второй важный мотив при выборе места приложения своих сил — это **возможность оказания помощи людям.** Именно поэтому я выбрал работу, связанную с продвижением идей Разумного пути — чтение лекций, проведение тренингов, консультаций. Путь не простой, требующий больших энергетических, эмоциональных и организационных усилий. И путь не очень финансово благодарный, поскольку этот вид деятельности, даже при хорошей организации, не может дать таких доходов, которые можно было бы получить при занятиях торговлей или банковской деятельностью. Если бы я занялся каким-то более доходным видом бизнеса, то, возможно, я имел бы значительно больше денег, нежели я имею сейчас. И может быть, я действительно стал бы истинно богатым в материальном плане человеком. Но мне это не интересно.

Для меня возможность заниматься любимым делом значительно важнее, нежели возможность зарабатывать сотни тысяч долларов. Я считаю, что на те деньги, которые я как бы недополучаю, я фактически **покупаю себе возможность получить удовлетворение от любимого дела.** Пусть я за это получаю меньше денег, но часть своего удовольствия от жизни я получаю не деньгами, а удовлетворением от работы, от того, что я приношу пользу людям, от того, что люди мне благодарны. Это хорошая плата, но она нематериальная. То есть я богат тем, что я помогаю людям жить и решать их проблемы, тем, что я занимаюсь интересным делом, что моя жизнь мне нравится и полностью устраивает.

11.8. С какой религией связана ваша программа и какой религии придерживаетесь лично вы, если таковая есть?

Мы считаем, что наша технология Разумной жизни находится вне любой религии. Она не базируется на положениях какой-то одной религии, не использует никаких религиозных доктрин или первоисточников, хотя по сути совпадает с идеями, заложенными в некоторых религиях.

Например, в буддизме есть идея «срединного пути», то есть призыв к людям не впадать в страсти, в крайности, и в этом вопросе мы близки к буддизму. Мы тоже считаем, что любые крайности есть следствия идеализаций, и Жизнь вынуждена будет применять свои «воспитательные» меры, чтобы доказать это.

Наша система Разумной жизни близка к христианству в том плане, что и мы говорим о том, что не нужно мстить, не нужно испытывать длительного негатива по отношению даже к врагам своим, нужно прощать им их заблуждения. Понятно, что прощать нужно эмоционально, а в плане реальных действий нужно принимать все меры к защите своей безопасности. Можно даже сказать, что вся наша методика Разумной жизни расшифровывает две известные христианские заповеди.

Первая — «не судите, да несудимы будете», то есть не испытывайте негативных переживаний, поскольку каждая такая эмоция есть результат суждения. И вторая — «просите, и дано вам будет» — наша Методика формирования событий как раз есть подробный рассказ о том, как нужно правильно просить. Если «просить» неправильно, то создается впечатление, что Жизнь благоволит к одним людям и не любит других. А ей одинаково дороги все люди, просто одни знают, как нужно просить, а другие — нет.

Я думаю, что в какой-то мере наша технология Разумной жизни совпадает и с исламом. Я получил из Казахстана несколько писем, в которых мусульмане подробно обосновывали идеи нашей методики различными сурами из Корана. Они утверждали, что наша методика ни в чем не противоречит исламу.

Были у нас последователи движения Сознания Кришны, которые утверждали, что все то же самое есть в книгах Бхагават Гиты, просто там эти же идеи высказаны другими словами.

В общем, при желании можно найти обоснование нашей методики в любом религиозном источнике. Но мы не делаем этого сознательно, чтобы идеи Разумного пути могли использовать представители любой конфессии.

Придерживаюсь ли я какой-то религии, исполняю ли я обряды какой-то религии? Нет, каких-то конкретных религиозных обрядов я не соблюдаю. **Я верю, что есть Творец, что мы все находимся в сфере его внимания**, он наблюдает за нами, помогает нам и исправляет наши ошибки. Собственно, вся наша методика подтверждает это на практике, поэтому нет необходимости для общения с Творцом исполнять какие-то специальные ритуалы. Я считаю, что любой человек может находиться в прямом контакте с Высшими силами на том месте, где он находится, и для него не нужны посредники в виде священнослужителей. И что Творцу все равно, какими словами мы выражаем ему благодарность за тот прекрасный мир, который он создал, потому что суть не в словах, а в том, какие эмоции мы испытываем, проживая в этом мире.

Скорее всего, это так, поскольку можно ходить в церковь и тщательно исполнять все ритуалы, но при этом быть злобным, ненавидеть всех, постоянно со всеми скандалить. Вы наверняка встречали подобных людей. Это не истинная религиозность, это внешняя атрибутика выполнения обрядов. При этом Бог будет от вас так же далек, как если бы вы сидели дома и испытывали все эти эмоции там.

Поэтому, на мой взгляд, исполнение религиозных обрядов вовсе не является подтверждением того, что вы духовный человек. Есть люди, для которых исполнение религиозных обрядов и есть вера. Они готовы выполнять те предписания, которые дают им священники, не особо задумываясь над тем, почему им дали именно такую инструкцию, а не другую. Обычно это **высокопримативные** люди либо люди с не очень развитым сознанием. Это ни хорошо, ни плохо, а просто отражение того, что люди находятся на разных ступенях эволюции сознания.

Другим людям, с развитым сознанием, вовсе не обязательно выполнять какие-то конкретные религиозные обряды, потому что есть и другие пути общения с Высшими силами. Я, собственно, предпочитаю этот самый другой путь.

Но это не значит, что наш Разумный путь — единственно возможный, и мы отвергаем все иные пути, вовсе нет. Религия с ее строгими обрядами и ограничениями нужна большинству людей, она для них является сдерживающим фактором в обуздывании их не очень хороших чувств и поступков. Религия нужна многим людям как набор инструкций, выполняя которые они будут стоять на пути духовного развития. Это их выбор, они имеют на него право, и нет никаких оснований для того, чтобы как-то осуждать или как-то критически относиться к этому пути.

Каждый человек имеет право на свой путь духовного развития. Мой путь духовного развития не включает в себя исполнение религиозных обрядов любой из церквей. Надеюсь, вас это не очень расстроит.

11.9. Слышал, что в вашем Центре проводятся консультации. Кому они нужны и в каком случае есть смысл к вам обращаться?

Мной разработана система консультирования, которая получила название «Причинная диагностика». Она позволяет любому человеку:

1. Разобраться в причинах появления той ситуации или проблемы, которая имеет место в настоящий момент в его жизни. Человек начинает понимать, какие факторы привели его к тому, что он имеет сегодня. Поскольку мы убеждены, что на 90% человек сам является источником всего происходящего с ним, то на консультации мы разбираем именно это. Вопросы типа «Кто виноват?», «Кого наказать?», «Ну за что мне это все?» мы считаем малоэффективными. Они подходят только для тех, кто хочет переложить ответственность за свою жизнь на кого угодно, только не на себя. Мы смотрим на этот вопрос по-другому. Мы помогаем человеку ответить на вопрос: «Какие мои мысли или убеждения сделали мою жизнь такой, какую я имею сегодня?» И в ходе совместной беседы мы обычно находим ответ на этот вопрос, о чем говорят изменения, происходящие с людьми, прошедшими консультации.

2. Второй вопрос, который поднимается на консультациях: «Как вы можете повлиять на то, что имеете сегодня?», «Что вам нужно изменить в себе, чтобы ваша жизнь изменилась, чтобы ситуация улучшилась?». На консультации человеку предлагаются приемы, которые будут менять его изнутри, очищать его сознание и душу. Как следствие его внутренней трансформации, Жизнь начинает давать человеку сигналы поддержки или поощрения. Если он продолжает работать над собой, ситуация улучшается кардинально.

Часто люди замечают, что перед консультацией или после нее жизнь начинает течь более интенсивно, в ряде случаев даже на какое-то время обостряются все процессы. Ничего удивительного в этом нет: происходит чистка на всех уровнях — ментальном, эмоциональном и нередко даже на физическом. Иногда человек ощущает безотчетное волнение или страх перед консультацией: подсознательно мы боимся взять на себя ответственность за все, что с нами происходит. Зато изменения, которых достигает человек, внутренне работая над собой, этого стоят.

Консультации проводятся в областях, которые актуальны для любого человека: личная жизнь, семейные отношения, дети, самооценка, работа, бизнес, проблемы с деньгами, деловыми партнерами и многое другое. «Причинная диагностика» особенно эффективна, когда человек затрудняется в понимании и самостоятельном решении проблемы.

Надо отметить, что наш Центр — это не лечебное учреждение, мы не лечим психические или иные заболевания — это дело врачей или целителей. Мы анализируем жизненные ситуации.

В отличие от гадалок или ясновидящих, мы стремимся никогда не давать конкретных советов, как поступать человеку в той или иной ситуации. Он **сам должен принять осознанное решение**. Другое дело, что мы сначала рекомендуем месяц-два поработать над собой, с предложенными нами упражнениями и приемами. Тогда сама Жизнь облегчит вам принятие этого решения и вы примете его более осознанно.

Решение, принятое в состоянии раздражения, гнева или протеста, всегда окажется ошибочным. Вы не приняли ситуацию, не приняли того урока, который давала вам Жизнь, поэтому она вынуждена будет повторить этот же урок. Например, вы с гневом разошлись с выпивающим мужем — вскоре вы влюбитесь в еще более пьющего. Вы со скандалом избавились от мужа, который гуляет или не умеет зарабатывать денег, — скорее всего, следующий будет не лучше, если будет вообще, и т. д.

Именно поэтому мы говорим, что разводиться можно, но нужно делать это только после того, как вы полностью усвоили, почему в вашей жизни появился этот человек, какие уроки он вам давал, какие ваши идеализации он вам разрушал. Если вы простите ему все это и будете даже благодарны ему за уроки, то Жизни не придется давать вам этот же урок еще раз. А чтобы понять и принять урок, вы должны отказаться от переживаний. Именно это мы и помогаем сделать на наших консультациях.

Наши консультации не помогают только одной категории людей: тем, кто этого не хочет. Если человек придерживается идеи, что можно, не меняя себя, изменить свою жизнь, то он сам, добровольно делает выбор, но не в свою пользу, к сожалению.

Наш опыт показывает, что консультация помогает решить большинство проблем с первого раза **в девяти случаях из десяти**. Это очень высокая эффективность, поэтому мы доверяем проводить консультации далеко не всем желающим. Вы можете получить консультацию в нашем Центре в Москве или у наших сертифицированных специалистов в других городах. Каждый специалист, имеющий сертификат нашего Центра, прошел систему тренингов и стажировку в нашем Центре «Разумный путь». Список наших консультантов периодически публикуется в журнале «Разумный мир» или его можно посмотреть на сайте по адресу **www.sviyash.ru.**

Иногда мы встречаемся с ситуациями, что незнакомые нам люди берутся давать консультации «по Свияшу». Что они будут вам говорить и каковы будут последствия такого консультирования, трудно даже себе представить. Мы категорически не рекомендуем обращаться к таким специалистам, особенно если они наряду с консультациями «по Свияшу» проводят консультации по другим специалистам, школам и авторам. Может быть, они замечательные люди и говорят истинную правду, но все это не будет иметь отношения к технологии Разумной жизни. Если вас это устраивает, то рискуйте. Если нет, то узнайте о наличии наших специалистов в вашем городе по телефону (095) 350-30-90, 148-71-98 или на сайте. Или получите **заочную письменную консультацию наших, московских специалистов** — мы оказываем подобного рода услуги.

Для получения заочной консультации вам нужно прислать нам подробное описание событий вашей жизни, начиная с рождения и включая описание отношений между вашими родителями, до нынешнего времени. Всего на страницах 5—6 разборчивым почерком.

Стоимость подобной услуги составляет 20 долларов в рублевом эквиваленте для жителей России и стран СНГ и 50 долларов для жителей дальнего зарубежья.

Оплату нужно перевести на расчетный счет нашей организации: р/с № 40703810738250100549 в Люблинском отделении № 7977 СБ РФ, кор/счет 30101810400000000225 СБ РФ в ОПЕРУ ГУ ЦБ РФ, БИК 044525225. Получатель — ЦГР «Разумный путь».

Пришлите нам копию квитанции о переводе оплаты вместе с описанием событий вашей жизни. Мы подготовим и вышлем ответ в течение двух недель.

Конечно, эффективность личной консультации обычно выше, но и заочная диагностика иногда очень хорошо помогает понять причины происходящих в вашей жизни событий. Об этом говорят письма людей, которым помогла наша диагностика. Обращайтесь.

11.10. Какие тренинги или семинары вы проводите? Что это дает и как можно на них попасть?

Несколько слов о том, зачем нужны тренинги. После того как вышли мои первые книги, я убедился, что для большинства людей само по себе прочтение еще не является залогом успешного применения их в жизни. Это вовсе не значит, что люди чего-то не понимают. Просто наше сознание устроено таким образом, что мы воспринимаем 20% того, что мы слышим (или, в данном случае, читаем), 40% того, что мы видим, и 60% того, в чем мы принимаем участие. Именно поэтому все системы обучения построены примерно одинаково: есть учебник и есть урок. Так вот, мои книги — это своеобразные учебники, а тренинги — это уроки, которые повышают эффективность того, что усвоено из учебника.

Тренинг — это форма активного обучения, где каждый участник проживает свою жизнь в концентрированном виде, извлекает уроки, делает выводы, учится по-новому взаимодействовать с собой, другими людьми и с жизнью в целом. Поэтому в наших тренингах обучение построено на упражнениях, медитациях, заданиях, техниках и приемах, которые позволяют на практике понять, почувствовать и получить результат. Кстати, о результатах. Что получает человек, прошедший тренинг?

Во-первых, огромный стимул к тому, чтобы жить с удовольствием и менять свою жизнь к лучшему. Многие участники тренингов делают первые шаги тут же, в процессе обучения.

Во-вторых, человек входит в то состояние души и ума, при котором проблемная часть его существования очищается, растворяется, и он получает возможность сам формировать события своей жизни.

И в-третьих, человек получает вполне конкретные, материальные результаты, которые приходят к нему как результат его внутреннего изменения. Для каждого это, разумеется, свои результаты. Кто-то выходит замуж, кто-то разводится (если этого хотелось, но не получалось), кто-то меняет работу, кто-то начинает зарабатывать больше денег, кто-то рожает ребенка, кто-то находит друзей, кто-то покупает машину и т. д. А кто-то просто начинает радоваться жизни и смеяться так, как давно уже не смеялся.

Естественно, ни один тренинг не обходится без «острых углов», более того, они обязательно должны быть. А разве наша повседневная жизнь гладкая и тихая?

Теперь подробнее о том, какие тренинги мы проводим. Расскажем об основных.

Первый базовый тренинг Центра, тренинг-самопознание, называется **«Причинная диагностика событий вашей жизни. Чистка «сосуда кармы».** Этот тренинг для того, кто хочет понять, что делает его жизнь такой, какая она есть сегодня. В ходе тренинга его участники четко осознают, какой набор идеализаций и негативных программ у них имеется и как от этого можно избавиться. Несколько оригинальных авторских медитаций прощения, которые можно услышать и приобрести только на тренинге, позволяют уменьшить заполнение «сосуда кармы» уже в ходе тренинга на 5—10%. Реинкарнационная медитация позволяет заглянуть в прошлую жизнь и понять, не принесли ли вы с собой оттуда какую-то кармическую проблему. В общем, на тренинге скучать не приходится, недовольных там не бывает.

Второй базовый тренинг «Формирование событий вашей жизни». В ходе этого тренинга вы сумеете пообщаться со своим подсознанием и даже с ангелом-хранителем. Вы сумеете четко сформулировать свои жизненные цели и наметить пути к их реализации. Вы убедитесь, что вы замечательный и успешный человек и что нет никаких препятствий на пути к достижению вашей цели. Участники тренинга получают навык «материализации» своих желаний. Может быть, это звучит фантастично или нескромно, но результаты, полученные людьми, говорят сами за себя.

Еще один, **третий базовый тренинг** называется **«Деньги в вашей жизни».** В ходе этого тренинга вы поймете, какие ваши внутренние установки мешают вам на пути к богатству или привели вас к финансовым проблемам. Но безвыходных ситуаций не бывает, выход всегда есть! Нужно всего лишь понять, каким образом вы сами создали финансовые проблемы в своей жизни, и наметить пути выхода из этой ситуации. Как развернуть денежный поток в свою сторону? В ходе тренинга вы выработаете рецепты для решения своих личных проблем, и эгрегор денег возьмет вас под свое покровительство. Практически у всех участников тренингов ситуация с финансами меняется в лучшую сторону в течение последующего месяца. Если, конечно, вы что-то делаете для этого.

Кроме этих базовых тренингов, мы проводим более специализированные тренинги «Эффективное влияние», «Легко ли быть женщиной?», тренинг для подростков и многие другие. Авторы оригинальных методик ведут у нас свои занятия для тех, кто хочет повысить свою личную эффективность в таких сферах жизни, как, например, публичные выступления, отношения мужчины и женщины и другие. Специализированные тренинги тоже открыты для всех желающих, они имеют разную длительность и график проведения.

Все базовые тренинги проходят в течение двух дней, обычно это суббота и воскресенье, с утра до вечера. Все тренинги, независимо от места их проведения, проходят по типовой схеме, и вы гарантированно получите то, о чем рассказано выше.

У нас в Центре регулярно проводится школа Разумного пути, где люди занимаются больше месяца, по несколько часов в неделю, в удобное для них время, работают в малой группе, получают и выполняют домашние задания. Это глубокое погружение в методику. Как шутят наши тренеры, если после тренинга у вас еще есть шанс свернуть с Разумного пути, то после прохождения нашей школы — это исключается.

Специалисты нашего Центра в Москве или в других городах проводят несколько тренингов, которые позволяют глубже усвоить идеи нашей методики.

Я регулярно провожу встречи с читателями моих книг в Центре. Приглашаю вас в Разумный путь. **Мы проводим дни открытых дверей, где вы получите всю интересующую вас информацию и пообщаетесь со специалистами нашего Центра.**

Обо всех этих тренингах и других программах Центра можно узнать по телефонам (095) 350-30-90 и 148-71-98. Так что у вас есть все возможности присоединиться к дружной и доброжелательной компании людей, идущих по жизни по Разумному пути!

Глава 12
ПОРАДУЕМСЯ... СЕБЕ

Бог любит всех, какие есть,
А я — частица Бога.

Теперь, когда вы узнали чуть лучше Разумный путь и, скорее всего, нашли у себя некоторые проблемы, о которых прочитали в предыдущих главах книги, мы призываем вас... расслабиться!

Да, у вас (да и у нас) есть какие-то недостатки, но это не повод для переживаний. Все мы — любимые дети Бога, обо всех он заботится, всем помогает и подсказывает. И даже если мы поняли эту подсказку поздно, так ведь поняли же! Ай да мы, какие толковые! А ведь остальные люди так и не слышат и не понимают его подсказок, все ходят на демонстрации или источают нерадостные эмоции у себя дома.

А мы — просветлели и осознали! Осознали, что жизнь прекрасна и мы сами создаем ее своими мыслями! Это ли не повод для радости и довольства собой? Не гордыни, не превосходства, а просто радости при наблюдении самого себя: надо же, какое я божественное создание! Сколько усилий и заботы было положено Высшими силами, чтобы я понял(а) причины своих проблем и наметил(а) пути коренного изменения того, что меня не устраивает! Ай да я, замечательная!

Конечно, ваша радость по поводу собственной замечательности может быть воспринята окружающими как тихое помешательство. Но мы не будем осуждать их за это или что-то доказывать им. Они еще не понимают, что они тоже замечательны и имеют все основания радоваться себе. Возможно, когда-то и они поймут это. Возможно, не поймут никогда, но это их выбор, и вы не осуждаете их за это. Вы просто тихо радуетесь себе. Вы — божественное создание, и вы любите себя со всеми своими достоинствами и недостатками.

А недостатков у божественного создания быть не может. Могут быть только некоторые отличия от других людей. Вам казалось, что вы слишком много весите, и это без конца огорчало вас? Но ведь **ваше тело — это проявление божественного внимания**, и вы получили его больше, чем другие люди! У вас громкий прокуренный голос и вы громко ругаетесь по каждому поводу, а то и без него? Посмотрите на себя со стороны — как вы классно ругаетесь, как ваш голос помогает лучше донести ваши выражения до других людей. Как здорово это у вас получается! Значительно лучше, чем у многих других! Высшие силы немало потрудились, чтобы вы приобрели такие необычные способности. Поблагодарите их за это и порадуйтесь себе, такому неординарному человеку!

В общем, если отпустить прочь все ваши прошлые недовольства по отношению к себе, то сразу можно понять, что Жизнь внимательно следит за вами и сразу же исполняет все ваши пожелания, какими бы странными они ни были. Вы — божественное существо, поэтому у вас есть все основания для радости по отношению к себе.

А чтобы эта радость не прошла и всегда придавала вам сил и энергии в дальнейшем, **попробуйте зафиксировать эту радость по поводу собственной замечательности**. Напишите себе хвалебную оду, восславьте себя без лишней скромности хотя бы раз! Тем самым вы дадите понять Высшим силам, что вы цените их заботу о вас и радуетесь этому.

Такое упражнение обычно выполняют участники наших тренингов. Наш журнал «Разумный мир» проводил конкурс на лучшую оду себе среди своих читателей. У многих получилось очень даже интересно. Конечно, для некоторых людей, особенно старшего возраста, сказать о себе что-то хорошее очень сложно. Вот ругать и критиковать — сколько угодно. А хвалить себя — это очень сложно, почти невозможно. И все же мы категорически рекомендуем вам попробовать. И не потому, что это нужно нам. Нет, это нужно вам — чтобы вы хоть раз оценили, какое вы замечательное творение, как много у вас достоинств, о которых вы так стараетесь забыть.

Напишите оду себе на красивом листе, повесьте на видном месте и читайте ее каждый день. И вы поймете, что вы — божественное существо, что Жизнь постоянно заботится о вас, помогает вам. И что у вас есть все основания быть счастливым и тем самым исполнять свое главное предназначение.

Вы можете написать оду себе прозой, можете написать в стихах. Многих наших читателей начинает «пробивать» на стихи, когда они берутся выполнять это задание. И даже если они никогда раньше не пробовали сочинять стихи, у них все получается замечательно. И у вас получится! Так что вперед, к положительным эмоциям по поводу себя!

Мы для примера приведем некоторые работы, что принимали участие в конкурсе. Но не вздумайте комплексовать по поводу, что «у меня так хорошо не получится». Это будет, как вы уже должны понимать, рецидив идеализации своего (не)совершенства. Напишите, как получится, и порадуйтесь тому, что вы все-таки это написали! Ведь важны те теплые чувства, которые будут вызывать эти стоки. А неправильность рифмы или оборотов речи — это второстепенно в нашем случае. У нас не конкурс поэтов, а конкурс тех, кто ценит и любит себя как божественное создание.

Итак, вот несколько работ. Все они написаны в стихах — чтобы вы поняли, что даже на такую странную тему, как любовь к себе, можно написать приличные стихи. А уж в прозе как можно самовыразиться — слов не хватает! Так что не упустите эту возможность стать чуть-чуть более светлым и духовным существом.

ЛЮБОВЬ К СЕБЕ

Пока не очень я люблю
Себя. И это плохо.
К себе любовь я хороню...
Не начинайте охать!

Средь добродетелей моих
На первом месте скромность.
Открытость, честность на втором
И серых глазок томность.

Затем идут: природный ум,
Логическо мышленье,
Хороший глазомер
И к знаниям влеченье.

Неплохо езжу я верхом,
Ведь первою задачей
Кармической моей была
Езда на разных клячах.

И так, и сяк я посмотрю
На зеркало туманное:
Ну до чего я хороша,
Ну до чего желанна!

Пропела Оду я себе,
И вот я удивляюсь:
Достоинств много у меня:
Чего же я стесняюсь?

Стесняюсь я любовь к себе
Достать из подземелья,
Она надежно там лежит
Средь баночек варенья.

Возьму Свияша почитать
И нахожу с тревогой —
Бог любит всех, какие есть,
А я — кусочек Бога...

Так, значит, я люблю себя,
Люблю себя красивую,
А все сомнения мои —
Происки темных сил.

И буду я любовь к себе
И холить и лелеять,
И не позволю никому
Посеять в ней сомненья.

Анастасия Г.

* * *

О, Людочка, творенье Совершенства!
Какое это все-таки блаженство,
Что в феврале, в один прекрасный миг
Явила людям ты свой дивный лик!

Тогда еще не знали акушеры
(Ну что с них, право, полусонных, взять?),
Что лучшую из всех в эСэСэСэРе
(А может, в мире?) довелось принять!

Прошли года, ты расцвела ромашкой!
Для многих тыщ надежда и оплот!
Какое сердце бьется под рубашкой!
Какие тексты произносит рот!

Такое тело многим не под силу
Не только заиметь — а содержать!
Талантлива, умна ты и красива,
Трудолюбива! А какая мать!

Стыдлива, как Мария Магдалина,
И весела, как зяблик поутру.
То расторопна, то нетороплива.
То будто лошадь, то как кенгуру!

О, человек!
О, женщина!
О, Люда!
Мы все коленопреклоненны тут!
Ты вся — огонь, мерцающий в сосуде!
И ты ж сама — прекрасный тот сосуд!

Людмила

* * *

Из тела вычистил шлак.
Из души я изгнал мрак.
В облике навел лоск.
Разум поселил в мозг.

Послал в заморскую даль
Всякую, пардон, дрянь.
Фильтр создал для книг,
Мутный поток стих.

Смирил горделивую спесь,
Жизненных целей смесь
Выстроил точно в ряд,
Поднял энергий заряд.

Я жизни теперь рад,
Улыбнется мне даже гад.
Женщин прекрасных смех
Рождает мечты утех.

На работе и в банке рост,
Стал с женой разговор прост!
У детей моих радость и ум.
Не дрожу от любых сумм.

Живу хорошо с тех пор,
Как другом мне стал эгрегор.
Все происходит не вдруг,
А посредством моих рук!.

Николай Б.

ОДА АНТОШКЕ

Затихните, волны, ветер, уймись!
Облако в небе, смири свою прыть!
Густые леса, перестаньте шуметь,
Антошке мы оду сейчас будем петь.

Таких мужиков не рожала Земля,
А если рожала — то праздника для.
Он статен и строен, лицом он красив,
Силен он, и ласков, и красноречив.

Умен он, и добр, и заботлив притом,
В порядке всегда он содержит свой дом,
И все уважают его бескорыстно
За нрав незлобивый и здравомыслие.

Он людям стремится в беде помогать
И Высшие силы всегда уважать.
Работоспособен, смышлен и спокоен,
Нежный любовник, отчаянный воин.

Я долго еще мог бы вслух говорить:
Порядочность, честность и волю хвалить.
Но все остальное допишет молва,
Когда горят нимбы, смолкают слова!

Антон К.

Я ЛЮБЛЮ...

Я люблю себя умного,
доброго, нежного.
И когда я тащусь
от великой симфонии.
И когда пребываю
в хмельной безмятежности.
И когда я страдаю
в похмельной агонии.

Я люблю себя дома, на службе,
на отдыхе,
Я люблю за столом и
люблю себя в койке.
И когда на байдарке лечу
сквозь пороги.
И когда свое чадо порю я
за двойки.

Так живу я, своею любовью
помеченный.
Я люблю себя, что ж
тут поделаешь, братцы.
Я люблю себя днем и
люблю себя вечером.
Даже ночью, когда я
встаю прогуляться.

И любви полыхает
все ярче пожарище.
Но люблю я, люблю я себя
вновь и вновь.
От любви отдохнуть я и рад бы,
товарищи.
Не могу. Видно, я обречен
на любовь.

Андрей Р.

* * *

Мне 48 лет....
Еще легка походка,
И строен стан еще,
И молода душа.
И гороскоп твердит,
Что я для всех находка,
Мол, женщина-Телец
Чертовски хороша!

Прекрасная хозяйка
И золотая мать,
И умного мужчину
Всегда могу понять.
Еще к тому прибавьте
Нехилый интеллект,
И на слово поверьте,
Что недостатков нет!

Светлана Т.

* * *

Мне повезло, что родилась такою.
Всем я пригожа — статью и... ногою!
Глаза блестят, горят ланиты,
Ну а фигура — прямо Афродита!
Есть у меня искусное уменье
И кисть держать, да и варить варенье.
Скажу я прямо, не тая: «В стряпне мне равных нет!»
(С рукой наверняка проглотишь ты обед.)
Ну и еще, отбросив все сомненья,
Вам сообщу: как я, никто не делает соленья.
На кухне — я богиня. В остальном — тем паче!
(Ах, от восторга я сейчас заплачу!)
А в песне, в танце я любого побежду...
(Эх, рифма убежала! Ладно, подожду.)

Я и с поэзией дружна — мы с Музою на «ты»,
Мы любим ввечеру с ней собирать цветы.
Да что поэзия! И в прозе я мастак —
Хочь эдак напишу, хочь напишу и так!
Талантов куча у меня. Картины — прям отпад!
Ведь я ж художник. В общем — чистый звездопад!
А если ближе посмотреть,
Так от восторга — умереть!
И ясный ум, и простота в общении,
Не хватит пальцев рук, чтоб счесть мои уменья!
А если ВСЕ достоинства считать,
То пальцы ног придется загибать!
А пальчики мои — такие шалунишки —
Ничем их не займешь — тогда листают книжки.
Иль рвутся повязать, а нет — так просят шить!
Лежать без дела не хотят, а мне так легче жить.
Вот и живу я с телом Афродиты,
Умом Сократа, совестью умытой.
Живу и наслаждаюсь я собой.
Спасибо мне, спасибо золотой!

Елена У.

* * *

Я красив, силен и строен,
Я удачлив, я влюблен,
Я умнее очень многих,
Жизнью я вознагражден!

Я не знаю слова «горе»,
Знаю — «цель» и «результат»!
Я в гармонии с собою
Проживать на свете рад!

Мой эгрегор — самый лучший,
Весь в заботах обо мне
Трудится и ночью лунной,
И при светлом ясном дне!

Мне расстраиваться трудно,
Тратить ценный жизни сок
На еду сомнений нудных —
Нет, спасибо! Я — игрок!

Я играю как умею,
И не жду от вас хвалы,
Я в себе любовью грею
Гений, славу и мечты!

Алексей Б.

335

* * *

Какой я хороший, какой я пригожий,
На Алена Делона уж больно похожий.
Из бочки я вылез, Сократа затмив,
Яда стакан за него пригубив.

Как Львиное Сердце, я храбрый в бою,
Победную песню всегда я пою.
По полю скачу ль я иль лажу в горах,
Мне «Яблочко» песня навязла в зубах.

Стану теперь я смелей и храбрей,
Стану теперь я добрей и умней.
Буду любить я врагов и друзей,
Буду хвалить, кому это нужней.

Какой я хороший, какой я пригожий,
Теперь на меня Делон уж похожий!

Сергей М.

ЗОВУСЬ — ТАТЬЯНА...

«Итак, она звалась Татьяна...»
Сей чудный стих меня пленил.
Но выбор гения
Мне показался странным:
Такое имя восхвалил...

А впрочем, чем плохое имя?
И я не хуже Тани той.
Да с прелестями-то моими —
Любой Онегин был бы мой.

Ведь Ларина слыла дурнушкой.
А я... О Я! Мне зеркало твердит,
Что, даже став седой старушкой,
Смогу иметь потрясный вид.

Сказать по правде, я, конечно,
Не первой свежести давно,
Но если посмотреть
На внешность...
О, как же много мне дано!

Ничто еще не износилось,
Все стройно, женственно вполне.

Ах, Таня, я в тебя влюбилась!
(Не Лариной я это, мне!)

Еще могу зажечь я взглядом
И ножкой резвой помахать.
Мне даже пудрить нос не надо,
Ну все при мне — ни дать, ни взять.

А го́лова! Ума палата!
И если б замуж выходить,
Онегиных щеголеватых
Сумела б за нос поводить!

Ах, я полна очарованья!
Душой нежна и молода.
И на другое — имя Таня —
Не променяю никогда.

Я честно вам, друзья, признаюсь:
Назло завистникам любым —
Я не от скромности скончаюсь,
Диагноз будет мой другим.

Татьяна К.

СОВЕРШЕННЕЙШЕЙ ИЗ ЖЕНЩИН ПОСВЯЩАЕТСЯ...

Если в хмурый день осенний
Вы в ужасном настроенье
В дымном городе и грязном
По своим делам летя,
Нажимаете на тормоз
Посреди огромной лужи,
Так как все машины встали
И сигналят громко-громко...
Вы вдруг видите, что солнце
Показалось из-за тучи,
В небе радуга сияет,
Лужа быстро высыхает,
Распускаются цветы,
Восхитительные птицы
Песни звонкие поют,
На лице у вас улыбка
Расцветает, вы поете,
Вторя птичьим голосам,
А душа ваша танцует...

Это не шизофрения,
Это даже вам не снится,
Не гипноз это, а просто
Я ПО ГОРОДУ ИДУ!

Татьяна Ж.

* * *

В кругу забот и огорчений
Не поднимая головы,
Мы пропускаем те мгновенья,
Когда могли б воспрянуть мы.

Едва увидев человека,
Который был бы всем хорош,
И ты бы мог, разверзнув веки,
Понять, зачем ты здесь живешь.

Такой средь нас. Сидит он тихо,
Хоть на груди его «Болтун»,
Но мысль живая скачет лихо.
Таких в главе его — табун.

Живет отнюдь не ради славы,
Хоть носит имя «Радислав»,
Но ниву славы пожинает,
Везде поклонников снискав.

Он что ни скажет — то поэма!
Шагнет, ей-богу, — па-де-де!
Напишет слово — стиль Моэма,
Строку напишет — Оноре!

В ученьи нет и близко равных,
Пришел на картинг — чемпион,
Сыграл в лото — полны карманы,
Открой газету — снова он.

Пошел служить, так в списки части
Был он навеки занесен.
Такой солдат для части — счастье:
Один в один — Багратион.

Нет человека аккуратней,
Не родился еще умней,
И не найдете вы, представьте,
Удачливее и скромней.

Его не знает только мертвый,
И то лишь умерший давно,
Его лобзает всяк четвертый,
Его снимали и в кино!

Неоднократно был замечен
В кругу научных он светил,
Но и ласканью дев беспечных
Ночь не одну он посвятил.

Он не тревожится напрасно,
Всегда в себе уверен он,
И правда, с ним шутить опасно,
Коль ты не Тайсон и не слон.

Надеюсь, правдой не обижу
Предмет писанья моего:
Уж я пишу лишь то, что вижу,
Лишь факты мне милей всего.

Так вот, сказать вам откровенно,
Уж коль открытый разговор:
Я разгадал его мгновенно
Еще с рожденья, с давних пор.

Ну что поделать, коли гений (!!!)
Решил планету нашу посетить?
Как не ценить нам тех мгновений,
Что нам сумел он посвятить?

Гордись, Отчизна! Вытри слезы,
Кто с ним, к несчастью, не знаком!
Красавицы, оставьте грезы!
Я знаю: грезите о нем.

О, ода, жанр несовершенный!
Ну как мне вам отобразить
Его фигуру, торс отменный
И гордый профиль? Дайте кисть!

Но нет! Подобное искусство
Доверю я лишь мастерам.
Но Радислав и их искусней —
Вот кисти, пусть рисует сам!

Радислав Г.

***

Господи, какой ты милый,
Что все это сотворил.
Ведь куда ни брошу взор свой —
Все от радости поет...

Сам суди — к примеру, ножки —
Можно лучше, но куда?
Все мужчины просто млеют,
Если рядом в мини я...

Правда, Господи, с размером
Мог бы быть ты поскромней:
Ну зачем мне тридцать девять?
Мне б хватило тридцать семь.

Но тебе ведь там виднее,
Потому я не сержусь.
Продолжаем рассужденья,
До чего ж я хороша.

Посмотри на эти кудри,
Что так чудно ты завил,
Подарив оттенок дивный...
«Веллатон» мне ни к чему.
И Сережа Зверев тоже
Пусть пока что отдохнет
Иль стрижет других девчонок...

Ну а руки! Боже мой!!!
Кто сказал, что руки милой
Будто пара лебедей?
Что там лебеди? Фламинго!!!
(Круче птицы вроде нет?)

Эти тонкие запястья,
Эти длинные персты —
Это просто совершенство,
Ведь со мной согласен ты?

А когда вот эти пальцы,
Посылаючи флюиды
Нежности, тепла и ласки,
Прикасаются к нему,
И чего-то шепчут губы,
И в глазах живет истома...
ЭТО НЕ ДЛЯ
СЛАБОНЕРВНЫХ!

В общем, можно бесконечно
Нам с тобой, Творец, на пару
Рассуждать, какое чудо
Сотворил ты в выходной.
(В воскресенье ведь родятся
Только баловни природы.)

Классно, Боже, что я тоже
Кой-чему да научилась
И под стать себе дочурок
Двух прелестных родила.
Но о дочках ода — позже.
Это тема — для поэмы!

Алена Т.

* * *

Себе, любимому, пишу я сей
памфлет.
И, слезы умиленья утирая,
даю я Совести и Разуму обет
Извергнуть Истину, ничто
не сокрывая!

От глаз моих, от сердца,
от души!
(*Они замучили: пиши, пиши,
пиши!*)

Я приступаю! *Потупите взоры...*
Пред вами ни позер, ни дилетант,
А светоч мысли — истинный
талант!
Поэт, дизайнер, архитектор,
коммерсант!
Всего не перечесть, листов
истратив горы.
И это не пустые разговоры!

За чтоб ни взялся, делаю
отменно!
С душой, на совесть и...
самозабвенно!
Все, чтоб ни сделал,
восхищает глаз.
Ласкает слух и поражает вас!

Я жажду... изобилия преград.
Сверхнапряжения и
сверхизбытка дел!
Ни ради славы, почестей, наград.
В борьбе, в служении я вижу
свой удел.
Свое, воистину, земное
назначенье!

Мечтатель! Лирик!
Млечный странник!
Флибустьер!
Любитель Острых Ощущений,
Тонких Сфер!..
Я обожаю жизнь и радости
земные.
И шутки, и проказы, но... *не злые!*

Доверчив (*как ребенок*).
За глаза не осуждаю *(ближних)*.
Как слеза, Я в этом чист!
Еще бескомпромиссен, прям!
(*Но ко всему ревнивец и упрям...*)

Хитер, как бестия,
однако же — не Плут!
То простодушен, то
непредсказуем...
В общем, крут!
Высок! Красив! (*Внутри...*)
Интеллигентен! Статен!
(*Не по шаблону сделан — явно
спецзаказ...*)
Галантен! Скромен! (*В меру...*)
Аккуратен! (*Кстати!*)
Уравновешен! Обходителен и...
знатен!

(*Ну, в общем — Super!
Наивысший класс!
Пожалуй, в спирт и... в банку!
В самый раз!
И бирочку:
«Не трогать. ЭТАЛОН».
Бог мой, чем не Нарцисс?!
Ведь как влюблен!*)

К тому ж...
Не бабник, не алкаш и не растяпа!

Всегда опрятен и подтянут!
(*Как «с листа».*)
Умею шить, стирать и стряпать!
Меня *«профессором»*
прозвали неспроста!

Как ни крути, куда ни глянь,
Как ни прикинь и как ни встань,
Со всех сторон прекрасен Я!
Так можно ль не любить Себя?

И я люблю! О-о-о! Как люблю!
Да, я себя боготворю.
И счастлив!

Сорок восемь лет???
Юнец! Хотя — и сед, и дед!
Познав в достатке Радость и
беду,
не сломлен!
Чувствую!
Живу!
И как живу!

Я бодр и свеж! И как всегда,
в делах!
И не беда, что часто «на бобах»!
Десятилетия, как сводки
в «Новостях»!
А как иначе, при таких-то
скоростях?!

Не все заметил, не все понял
(*впопыхах*),
Бываю огорчен... и весь
в слезах?
Минуты слабости... Да это же
бальзам!
За жизнь без них...
я и гроша не дам!

И не страшат меня
Радикулит,
Подагра,
Камни в почках,
Простатит...
Всего не перечесть,
листов истратив горы.
Да и к чему пустые разговоры?

Во мне живет и согревает кровь
и вдохновляет... Вечная Любовь!
Любовь к Себе!
К обилию Себя!
Ко всем моим равно
достойным «Я»!

Она со мною до конца пойдет
не рассуждая!
Не предаст! Не подведет!

Я — капля
в Океане Мирозданья!
Но Я — и Океан, и само
зданье!
Любовь — фундамент Жизни,
Созиданья!
Всему Предтеча, Смысл и
Назиданье!

Да, Я не Бог! *Но часть его
есть Я!*
Так разве можно — не любить
Себя?!

Владимир Б.

Ну вот и закончились эти замечательные строчки. Хотелось бы читать их дальше и дальше, но, к сожалению, объем книги не позволяет это сделать. Но это не важно. Важно, что вы поняли, **как люди могут и должны радоваться себе. Люди могут и должны быть счастливы.** И это очень хорошее дело. Разве может быть что-то важнее?

Вспомните строчки из одного их стихов: «Бог любит всех, какие есть, а я — кусочек Бога...» И вы — кусочек, частица Бога, так что порадуйтесь ему и себе, как его части. Успехов вам на этом радостном пути!

Заключение

Вот и подошла к концу наша встреча на страницах книги. Надеемся, вам удалось лучше понять идеи методики Разумной жизни, и они чем-то понравились вам (а иначе зачем было читать все это до конца?). Возможно, что вы что-то взяли себе на заметку и будете использовать в своей жизни. Собственно, для этого книга и писалась.

Возможно, вы все же не нашли ответа на интересующий вас вопрос. Это не страшно, поскольку существует несколько выходов из этой ситуации.

Например, вы можете прийти на мою очередную встречу с читателями и задать там этот вопрос.

Если это сложно или невозможно, вы можете прислать вопрос в наш журнал «Разумный мир». У нас есть специальная рубрика «Диспут-клуб», в которой я отвечаю на вопросы читателей. Вероятность получить ответ в течение двух месяцев резко возрастает.

Если у вас есть доступ к электронной почте, вы можете прислать свой вопрос по моему электронному адресу sviyash@orc.ru , и, если будет возможность, я отвечу на него.

Вы можете прийти в наш Центр «Разумный путь» в Москве на тренинг, консультацию или день открытых дверей.

Вы можете задать свой вопрос в письме, и, если он будет интересен многим читателям, вы найдете ответ на него в следующей книге. Поскольку такая книга, наверное, рано или поздно появится.

У меня осталось немалое количество очень интересных вопросов, на которые не было возможности ответить в этой книге. Если эта книга найдет своего читателя, то опыт ответов на вопросы будет продолжен.

И конечно, в руках Высших сил. И в ваших руках тоже, уважаемые читатели. До новых встреч!

А. Свияш

4.11.2001

Список литературы

Свияш А. Как формировать события своей жизни с помощью силы мысли. М.: Центрполиграф, 2001.

Свияш А. Как быть, когда все не так, как хочется. М.: Центрполиграф, 2001.

Свияш А. Как очистить свой «сосуд кармы». М.: Центрполиграф, 2001.

Свияш А. Что вам мешает быть богатым. М.: Центрполиграф, 2001.

Свияш А. Разумный мир. Как жить без лишних переживаний. СПб: Еврознак, 2000.

Свияш А. Как получать информацию из Тонкого мира. М.: Центрполиграф, 2001.

Свияш А. Жизнь без конфликтов. СПб: Питер, 2000.

Свияш А. Исправляем ошибки. СПб: Питер, 2000.

Свияш А. Решаем проблемы. СПб: Питер, 2000.

Незовибатько И. Отношения: обмен или дарение? // Разумный мир. 2001. № 1.

Аксенова Ю. Дианетика: мифы и факты. // Разумный мир. 1999. № 1.

Оглавление

Александр Григорьевич Свияш

УРОКИ СУДЬБЫ В ВОПРОСАХ И ОТВЕТАХ

Ответственный за выпуск *Л.И. Глебовская*
Художественный редактор *И.А. Озеров*
Технический редактор *Л.И. Витушкина*
Корректор *Т.В. Соловьева*

Изд. лиц. ЛР № 065372 от 22.08.97 г.
Подписано в печать с готовых диапозитивов 05.07.2002
Формат 84x108$^1/_{32}$. Бумага газетная. Гарнитура «Корнелия»
Печать офсетная. Усл. печ. л. 18,48. Уч.-изд. л. 17,25
Доп. тираж 15000 экз. Заказ № 1753

ЗАО «Издательство «Центрполиграф»
111024, Москва, 1-я ул. Энтузиастов, 15
E-MAIL: CNPOL@DOL.RU

Отпечатано с готовых диапозитивов
во ФГУП ИПК «Ульяновский Дом печати»
432980, г. Ульяновск, ул. Гончарова, 14

Центр Александра Свияша
«РАЗУМНЫЙ ПУТЬ»

Пора начать жить разумно!

Наши тренинги прошли более 8 тысяч человек. Они получили не единовременную помощь, а инструмент для управления всей своей жизнью!

Причинная диагностика событий жизни. *Этот тренинг – глубокое самопогружение для тех, кто хочет понять, какие внутренние, скрытые для нас факторы творят нашу судьбу и делают жизнь такой, какая она есть.*

Формирование событий. Деньги в вашей жизни. *Это тренинг для тех, кто хочет получить ключ к управлению собственной жизнью и научиться создавать свой успех и материальное благополучие.*

Школа Разумного пути *– это овладение искусством не создавать себе в жизни проблем. Это глубокое погружение в методику, комбинация новых эффективных техник, индивидуальная работа с каждым.*

В ходе тренингов вас ждут: эффективные **техники работы**, интересные **беседы и упражнения** (коллективные, в малых группах, парные, индивидуальные), **медитации** (в т.ч. медитация прощения и реинкарнационная медитация), **диагностика и анализ** жизненных ситуаций участников тренинга, **чистка** накопленных негативных переживаний, упражнения по получению информации из подсознания и многое другое.

Мы проводим тренинги развития навыков успешного общения, личностного роста, решения проблем и др.
Позвоните и узнайте о наших тренингах!

Клуб «Разумный путь» — это регулярные встречи для тех участников тренингов и индивидуальных консультаций, кто вступил на путь позитивных изменений и нуждается в обратной связи, общении с единомышленниками.

Консультации. Специалисты Центра, подготовленные Александром Свияшем, проводят индивидуальные консультации — «причинную диагностику» ваших жизненных ситуаций. Вы можете обращаться **по проблемам в бизнесе, семейной, личной жизни, отношениях.**

Наши консультации помогают с первого раза в 9 случаях из 10!

Жителям городов России и зарубежья: *по приглашению* **мы** *проводим тренинги-семинары в городах России и за рубежом. Тематика и условия проведения семинара высылаются по запросу и приведены на сайте www.sviyash.ru. А. Свияш выезжает в другие города для проведения массовых лекций. Сроки и условия согласуются отдельно.*

Запись на тренинги и консультации по телефонам Центра:
(095) 350-30-90, (095) 148-71-98

Наш адрес: *109387, Москва, ул. Ставропольская, дом 14. Проезд:* **ст. м. «Волжская»**: *1-й вагон, трол. 74, до остановки «Оптика». Или:* **ст. м. «Текстильщики»**: *последн. вагон, авт. 29, 30, 623, 633, 641, 650, маршр. такси 641, 41 до остановки «Улица Ставропольская».*

СПИСОК НАШИХ РЕГИОНАЛЬНЫХ ПАРТНЕРОВ

№	Регион работы	Ф.И.О.	Контактные телефоны
1	Москва	Главный офис	(095) 350-30-90, 148-71-98
2	Владивосток	Ротачева Наталья Васильевна	(4232) 34-53-88 ooomib@mail.ru
3	Ижевск	Кудряшова Светлана	(3412) 22-14-19 (дом.)
4	Магнитогорск	Малильо Елена Николаевна	(3511) 22-58-00 (дом.) melena@mdv.ru
5	Магнитогорск	Жеребцова Татьяна Ивановна	(3511) 35-86-29 (дом.) ztatyana@rbcmail.ru
6	Орел	Тимошенко Ольга Владимировна	(8-08622) 544-22 tdf@valley.ru
7	Ростов-на-Дону	Видренко Петр	(8632) 51-84-84 vidrenko@aksay.donpak.ru
8	Ростов-на-Дону	Шульженко Андрей Анатольевич	(8-8632) 43-29-00 andrey64@donpac.ru
9	Санкт-Петербург	Смирнова Елена	(812) 173-14-78 elena20001@pisem.net
10	Самара	Новицкая Ирина	(8462) 174-944 bvs@transit.samara.ru
11	Челябинск	Ковач Ирина Константиновна	(3512) 22-02-34 (дом.) irina_kovach@mail.ru
12	Харьков (Украина)	Вороньков Александр	(0572) 33-65-44 nevmir@yahoo.com
13	Алмата (Казахстан)	Симонович Гульжиян	(3272) 48-11-22 constanta9@hotmail.com
14	Прага (Чехия)	Рахимбаева Ирина	(8-10-420) 602-958-123 irinar@volny.cz
15	Рига (Латвия)	Ерыгина Галина	(8-10-371) 75-30-415 (раб.) 911-85-95 (моб.) galuna@one.lv